Les pires amis du monde

Les relations franco-américaines à la fin du XXᵉ siècle

Du même auteur

SERVICES SECRETS. LE POUVOIR ET LES SERVICES DE RENSEIGNEMENT SOUS FRANÇOIS MITTERRAND (avec Bernard Violet), La Découverte, 1988.

LES GÉNÉRAUX. ENQUÊTE SUR LE POUVOIR MILITAIRE EN FRANCE, La Découverte, 1990.

CHARLES HERNU, OU LA RÉPUBLIQUE AU CŒUR, Fayard, 1993.

AU CŒUR DU SECRET. 1500 JOURS AUX COMMANDES DE LA DGSE, 1989/1993, (avec Claude Silberzahn), Fayard, 1995.

GUERRES DANS LE CYBERESPACE. SERVICES SECRETS ET INTERNET, La Découverte, 1995. (Nouvelle édition, 1997.)

Jean Guisnel

Les pires amis du monde

Les relations franco-américaines
à la fin du XXᵉ siècle

Stock

Introduction

Cette fin de siècle est déroutante. Depuis la fin de ses guerres coloniales, il y a trente-six ans, la société française vit dans la paix, et n'envoie plus ses armées au combat que pour la garantir chez les autres, s'ils le veulent bien. L'Europe a fermé la parenthèse des soixante-dix ans de communisme d'Etat, et les sociaux-démocrates sont installés au pouvoir dans presque toutes ses grandes capitales, en tentant tant bien que mal de faire coexister l'économie de marché et l'émergence de sociétés plus solidaires, thème de leurs campagnes électorales. L'Europe unie sort lentement des limbes, et trouve son terrain d'entente dans la mise en place d'une monnaie unique, l'euro. Pourtant, les inquiétudes sont palpables. La société de l'information bâtie à coups de réduction des distances, de réseaux informatiques et de satellites, de délocalisation des industries de main-d'œuvre vers les pays et les continents aux salaires les plus bas, a provoqué la mise en place d'une « mondialisation » de l'économie et de la culture. Les capitaux naviguent à vue, des pans entiers de l'économie mondiale changent de main en un quart d'heure, des guerres exterminatrices incontrôlables éclatent régulièrement sur des terres déjà meurtries par l'Histoire. Dans la vieille Europe, on mesure chaque jour les effets de la remise en cause des équilibres anciens, et les citoyens, tout comme les dirigeants, s'inquiètent. Parfois, ils s'affolent.

De manière réductrice, les opinions publiques aiguillonnées par les démagogues, notamment en France, estiment souvent que les responsables exclusifs de ce nouvel état du monde sont à chercher aux Etats-Unis. Qui mèneraient une politique machiavélique de prise de contrôle totale de la planète, tirant ainsi profit de leur statut d'« hyperpuissance » unique, bâtie depuis dix ans sur les décombres de la guerre froide.

Dans ce monde en devenir, la France tient une place à part. Riche d'une histoire de tempêtes et de conflits sanglants, son unité a été forgée par une langue et une culture propres et par des projets révolutionnaires — tels les droits de l'homme — devenus au fil des siècles des modèles pour le reste de l'humanité. Il n'est pas surprenant que ses élites s'engagent aujourd'hui dans une bataille contre l'uniformisation mondiale, contre la nouvelle hégémonie américaine, contre le modèle dominant d'une société planétaire unique, que nous voyons naître sous la conduite volontariste des Etats-Unis, qui entendent effectivement devenir les seuls maîtres de la nouvelle société de l'information, pour leur plus grand profit.

L'objet de cet ouvrage est double. Nous avons d'abord cherché à décrire et à analyser les effets et les conditions de la nouvelle concurrence transatlantique, telle qu'elle s'est exacerbée depuis le début des années 90. Dans cette opposition qui s'intensifie chaque jour, les outils militaires nés au cours du siècle perdent progressivement de leur pertinence. Alors qu'un nouveau millénaire pointe son nez, ce ne sont plus les armes — ni leur puissance de destruction, ni leur quantité — qui définissent les équilibres stratégiques. La France les possède toutes, et des plus performantes. A quoi serviront-elles dans les années qui viennent? Dès aujourd'hui, les outils de la puissance sont autres. Ils appartiennent à ce qu'il est convenu d'appeler les NTIC (Nouvelles technologies de l'information et de la communication), et à l'usage que les différentes composantes de la société — politiques, entrepreneurs, citoyens — sont désireux et capables d'en faire. L'Internet interactif, les réseaux de transmission à hauts débits, les outils de diffusion et d'analyse de flux informationnels chaque jour croissants, les capacités d'observation et de navigation spatiales, sont dès aujourd'hui devenus les moteurs du monde. Ils se trouvent être, simultanément, l'instrument de mesure de la puissance relative de ceux qui savent les développer, et surtout s'en servir. La France, de ce point de vue, ne manque pas de réels atouts.

Car, notre second objectif est d'en convaincre le lecteur, nous pensons que notre pays n'est pas dépourvu, loin s'en faut, de moyens pour résister au bulldozer américain et pour faire valoir son projet propre. Sans doute faudra-t-il que les énergies soient mobilisées, et que les élites françaises se persuadent, enfin, qu'elles ont toutes les raisons de ne point sombrer dans un sombre défaitisme. Les initiatives sont souvent maladroites? Les enjeux du nouvel espace stratégique sont régulièrement mal compris? Les morcellements de la société française et les pratiques de ses dirigeants semblent parfois handicaper notre pays dans l'indispensable adaptation à la société de l'information? Certes. Mais il ne faudrait surtout pas croire que la France n'aurait d'autre choix que de s'étioler ou se dissoudre dans la mondialisation. La société de l'information a déjà démontré que les retards se rattrapent très vite, pourvu que la volonté d'agir ainsi soit présente. Les Etats-Unis et leur complexe de supériorité renversant ont pris une avance considérable, mais la France peut, et se doit, de revenir dans la course. C'est ainsi qu'elle conservera certaines des positions éminentes qui étaient naguère les siennes, et que ses habitants entreront en confiance dans le prochain siècle.

Jean GUISNEL (jguisnel@calva.net)
Morlaix, le 2 janvier 1999

1

Le nouvel ordre américain

UNE LOI MONDIALE, ET L'AUTRE PAS

C'était il y a longtemps déjà, à la fin du printemps de 1997. Dans une crise brutale de delirium politique, le président français Jacques Chirac venait tout juste de dissoudre l'Assemblée nationale, puis de s'en voir imposer une autre par les électeurs, exactement contraire à ses souhaits. Après un joyeux éclat de rire international, la France avait repris dans les gazettes mondiales la place qui est généralement la sienne, dans les rubriques gastronomico-touristiques. Rien de nouveau sous le soleil...

Pendant ce temps, aux Etats-Unis, neuf sages occupant les plus éminentes fonctions du pouvoir judiciaire prenaient, comme c'est souvent le cas à cette époque de l'année, une impressionnante série de décisions venant clore de longues procédures judiciaires et touchant des problèmes de société extrêmement profonds.

Avec des conséquences lourdes sur la vie quotidienne de plus de deux cents millions de citoyens américains.

Prenons deux de ces mesures, pas tout à fait au hasard. La première concernait la non-conformité de la loi Brady avec la Constitution américaine. Qu'est-ce que la loi Brady ? Tout simplement un texte qui permettait de refuser la vente sans contrôle d'armes à feu, en imposant un délai de cinq jours entre le paiement et la livraison de l'arme — délai mis

11

à profit pour vérifier la moralité de l'acheteur. Cette loi empêchait des personnes faisant manifestement courir des risques trop élevés à leurs compatriotes d'acquérir dans le commerce ces machines à tuer, dont on sait que les lycéens s'équipent parfois pour venir à l'école. Cette loi avait été imposée en 1993 après une campagne intense menée par le sénateur Sara Brady, dont le mari, James Brady, victime de l'attentat qui avait visé le président Ronald Reagan le 30 mars 1981, vit depuis dans un fauteuil roulant. La Cour suprême a finalement décidé que cette loi n'était pas conforme à l'esprit qui avait présidé à la rédaction de la Constitution. Mort, donc, de la loi Brady, et retour aux ventes d'armes complètement libres, c'est-à-dire aux cent meurtres et plus commis chaque jour aux Etats-Unis avec des armes à feu, y compris dans les cours d'école.

Quelques heures plus tôt, une autre loi, le *Communication Decency Act*, ou CDA, qui visait à réglementer la teneur des messages diffusés sur Internet, avait, elle aussi, été considérée comme non constitutionnelle. A nos yeux de Français, les deux décisions de la justice américaine n'ont pas les mêmes conséquences : depuis toujours, les armes à feu sont en vente libre aux Etats-Unis, et cela n'a jamais eu la moindre conséquence pour nous. Eux, c'est eux, nous, c'est nous et cordonnier est maître chez soi. Certes. Parce que les armes sont des biens matériels, dont les flux peuvent être physiquement surveillés, il est clair que la loi française ne peut être circonvenue aisément. Bien sûr, les frontières ne sont pas imperméables, et les auteurs d'éventuelles attaques à main armée savent où se procurer les instruments de leurs crimes. Mais une arme se voit aux rayons X, on fouille les passagers qui montent dans un avion, policiers et douaniers peuvent vérifier le contenu des containers et des valises. Bref, tant qu'on évoque le domaine des biens matériels, les Etats-Unis légifèrent de leur côté, et la France vit du sien. Loi Brady ou pas, cela ne change rien pour cette rive-ci de l'Atlantique, et les Suisses allant tirer le dimanche avec le fusil mitrailleur accroché chez eux au portemanteau durant la semaine continueront longtemps à faire figure d'exception.

PAS DE RÈGLES POUR LES FLUX IMMATÉRIELS

Rien de cela n'est vrai dans le domaine des flux immatériels, celui des « marchandises » informatives circulant sous forme virtuelle. Les soixante-quinze millions de personnes qui se connectent aujourd'hui régulièrement sur l'Internet vivent, pour une large majorité, sur le continent nord-américain. Les lois qui s'appliquent à elles deviennent des lois mondiales. Que le législateur américain impose aux fournisseurs d'accès opérant sur son territoire de doter leurs logiciels de connexion de « filtres », permettant par exemple aux parents de choisir les sites web sur lesquels leurs enfants peuvent se brancher, et ces mêmes fournisseurs d'accès en feront une norme planétaire. Ce qui s'est produit tant que le CDA a été en vigueur. Tant qu'il s'est appliqué, on peut dire que des règles comparables à celles en vigueur en France ont été respectées, cette limitation s'appliquant essentiellement à tout ce qui a trait de près ou de loin à la morale sexuelle : pas de pornographie accessible aux mineurs, et liberté restreinte de proposer ce type d'informations sur le réseau. C'est ainsi que les fournisseurs d'accès français empêchent souvent les accès aux groupes de discussion appartenant à la catégorie *alt.sex*[1], comptant parmi les plus fréquentés du réseau mondial.

Mais la morale sexuelle est une chose, et l'extrémisme politique en est une autre. Les négationnistes français, dont la littérature est explicitement interdite par la loi de notre pays, peuvent sans le moindre problème exister sur le réseau, et y pratiquer le prosélytisme. Dans la mesure où cette expression est autorisée aux Etats-Unis, il est désormais impossible de la proscrire, et rien sans doute ne pourra

---

1. Les groupes de discussion (*newsgroups*) sont l'une des principales composantes de l'Internet. Chaque internaute peut se connecter à plusieurs dizaines de milliers d'entre eux. Sur ces nouvelles places de villages électroniques, il pourra « converser » sur tous les thèmes imaginables. Sous la rubrique *alt.sex* (abréviation de *alternative sex*), des centaines de sites traitent de sexualité.

être changé de ce point de vue. Qu'on le veuille ou non, les normes américaines deviennent les normes de fait, n'importe quel Parisien qui aurait une certaine réticence à se rendre dans une arrière-cour miteuse pour y acquérir de la littérature interdite se la procurera pour quelques francs en restant chez lui devant son écran d'ordinateur.

Sommes-nous là dans le domaine de la « guerre de l'information », dont on entend, ou sous-entend, qu'elle constituerait l'ossature de la nouvelle stratégie américaine, engagée dans une nouvelle offensive tous azimuts visant à conforter sa domination? Ne chipotons pas sur l'expression « guerre de l'information ». En la matière, l'usage sémantique n'est pas fixé, et cette expression s'entend avec un grand nombre d'acceptions. Nous conviendrons que ce terme flou recouvre l'emploi de tous les moyens faisant appel aux technologies de l'information, au sens le plus large du terme, et qui permettent, soit de recueillir une information que son détenteur n'entend pas livrer de son plein gré, soit de faire prévaloir auprès d'un tiers un point de vue qui n'est pas le sien. La belle affaire, diront ceux qui prétendent qu'il n'y a rien de nouveau sous le soleil, et que la guerre de l'information n'est qu'un avatar de la guerre psychologique, ou de la propagande, voire de l'espionnage. En fait, nous assistons à l'avènement d'un phénomène majeur, part inhérente de la nouvelle société de l'information, puissant vecteur de la mondialisation, dont les réseaux informatiques comme l'Internet sont l'une des artères.

Le lecteur qui ne serait pas convaincu de la volonté des Américains de s'engager, avec toute leur puissance, dans cette nouvelle initiative stratégique se reportera avec profit à la livraison de mars 1996 de la revue *Foreign Affairs*. Deux éminents spécialistes, Joseph S. Nye et l'amiral William A. Owen, y énoncent crûment quelques évidences qu'on aurait tort de ne pas prendre au pied de la lettre. En voici un échantillon : « Les Etats-Unis doivent adapter leur défense et leur politique étrangère de façon à prendre en compte l'avantage concurrentiel croissant dont ils bénéficient dans les sources d'information[1]. » Par « sources d'information », il faut comprendre, évidemment, l'information dans tous les domaines : presse, audiovisuel, sources scientifiques et militaires, etc. A quoi devront-ils consacrer cette puissance ? Les auteurs poursuivent : « Ces capacités forment ce que nous pourrions appeler un "parapluie informationnel". Comme dans le cas d'une dissuasion nucléaire étendue, il pourrait constituer la base d'une relation mutuellement bénéfique. Les Etats-Unis fourniraient aux autres nations des comptes rendus réguliers concernant, notamment, les questions militaires intéressant la sécurité desdites nations. Partageant avec leur fournisseur américain les informations sur un événement ou une crise, les nations clientes seraient davantage incitées à travailler avec les Etats-Unis.(...) De même que la supériorité nucléaire fut la clé du leadership pendant la guerre froide, la puissance de l'informationnel sera la clé du pouvoir à l'âge de l'information[2]. »

Qu'est-ce que la mondialisation ?

La mondialisation, que les Anglo-Saxons préfèrent appeler « globalisation », est un phénomène que la fin de la guerre froide a brutalement accéléré. Il s'agit, dans un monde devenu « global » par le progrès des moyens de communication, de constater par exemple que les entreprises productrices de biens matériels ne raisonnent plus selon un territoire donné, mais mondialement. Quels que soient les capitaux qui les détiennent, où que soient implantés leur sièges sociaux, elles installent leurs appareils de production en fonction de critères qui n'ont plus rien à voir avec ceux que les anciennes contraintes imposaient. Grâce à la faiblesse relative des coûts de transport et au maillage mondial

---

1. Joseph S. Nye et William A. Owen, « America's information edge », *Foreign Affairs*, mars-avril 1996.
2. *Ibid.*

et performant des voies de communication, il n'est plus nécessaire que les matières premières soient produites à proximité du lieu de transformation. Que les coûts d'extraction deviennent trop élevés, et on se fournit ailleurs. Les mineurs de la dernière mine de fer française, aux Terres-Rouges, à Audun-le-Tiche (Moselle), en activité depuis la fin du XIXe siècle, le savent bien. Les « gueules jaunes » employées par le groupe Arbed sont définitivement rentrées à la maison le 31 juillet 1997 : il est bien moins cher aujourd'hui d'acheter et d'acheminer jusqu'au haut-fourneau d'Esch-sur-Alzette (Luxembourg) du minerai venu d'ailleurs...

Les équipes de recherche et de développement n'ont plus d'impératif de contiguïté avec le siège social, la perspective de promotion économique d'une région quelconque grâce à la pérennité d'une entreprise locale n'est plus de mise. Lorsque le plus grand producteur mondial de logiciels, Microsoft, a voulu installer sa nouvelle structure de recherche, il a choisi la Grande-Bretagne, sans se soucier de poursuivre son implantation à Seattle (Etat de Washington). Les réseaux électroniques font que les ordinateurs de l'entreprise communiquent entre eux d'un point à l'autre de la planète, aussi bien et aussi vite que s'ils se trouvaient dans la même pièce. Aujourd'hui, les sociétés s'implantent ou se délocalisent là où la main-d'œuvre présente le plus d'atouts (coûts salariaux directs, formation, lois sociales « raisonnables »), mais, aussi, là où les marchés sont le plus prometteurs. Que les affaires marchent moins bien, que les perspectives de profits soient amoindries par une conjoncture défavorable, et la faux des restructurations internationales vient frapper des implantations qui peuvent être, ou pas, performantes : là n'est pas le problème. Quand il s'est agi de procéder à une réorganisation de ses centres de production européens, Renault n'a pas hésité à fermer son usine pilote de Vilvorde, en Belgique. Ainsi va la mondialisation.

La fascinante explosion économique de la Chine continentale doit beaucoup à la qualité de sa main-d'œuvre bon marché, bien formée et convenablement docile, mais aussi à l'immensité des perspectives économiques ouvertes par l'élévation progressive du niveau de vie d'une population de 1,4 milliard d'habitants. Quant à l'absence de libertés publiques et au mode de gouvernement dictatorial des dirigeants du pays, héritiers du communisme, ils forment des atouts complémentaires pour les entreprises. Elles n'aiment rien tant qu'un pays « tenu ».

La mondialisation, ce sont aussi les réseaux électroniques planétaires qui permettent à tout un chacun de s'informer, de jouer, d'acheter ou de travailler sans les contraintes héritées de siècles de relations fermées dans l'univers du travail. Il n'est plus nécessaire d'être présent sur le lieu de son entreprise, dès lors que la profession que l'on exerce n'impose pas une relation physique, en un espace déterminé, avec son outil de travail. Si surprenant que cela puisse paraître, cette réalité est déjà en œuvre, et pas seulement dans l'industrie. Un seul petit exemple parmi des milliers d'autres : des médecins américains sont organisés pour expédier en quelques minutes en Inde, via l'Internet, l'enregistrement sonore de leurs diagnostics ou de leurs comptes rendus opératoires. Ceux-ci leur reviennent dans l'heure, proprement mis en page, toujours par l'Internet. On jugera, au premier abord, que cette évolution est cruelle pour les secrétaires médicales jusqu'alors habituées à effectuer ces saisies, qui se voient préférer des opérateurs lointains. Mais la mondialisation joue également pour beaucoup dans l'évolution de ces professions. Dans les pays développés à haut niveau de formation, les postes de secrétariat, pour s'en tenir à eux, se transforment : le corollaire des plus vastes responsabilités et des compétences élargies de leurs titulaires, et du refus des Français d'effectuer des tâches à faible valeur ajoutée, c'est que celles-ci sont réalisées, à des salaires moindres, ailleurs. Ainsi va la mondialisation.

Le temps est aujourd'hui révolu où il était nécessaire de brasser des tonnes de vieux papiers pour mener une recherche documentaire, de se rendre dans une librairie pour acheter un livre, d'acquérir un disque pour entendre à l'envi son morceau favori. Les ordinateurs reliés à distance permettent d'interroger les bases de données de tous types où que l'on se trouve, de disposer de masses d'informations phénoménales, de les télécharger sans avoir à se déplacer. Les réseaux électroniques vont provoquer rapidement une révolution dans les pratiques commerciales : ce qui sera achetable sur catalogue pourra l'être directement sur le réseau. L'effet sur l'emploi n'est point quantifiable pour l'instant, mais rien ne dit qu'il n'est pas négatif. Un site Internet sur le World Wide Web exige du personnel pour le concevoir et le faire fonctionner au quotidien. Les achats à distance imposent que des personnes livrent les marchandises achetées. Les grands réseaux de messagerie fleurissent au gré de la mondialisation, et leur succès est lié à celui des communications électroniques.

Un jour ou l'autre, à l'extrémité de la chaîne virtuelle, une marchandise physique finira par circuler. Quand un prothésiste dentaire français envoie les empreintes d'une molaire en Chine populaire, et installe moins d'une semaine plus tard la quenotte réclamée sur la gencive de son patient, c'est la mondialisation qui galope. Pourvu que les compétences soient comparables et les charges moindres, la terre devient un atelier global ; la fabrication de même que la maintenance des ordinateurs ont souvent joué le rôle de lièvre dans ce phénomène accéléré. Si les bureaux d'études concevant ces machines se trouvent en Californie, les fabrications se réalisent en Asie, et les centres de maintenance à distance pour le monde entier sont regroupés en Irlande. Pour n'avoir pas su monter dans ce train quand il roulait à une vitesse acceptable, les Français sont restés sur le quai. Chaque fois qu'ils achètent un ordinateur, le monde entier travaille pour le leur fournir. Mais quand cette machine produira du savoir, ou un quelconque produit encore immatériel, le jeu consistera à le faire acheter par le monde entier.

Pour avoir compris très tard cette révolution introduite pour une large part par les nouvelles technologies de l'information, la France est encore en retard. La mondialisation représente une angoisse. L'avenir n'est pas inscrit dans les astres, et les Français s'inquiètent. Quelle forme prendra notre futur? Notre destin ne sera-t-il qu'une absence de choix, qu'une acceptation par défaut d'un modèle de société que nous n'avons pas contribué à mettre en place et qui désoriente? La mondialisation, pour une part à l'origine de la chute du bloc soviétique, s'est nourrie des ruines de la guerre froide. Mais du monde qui doit être reconstruit, nous ne savons discerner que peu d'éléments. En 1962, Raymond Aron s'interrogeait déjà : « Personne ne sait si l'équivalent de l'Empire romain [...] sera une paix couvrant le système qui va de San Francisco à Moscou en passant par Tokyo ou par Berlin, ou si, plus vaste encore, il englobera le reste de l'Asie, l'Afrique et l'Amérique du Sud. Comment en décider, puisque le système planétaire qui s'ébauche est sans précédent et que la phase prochaine de l'histoire humaine suscitera peut-être *des* civilisations, autres que celles de l'Occident, de la Chine historique ou du christianisme oriental, mais que peut-être aussi les civilisations appartiennent au passé, l'histoire de demain étant universelle[1]? »

C'est peut-être là tout l'enjeu de ce formidable débat, qui prend à la gorge une France assumant mal son nombrilisme. Elle est désireuse de conserver ses acquis, notamment son « modèle social », qui comporte tant de règles propres, et de continuer à agir sur la marche de la planète, dès lors qu'« une France qui ne s'occupe pas des affaires du monde n'existe pas[2] ». Les compétitions géopolitiques de cette fin de siècle ont changé de nature. La force militaire, pour ne citer qu'elle, a perdu une large part de sa signification. Lorsqu'ils veulent mettre un pied en Afrique, les Etats-Unis se gardent d'y envoyer des forces armées significatives. C'est par le commerce qu'ils préfèrent agir. Parallèlement, la France désengage ses troupes. Non pas complètement, mais pas seulement symboliquement non plus. Le mouvement

---

1. RAYMOND ARON, *Paix et Guerre entre les nations*, Calmann-Lévy, Paris, 1962, p. 325.
2. DOMINIQUE DAVID, « France, la puissance contrariée », *Limes*, n° 1/96, p. 23.

est réel. En Bosnie, durant plusieurs années, les soldats français ont été tirés comme des lapins par des brutes aux pulsions médiévales ; avant que quelqu'un — en l'occurrence Jacques Chirac — s'aperçoive enfin que les armées ne formaient pas leurs hommes pour qu'ils servent de poules au ball-trap des assassins. C'est un fait : « Jamais les pays occidentaux n'ont été aussi puissants militairement. Jamais ils n'ont été moins en mesure d'en faire usage[1]. »

La France est engagée dans une double démarche, européenne et globaliste, qui fait craindre à ses citoyens qu'ils soient engloutis dans un maelström incontrôlable. D'une part, « la mise en circulation généralisée du monde et de nos vies a bousculé nos relations avec les lieux, généralisant l'idée même d'urbanité à l'ensemble du territoire, et plus lentement, à celui du globe[2] ». Ce qui ne saurait être considéré comme néfaste. Mais simultanément, comme l'a écrit la romancière Viviane Forrester dans un livre qui a recueilli un écho stupéfiant dans notre pays, les Français craignent que la société dans laquelle ils vivent ne les écrabouille, et sont terrifiés de « voir comment on prend, comment on jette des hommes et des femmes en fonction d'un marché du travail erratique, de plus en plus imaginaire, comparable à la peau de chagrin, un marché dont ils dépendent, dont leurs vies dépendent mais qui ne dépend pas d'eux[3] ».

Le destin de la France se joue maintenant. La globalisation des marchés impose des règles terribles, qui peuvent conduire une entreprise de toute première qualité, fleuron technologique du pays, à perdre plus de 40 % de sa valeur boursière en quelques heures, sur une simple décision de conseils d'administration de fonds de pension américains. Pour autant, cette problématique ne peut pas se traiter de

---

1. Pascal Boniface, *La Volonté d'impuissance. La fin des ambitions internationales et stratégiques ?*, Le Seuil, Paris, 1996, p. 189.

2. Jean Viard, *La Société d'archipel, ou les territoires du village global*, L'Aube, Paris, 1994, p. 39.

3. Viviane Forrester, *L'Horreur économique*, Fayard, Paris, 1996, p. 21.

manière sommaire. La place de la France dans le monde se résume encore, trop souvent, à une coexistence passionnelle avec les Etats-Unis. Le président français est expert à ce jeu, et entretient des relations explosives avec le nouvel empire américain. A sa décharge, on se doit de préciser qu'il n'est pas le seul à avoir le sang chaud, et qu'aux Etats-Unis chaque initiative de la France prend souvent des allures de chiffon rouge. Elle y agace et parfois exaspère, fascine et dérange. Ce qui n'empêche pas les deux pays d'avoir aussi de profondes connivences et la France de demeurer le seul grand pays européen contre lequel le peuple américain n'a jamais été en guerre. La France et les Etats-Unis sont les pires amis du monde...

2

Grande gueule et petit bâton

BOSNIE, LE BAPTÊME DU FEU

30 août 1995. Dans la nuit, le rugissement des réacteurs déchire le ciel de Sarajevo et de la petite ville voisine de Pale, où siège le gouvernement des Serbes de Bosnie. Les explosions retentissent dans la nuit. Des appareils de l'US Air Force — partis des bases italiennes — et de l'US Navy, qui ont décollé du porte-avions US *Theodore Roosevelt* croisant en mer Adriatique, détruisent les objectifs désignés par l'Otan pour cette opération *Deliberate Force*. Les tirs sont millimétrés, les cibles ont été repérées avec la plus grande précision depuis des semaines : il n'est pas question que des immeubles d'habitation soient touchés, mais seulement des infrastructures de l'« entité serbe » de Bosnie. Quelques heures après qu'un obus eut frappé un marché, causant des dizaines de morts en plein centre de Sarajevo[1], les chasseurs bombardiers, dont ceux de l'armée de l'air française — qui perdra dans l'opération un Mirage 2000 dont les deux pilotes seront faits prisonniers[2] — ont commencé par frap-

1. Présenté à l'époque comme un tir serbe, l'origine de cet attentat n'a jamais été claire. Certains observateurs ont soupçonné les musulmans de l'avoir eux-mêmes organisé, pour déclencher une riposte de l'Otan contre les Serbes.

2. Lire à ce sujet : JEAN-LOUIS CHIFFOT, *104 jours aux mains des Serbes*, Le Seuil, Paris, 1997.

per les batteries antiaériennes, puis les dépôts de munitions. Une usine d'armements à Vogosca est détruite, de même que d'autres objectifs à Mostar et à Gorazde. Des sites de radars et des centres de communication sont visés. Les troupes françaises présentes sur le mont Igman dans le cadre de la FRR (Force de réaction rapide), avec des troupes britanniques et néerlandaises, ont également été sollicitées ; 1 200 obus, terriblement efficaces, ont été tirés par elle entre 4 h 45 et 9 heures. L'opération *Deliberate Force* durera deux semaines, jusqu'au 14 septembre et au désenclavement de Sarajevo, accompagné du retrait des armes lourdes serbes à 20 kilomètres de la ville, et à la réouverture de l'aéroport.

C'est la première fois que les Serbes sont frappés aussi durement. Ils vont vite comprendre que les temps ne sont plus aux tergiversations ni aux humiliations pour les troupes des pays étrangers venues pour imposer la paix en Bosnie-Herzégovine. Lorsque Jacques Chirac est arrivé aux affaires, en mai 1995, le conflit bosniaque était entré dans une phase active[1]. Les Serbes avaient essuyé depuis avril une série de revers militaires concrétisés par la chute de la Slavonie occidentale, reprise par la Croatie en avril, et par les pertes du mont Vlasic et du plateau de Livno. Quelques frappes aériennes de l'Otan, très limitées, n'ont jamais paru devoir faire fléchir les Serbes, qui avaient pris en mai de nombreux Casques bleus en otages. Les images de légionnaires français agitant des drapeaux blancs, ou placés dans des conditions humiliantes, avaient exaspéré le nouveau président français, qui reprochera sévèrement aux responsables militaires, lors d'un conseil de Défense tenu à l'Elysée le 26 mai, d'avoir accepté d'appliquer en Bosnie les principes de la « diplomatie ondoyante » et privilégié « la négociation plutôt que la rétorsion quand elle est néces-

---

1. Pour une vision synthétique du conflit, on se reportera au remarquable article : Xavier Bougarel, « Bosnie-Herzégovine : disparition ou recomposition ? », in Jacques Rupnik (dir.), *Les Balkans, paysage après la bataille*, Complexe, Bruxelles, 1996.

saire[1] ». Les propos présidentiels lors de cette réunion sont si durs que l'amiral Jacques Lanxade, le chef d'état-major des armées visé personnellement par ces accusations, proposera sur-le-champ sa démission, qui sera refusée. Les conditions de la présence française sont alors exécrables, et « réduisent considérablement la marge de manœuvre de la France, qui ne peut ni assurer la réussite de l'opération, ni créer les conditions de son retrait[2] ».

Le 27 mai, appliquant à la lettre les consignes présidentielles de fermeté édictées la veille, les militaires français du 3e RIMa (3e régiment d'infanterie de marine) et du RICM (régiment d'infanterie chars de marine) reprennent par la force le pont de Vrbanja, investi par les Serbes. L'opération, épique, reçoit un considérable retentissement : pour la première fois, les Serbes ont vu riposter les Casques bleus. Le chef de l'opération, le colonel Eric Sandhal, pourra écrire que cette action, menée l'arme au poing par la section d'un tout jeune lieutenant, Bruno Heluin, « marque notre détermination à ne plus subir sans réagir. Pour les deux belligérants [les Bosniaques et les Serbes], il est clair désormais que toute agression de leur part entraînera une riposte adaptée (...) Incontestablement, il y a désormais "l'avant" et "l'après" Vrbanja[3] ». Cette première riposte militaire des Casques bleus provoquait à Paris ce commentaire : « Cette attitude s'inscrit dans une stratégie d'ensemble, et nous ne nous laisserons plus faire. La fermeté de notre attitude fera désormais partie de l'équation[4]. » Lors des obsèques à Vannes des deux soldats, Marcel Amaru et Jacky Humblot, tués dans l'opération, Jacques Chirac déclarera : « La reprise du pont de Vrbanja restera dans la mémoire de

---

1. *Libération*, 29 mai 1995.

2. THIERRY TARDY, « Le président Chirac et la Bosnie-Herzégovine : les limites d'une politique », *Relations internationales et stratégiques*, n° 25, printemps 1997.

3. ERIC SANDHAL, « Le mandat de la rupture », in *Bosnie, les leçons*, Cahiers de la FED, n° 6, 1997.

4. *Libération*, 29 mai 1995.

nos armées comme un symbole, celui de la dignité retrouvée, du refus de toutes les humiliations... La France ne tolérera plus que ses soldats soient humiliés, blessés ou tués impunément dans leur mission de paix et de protection des populations. »

Puis le président français s'envole pour les Etats-Unis. Il va participer au G7 d'Halifax, mais passe auparavant par Washington. Alors que la France assume pour quelques semaines encore la présidence de l'Union européenne, le rendez-vous avec le président Bill Clinton revêt une importance capitale. Car c'est l'époque où les Etats-Unis commencent à s'interroger sérieusement sur l'envoi de troupes américaines sur le sol bosniaque. Cette rencontre entre les deux présidents, qui s'isolent dans le Bureau ovale beaucoup plus longtemps que prévu, au grand agacement de leurs entourages, marquera elle aussi une étape de la guerre. La fermeté du président français a séduit ses partenaires outre-Atlantique, qui n'approuvaient guère l'attitude de son prédécesseur, et qui apprécient que Jacques Chirac ait « senti que la situation en Bosnie était dans l'impasse, et que les Occidentaux devaient soit se renforcer et punir les Bosno-Serbes, soit se retirer [1] ». Dans la foulée, Paris et Londres mettent sur pied une « force de réaction rapide » disposant de capacités offensives significatives, notamment sous forme d'artillerie lourde ; le signe indiscutable d'un changement de ton. Faut-il voir dans cette première riposte militaire au pont de Vrbanja, comme on le vécut généralement à Paris, la véritable origine de la fin des opérations militaires ? C'est l'avis du ministre Hervé de Charette : « Ceci s'est produit lorsque la France, à la suite de l'élection du président Chirac, a indiqué qu'elle ne laisserait plus ses troupes se faire humilier par les soldats serbes. C'est alors que les Américains ont changé leur position [2]. » C'est également le point de vue du secrétaire d'Etat adjoint américain pour les Affaires européennes

---

1. RICHARD HOLBROOKE, *To End a War*, Random House, New York, 1998, p. 65.

2. Entretien avec la *National Public Radio*, 26 septembre 1996.

et canadiennes, Richard Holbrooke, âpre artisan des accords de Dayton, considérant que l'« événement d'une importance considérable, qui a rendu possible l'intervention alliée en Bosnie, fut indéniablement le changement d'attitude de la France au lendemain de l'élection présidentielle de 1995 [1] ». Certains, qui préfèrent observer cette affaire en prêtant aux Français un rôle plus modeste, jugent pour leur part que « le tournant de l'été 1995 a correspondu à des évolutions politiques plus profondes, et n'a pas contredit la dynamique générale du conflit bosniaque [2] ». On retiendra toutefois que Richard Holbrooke lui même estime que « Chirac a coincé l'administration [américaine], mais cela a eu son importance en nous contraignant à voir la réalité, à savoir que les Etats-Unis ne pouvaient plus refuser de s'impliquer [3] ».

A la suite de la reprise du pont de Vrbanja, les Serbes n'infléchiront pas le moins du monde leur attitude, dans un premier temps ; ils riposteront au cours de l'été en écrasant — bien qu'elles aient été proclamées « zones de sécurité » par l'Onu — les villes de Srebrenica, le 11 juillet, et de Zepa, le 25 juillet, dans des conditions particulièrement atroces [4], et en profitant de l'indifférence révoltante des Casques bleus de la Forpronu (Force de protection des Nations unies) [5]. Dans ces conditions, l'opération *Deliberate Force* constitue l'ultime facteur déclenchant de la résipiscence des Serbes de Bosnie, donc de l'ouverture des discussions intercommunautaires sur la base aérienne

---

1. Entretien avec *Politique internationale*, n° 72, été 1996.
2. Xavier Bougarel, « Bosnie-Herzégovine, une paix incertaine et fragile », in *L'Etat du monde 1997*, La Découverte, Paris, 1997, p. 276.
3. *To End a War, op. cit.*, p. 65.
4. On lira à ce propos l'impitoyable enquête de David Rohde, *End Game*, Farrar, Straus and Giroux, New York, 1997. Traduction française : *Le Grand Massacre*, Plon, 1998.
5. Cette attitude a valu fin 1997 à des officiers français présents sur place à l'époque d'être convoqués pour témoigner au tribunal pénal international de La Haye. Paris s'est refusé à ce que cette audition ait lieu, déclenchant une nouvelle crise avec les Etats-Unis.

américaine de Dayton, conduites à marche forcée et à huis clos par Richard Holbrooke. Sans doute, la tâche consistant à faire discuter des entités farouchement opposées imposait-elle d'innover par rapport aux initiatives diplomatiques habituelles[1].

A Paris, on ressentira très durement l'éviction de la France des discussions, marque humiliante de l'exclusion du processus en cours, alors même qu'elle avait envoyé des troupes en « mission humanitaire » sur le terrain dès les premiers mois du conflit, en avril 1992. Elle a payé très cher le prix de cet engagement, en perdant sur le terrain 71 hommes, auxquels s'ajoutent 700 blessés, et en y affectant des moyens budgétaires importants. Les Américains n'accepteront qu'une seule contribution française aux discussions de Dayton : des « modèles numériques de terrain » préparés à l'aide du satellite d'observation de la Terre, Spot, et qui ont permis des tracés précis des nouvelles « lignes inter-entités ».

Mais faut-il pour autant se scandaliser de l'attitude américaine? Ce n'est pas certain. Richard Holbrooke, avec sa méthode à la hussarde, brutale et expéditive, serrant le garrot autour des protagonistes bosniaques contraints à négocier, avait-il le choix d'une autre méthode? Rien n'est moins sûr... Les Européens membres du « groupe de contact » qui avaient tenté sans succès de dénouer la crise bosniaque avaient été invités à assister, plutôt qu'à réellement participer, aux négociations de Dayton, et les Français parmi eux. Mais il est vrai que le rôle moteur a été joué par les Américains et Richard Holbrooke, et que les diplomates français n'ont que rarement apprécié cet état de fait, alors que les militaires l'ont trouvé franchement insultant. Pour mettre un peu de baume sur les plaies françaises, les Américains condescendront à ce que les accords de Dayton soient officialisés par une signature à Paris, le 21 novembre 1995, en présence des présidents serbe Slobodan Milosevic, bos-

---

1. DAVID LAST, « Peacekeeping in divided societies : limits to success », *Low Intensity Conflict and Law Enforcement*, été 1997.

niaque Alija Izetbegovic, et croate Franjo Tudjman. Maigre consolation... Ce n'est qu'à la suite de la conclusion de cet accord de paix que les Américains acceptèrent enfin ce qu'ils avaient refusé depuis le début du conflit : l'envoi sur le sol bosniaque de leurs troupes terrestres, constituant environ le tiers des 60 000 hommes de la nouvelle Ifor (Implementation Force), non plus soumise aux ordres de l'Onu, mais à ceux de l'Otan.

Rien n'est réglé pour autant. Dans cette ex-Yougoslavie où les hommes ne semblent plus avoir de désir que de se battre, on n'en finira pas de sitôt avec les massacres et l'impuissance à faire vivre ensemble des gens qui ne le veulent plus. Au cœur d'un continent ravagé par davantage de guerres que n'importe quel autre, cette terre déchirée est grosse d'insolubles menaces, comme le démontraient encore les tragiques événements du Kosovo, visant cette fois la minorité albanaise, durant l'année 1998; seule une menace d'intervention aérienne de l'Otan a permis le départ d'une partie des troupes serbes, fin octobre 1998. Ces guerres civiles et leurs cortèges de massacres et de ruines se révèlent d'autant plus terribles que les nouvelles structures politiques que s'est données l'Europe semblent pour leur part incapables d'agir.

MALENTENDUS ET « TRAHISONS »

A cet égard, les Etats-Unis aiment à prétendre contre l'évidence qu'en Europe, quand il s'agit de prendre les armes, les Français se comportent trop souvent en alliés peu fiables, car tentés de poursuivre des politiques propres, qui peuvent les amener — par exemple — à transmettre des informations aux ennemis du camp occidental. Ces calomnies furent parfois colportées dans le cadre du bras de fer contre l'Irak (voir chapitre suivant), mais la plus spectaculaire concerna, en avril 1998, le « théâtre » bosniaque. Cette fois, ce fut au *Washington Post* de se faire le réceptacle complaisant des médisances du Département d'Etat et du

Pentagone, qui mettaient en cause le comportement d'un officier supérieur français, le commandant Hervé Gourmelon. Celui-ci se voyait accusé — rien de moins ! — d'avoir transmis au leader bosno-serbe Radovan Karadzic des informations sur les plans de l'Otan visant à l'interpeller pour le transférer aux Pays-Bas, afin qu'il comparaisse devant le tribunal international de La Haye pour répondre des crimes de guerre pour lesquels il est poursuivi. L'article accusateur[1] fut accompagné le lendemain, dans le même quotidien, d'un éditorial au vitriol[2] évoquant la « répulsion » provoquée par l'attitude française, opposée à celle des troupes américaines, britanniques et néerlandaises, qui avaient pour leur part « enregistré quelques succès significatifs ».

En fait, cette affaire est — beaucoup — moins simple que ne l'ont prétendu les Américains : Hervé Gourmelon agissait au vu et au su de l'une des plus hautes autorités militaires françaises de l'état-major des armées, à laquelle il « rendait compte », selon la formule consacrée. Après avoir été chargé par le général Jean Heinrich, adjoint français du commandant de l'Ifor, de prendre contact avec les autorités de Pale, l'officier s'acquitta de sa tâche avec un certain succès, sous l'étroit contrôle de son « traitant ». Au point que le ministère de la Défense à Paris de même que l'Elysée purent juger sur pièces de la qualité des renseignements que Gourmelon avait obtenus. Puis, lorsque Jean Heinrich quitta la Bosnie en novembre 1996 pour prendre d'autres fonctions en France, Gourmelon continua sa mission sous l'autorité de son successeur, le général Marc Waymel ; et, à partir du printemps de 1997, sous celle du général Philippe Mansuy. Ce dernier entretint alors des contacts assez étroits avec un officier des services secrets serbes, « Zametica », qu'Hervé Gourmelon lui avait présenté, et qui était censé permettre aux Français d'atteindre Karadzic. En fait, cet

---

1. Jeffrey Smith, « Secret meeting foiled Karadzic capture plan ; US say french jeopardized mission », *Washington Post*, 23 avril 1998.
2. « Shameful, not questionable », *Washington Post*, 24 avril 1998.

agent triple, travaillant à la fois pour les Serbes, les Français et les Britanniques, n'avait aucune intention particulière — ni surtout aucun moyen — de conduire Karadzic à une quelconque reddition volontaire. Et tout indique que les alliés de la France en Bosnie étaient parfaitement au courant de cette démarche. D'autant moins vouée au succès que d'autres équipes françaises appartenant à la DGSE et à la DST, sous la conduite d'un officier général dépêché secrètement en Bosnie depuis Paris, travaillaient simultanément de leur côté, sur instruction du gouvernement français, à obtenir que le leader bosno-serbe se rende. Toujours est-il qu'Hervé Gourmelon, assez imprudemment, rédigea et diffusa nombre de comptes rendus des entretiens avec Zametica, sans prendre des précautions excessives sur leur mode de transmission. Il fut alors assez aisé pour les Américains de prétendre qu'un « traître » agissait dans les rangs français, qualificatif repris, à Paris, par l'un des destinataires militaires de ces notes ; qui s'empressa de dénoncer le « traître » au gouvernement français, lorsque les Américains froncèrent le sourcil... Ce qui rend le scandale monté par ces derniers contre les Français si choquant, c'est que le Pentagone n'a jamais donné l'impression de réellement vouloir se saisir de Karadzic, soit par la force, soit par la négociation.

A la fin de l'année 1997, une opération avait été envisagée, et préparée dans le détail par les alliés. Les services de renseignement — notamment américains et français — disposaient de tous les détails sur les refuges dans lesquels Karadzic pouvait se dissimuler, et tous les plans des locaux concernés avaient été dressés par des officiers de renseignement dont la mission, à l'instar de celle d'Hervé Gourmelon, consistait à entretenir le contact avec les Bosno-Serbes. Dans le cadre de l'opération *Piano Forte*, visant officiellement à garantir que les Serbes n'avaient pas conservé les armements lourds proscrits par l'accord de Dayton, les forces françaises et italiennes s'étaient approchées au plus près de Karadzic. L'Otan choisit toutefois de renoncer, en raison du « prix humain » qu'il aurait fallu payer. Les Bosno-Serbes, qui s'attendaient logiquement à un coup fourré, avaient prévu la mise en place de « boucliers humains », à savoir des habitants, femmes, enfants et vieillards compris, vivant à proximité des refuges de Karadzic ; les troupes d'assaut auraient dû franchir de vive force ces barrages humains, en provoquant des pertes sans doute considérables chez les civils, de même que dans leurs propres rangs. C'est dans ce contexte qu'il convient de replacer l'affaire Gourmelon, que les Américains choisirent de rendre publique quand ils jugèrent utile de s'en prendre aux Français. Quant à ces derniers, ils ont réagi avec une candeur confondante à cet épisode, cousu de fil blanc, de la guerre de l'ombre.

En effet, lorsque le *Washington Post* demanda, avant de publier son article, des précisions sur cette affaire à François Bujon de l'Estang, ambassadeur de France à Washington, celui-ci prit ses consignes à Paris, où on lui imposa un *no comment* formel. Attitude aussi classique qu'inadéquate. La capitale française ne put, ensuite, que gérer tant bien que mal la catastrophe inévitable, qui précédait de quelques heures la visite à Washington du ministre français de la Défense Alain Richard. Lors d'une réception sur place, son homologue américain William Cohen entreprit de lui présenter, un sourire entendu aux lèvres, l'auteur de l'article du *Washington Post*. Auquel un Alain Richard excédé se contenta de tourner le dos !

La gestion désastreuse de ce dossier eut au moins une conséquence, à replacer cette fois dans le contexte de la crise d'une province de Serbie voisine de la Bosnie, le Kosovo. Sur ce territoire, les forces serbes martyrisaient et massacraient la population d'origine albanaise depuis de longs mois. Elles n'acceptèrent de se retirer, en novembre 1998, que lorsque l'Otan agita bien tardivement la menace de rétorsions militaires, qui auraient pris la forme d'opérations aériennes. C'est dans ce cadre qu'intervint fin octobre, alors que la pression de l'Otan se faisait plus précise, la découverte de la trahison, bien réelle celle-là, d'un officier en poste à la délégation française auprès de l'Otan à

32

Bruxelles, Pierre-Henri Bunel; Paris s'empressa d'avertir ses alliés plusieurs jours avant de rendre l'affaire publique. Et Washington eut l'amabilité de ne point considérer cette affaire comme trop sérieuse, et de ne pas en tenir rigueur aux Français. Il est vrai que, du point de vue de la trahison, personne n'est à l'abri, et que les Américains eux-mêmes en ont été plus souvent victimes que quiconque, sauf sans doute les Britanniques!

Au bout du compte, faut-il regretter que les Etats-Unis soient intervenus en Bosnie à l'été 1995, en permettant ainsi, qu'on le veuille ou non, que la situation se calme? Certes non. Même s'il ne faut pas être dupe des véritables raisons de l'intervention américaine. Tout d'abord, les intérêts stratégiques de l'Amérique sont liés à ceux de l'Europe : une guerre interminable au cœur de cette dernière aurait été aussi préjudiciable à la première puissance de la planète qu'à notre vieille Europe.

Sans doute les Etats-Unis ont-ils fait preuve de maladresses insignes et nombreuses, par exemple en contribuant, dans le cadre de l'opération *Train and Equip*, à armer les forces bosniaques qui n'en n'avaient guère besoin. L'arrogance et la morgue n'ont pas été, non plus, absentes de ces semaines décisives de novembre 1995. Il n'est pas inutile, à cet égard, de rappeler que les décisions américaines ont été prises alors que le pays allait entrer en campagne électorale l'année suivante. Le président Clinton, qui faisait face à des accusations d'inaction de la part de ses adversaires politiques, se devait de ne pas rester les bras croisés. Et dans ce contexte, un discours nationaliste et triomphant ne pouvait pas déplaire à ses électeurs putatifs. L'Amérique conquérante, puissante et efficace, avait évincé la France mais également l'Europe d'un terrain qu'elles n'avaient pas su pacifier. Elle avait « mis un terme aux tueries, ce qui est un succès considérable en soi[1] ». Jacques Chirac retiendra la leçon, mais ne parviendra pas pour autant à rendre à

---

1. BLAAUW, « Les Etats-Unis et la sécurité en Europe », document 1519, *Union de l'Europe occidentale*, Paris, 13 mai 1996, p. 17.

l'Europe la prééminence politique à laquelle elle était en droit de prétendre sur sa propre terre. De ce point de vue, la querelle franco-américaine sur l'Otan et l'organisation de la défense européenne se révèle particulièrement intéressante.

GARDE-TOI DE TON FLANC SUD !

Lorsque le gouvernement de Lionel Jospin parvient au pouvoir en juin 1997, les affaires paraissent bouclées. Depuis deux ans, de manière volontariste et constante, la France a fait savoir qu'elle rejoindrait à terme le commandement intégré de l'Alliance atlantique, l'Otan que la France du général de Gaulle avait quittée en 1966. Trente années plus tard, le 17 janvier 1996, la France annonçait au cours de la réunion des ambassadeurs de l'Alliance atlantique, à Bruxelles, qu'elle accepterait de discuter avec ses alliés des questions nucléaires, le plus important et le plus sévèrement observé de tous les tabous que Paris s'imposait depuis son retrait. Michel Barnier, ministre des Affaires européennes, précisait toutefois les limites, très formelles, de la nouvelle position de la France qui « n'a l'intention ni de participer au comité des plans de défense, ni de rejoindre le groupe des plans nucléaires, ni d'être présente dans les structures actuelles du commandement intégré ».

Lorsque Paris avait quitté l'Otan, l'une des principales raisons de cette rupture résidait dans le souci de Charles de Gaulle de soustraire sa force nucléaire nationale à toute discussion avec ses alliés. Le dogme de l'indépendance atomique était à ce prix, et l'agacement des Etats-Unis avait été porté à son comble par la théorie du « tous azimuts », impliquant que les armes nucléaires françaises puissent être dirigées contre n'importe qui ; c'est-à-dire, implicitement, aussi bien contre des cibles soviétiques que contre d'autres, situées éventuellement par-delà l'océan Atlantique. Cette éventualité n'a jamais connu de traduction opérationnelle concrète, mais elle est demeurée présente dans le discours officiel.

En 1992, entérinant les premières leçons de la fin de la guerre froide et celles de la guerre du Golfe, François Mitterrand avait accepté un premier rapprochement entre son pays et l'Otan. Le 5 décembre 1995, le ministre des Affaires étrangères de Jacques Chirac, Hervé de Charette, a fait connaître une autre évolution majeure de la position française, en annonçant que le ministre français de la Défense, Charles Millon, participerait sans restriction aux discussions ordinaires de ses homologues; et d'ajouter que le chef d'état-major des armées françaises, à cette époque le général d'armée aérienne Jean-Philippe Douin, ne manquerait plus aucune réunion au sein du « comité militaire », structure chargée de l'interface entre les autorités politiques et les autorités militaires.

La nouvelle attitude décidée par le président Jacques Chirac visait à lever une ambiguïté, celle du rôle de l'Otan dans l'après-guerre froide. Le nouveau président de la République estime qu'il n'est plus possible pour la France de s'en tenir à son splendide isolement, alors même qu'elle participe, sans restriction aucune, aux opérations menées par l'Alliance atlantique en ex-Yougoslavie. Sur un autre plan, celui de la défense européenne, la France tente une ouverture. Face à des alliés, singulièrement britanniques, qui ne conçoivent pas la défense du Vieux Continent hors du cadre de l'Otan, Paris prouve sa bonne volonté. Et militera dans les mois qui suivront pour la constitution d'un fort « pilier européen de l'Alliance ». Accessoirement, on aura observé que la reprise des essais nucléaires français interrompus depuis 1992 par son prédécesseur, annoncée le 13 juin 1995 et premier acte international du nouveau président, ne firent pas l'objet de protestations américaines autres que de pure forme. Bien des éléments étaient intervenus pour qu'une telle décision soit prise, et d'abord la pression très forte de l'appareil militaro-industriel. Depuis l'interruption des essais, ni les militaires, ni les ingénieurs nucléocrates de la Délégation générale pour l'Armement, ni le CEA (Commissariat à l'énergie atomique) — trois entités se considérant chacune comme des Etats dans l'Etat —

n'avaient une autre idée en tête que leur reprise. L'arrivée du nouveau président en fut l'occasion. Edouard Balladur, candidat malheureux et ex-Premier ministre, avait lui aussi décidé de reprendre les essais. Un accord secret avait même été passé en ce sens avec l'administration américaine, qui avait accepté de taire son opposition, à la condition que cette reprise n'empêche pas la France de signer ensuite le CTBT (Comprehensive Test Ban Treaty) qui devait proscrire à partir de l'été 1996 tout futur essai. Quand Jacques Chirac annonce avec emphase sa décision, personne ne l'a averti de l'accord conclu entre l'administration Clinton et l'ancien Premier ministre. Toutefois, par la suite, lors de chacun des huit essais qui furent terminés au début de 1996, Washington se contenta de protestations de pure forme. Là n'était pas le problème.

En juin 1996, la réunion des ministres des Affaires étrangères des seize pays de l'Alliance prévoit que des forces militaires européennes appartenant à l'Otan pourront agir sous le commandement d'une autre organisation, l'UEO (Union de l'Europe occidentale), tandis que les Américains se tiendraient à l'écart des opérations qui y seraient décidées. Ils fourniraient seulement aux Européens des matériels de combat, des moyens de transport logistique, de communication et de renseignement, à l'exclusion des combattants. Les Américains ont précisé que leur aide à de telles initiatives — dans le cadre du nouveau concept de GFIM (Groupes de forces interarmées multinationales) —, et impliquant exclusivement des troupes européennes, serait soumise à un examen très attentif. Nicholas Burns, porte-parole du Département d'Etat, a ainsi rappelé que « les Etats-Unis se réservent le droit de décider s'ils déploient ces ressources, quand ils le font et pour combien de temps ».

Pourtant, bien des choses restaient à discuter, et singulièrement le rôle exact que joueraient les Français dans la nouvelle structure de l'Otan, une fois qu'ils l'auraient réintégrée. Pour Jacques Chirac, cela ne fait pas l'ombre d'un doute, son pays doit revenir la tête haute. Lui qui présente la « modernisation » de l'Otan comme la seconde priorité de son septennat en matière de politique étrangère[1] a la bonté d'accepter une suggestion du chef d'état-major français, Jean-Philippe Douin. L'idée de ce dernier, imprudemment avalisée par Jacques Chirac, consiste à réclamer un symbole fort du rapprochement de la France et de l'Otan : un grand commandement militaire, l'un de ceux que les Américains se réservent. Il estime que celui qui conviendrait le mieux serait celui du « flanc sud » c'est-à-dire de cette partie des forces de l'Otan qui aurait à intervenir en Méditerranée, aux portes de ce Proche-Orient auquel il se montre si attentif. La réalité de cette revendication a été contestée, l'Elysée arguant qu'il n'a jamais pensé qu'à un officier général européen, et pas nécessairement français, pour ce poste ; mais nombre d'observateurs, y compris l'auteur de ces lignes, peuvent attester qu'au printemps de 1996, il s'agissait bien de la position sur laquelle se tenaient les autorités militaires françaises, et leur ministre, Charles Millon[2].

Le refus des Américains sera d'une implacable netteté, et la campagne antifrançaise qui va l'accompagner d'une ampleur extrême, portant en particulier sur le fait que les Français auraient prétendu mettre la main sur le commandement de la 6e flotte américaine, qui navigue en permanence en Méditerranée pour afficher concrètement le soutien militaire à Israël. Accusation évidemment grotesque, dès lors qu'il n'a jamais été question que personne, hormis un amiral américain, puisse jamais commander une telle machine de guerre. En fait, si le président Bill Clinton paraît avoir laissé croire à son homologue français[3] que sa

1. Entretien avec *Time Magazine*, 11 décembre 1995.
2. Cette idée française ne date pas d'hier. En 1990, le président américain George Bush avait déjà refusé l'idée d'un SACEUR français, arguant qu'un Américain se devait d'occuper ce poste, garantie d'une acceptation populaire de la présence des forces US sur le sol européen. (FRANCK COSTIGLIOLA, *France and the United States. The Cold Alliance Since World War II*, Twaine Publishers, New York, 1992, p. 228.)
3. Les extraits d'un échange explicite de correspondances entre Jacques Chirac et Bill Clinton sont à cet égard révélateurs de l'abyssale ampleur du malentendu. JACQUES AMALRIC, « Otan : comment Washington a coulé Paris », *Libération*, 27 février 1997.

revendication pourrait être satisfaite, il n'en va pas de même pour ses services. Charles Millon, en brave soldat, ira néanmoins à la bataille à de nombreuses reprises. Dès que l'administration du second mandat du président américain sera arrivée aux affaires, il reprendra les assauts contre le nouveau secrétaire à la Défense William Cohen, sans parvenir à vaincre son inflexibilité, traduite par la formule « C'est non, c'est clair et définitif ». C'est tout juste si les Américains acceptent de discuter du bout des lèvres de deux perspectives, aussi humiliantes l'une que l'autre pour des Français qui faisaient de ce dossier du flanc sud l'étalon de leur capacité à infléchir le cours des choses : un double commandement, ou un report « à cinq ou six ans » des discussions concrètes.

Démarrée en 1995, cette polémique ne cessera que par l'abandon des Français en rase campagne, après qu'ils auront reculé autant qu'ils le pouvaient. Par exemple en affirmant, la main sur le cœur, que leurs intentions étaient pures, et qu'ils ne se voyaient pas prendre eux-mêmes le poste de commandement du flanc sud, à Naples... Alors même que les armées avaient officieusement désigné l'amiral en poste à Toulon, Philippe Durteste, pour occuper cette fonction.

Sur les divergences franco-américaines concernant l'Otan, l'affaire qui mérite la palme du ridicule a éclaté en décembre 1996. Hervé de Charette, le ministre des Affaires étrangères, aurait quitté la salle où le secrétaire général de l'Otan, Javier Solana, prononçait le discours d'adieu au secrétaire d'Etat américain, Warren Christopher, qui abandonnait ses fonctions quelques semaines plus tard. Informé par une source que l'on peut imaginer très proche du secrétaire d'Etat américain, le *Washington Post* brocardait alors le ministre français, accusé d'avoir « fait preuve d'un comportement incroyablement irritable », et situait l'incident diplomatique au moment d'un déjeuner, lui donnant une dimension ostentatoire. Version démentie à Paris, où l'on soulignait de la manière la plus énergique que les choses ne s'étaient pas passées de cette façon, que le ministre français avait assisté à l'intégralité du discours, qu'il nourrissait à l'égard de son homologue américain l'estime la plus vive et que ces allégations ne constituaient qu'une « manœuvre », qualifiée par ses services de « mensongère et malveillante ». Ce qui devait être le cas. La presse américaine, ouvertement manipulée par le Département d'Etat qui tenait sa vengeance contre Hervé de Charette et la diplomatie française, n'avait procédé à aucune vérification auprès de sources parisiennes...

Cette tempête dans un verre de grand cru a longuement agité les esprits, et aurait trouvé sa source, selon les plus fins exégètes du Quai d'Orsay, non seulement dans l'agacement croissant des diplomates américains et de l'administration Clinton envers les diverses initiatives françaises de l'époque, mais également dans une innocente remise de cadeau par son homologue français à Warren Christopher; pensant l'honorer, le ministre français lui avait offert, lors d'un passage à Paris, tous les prix littéraires décernés dans la capitale à la fin de l'année 1996. Le récipiendaire avait été ulcéré, non point tant que ces livres aient été écrits en français, qu'il ne parle ni ne lit, mais qu'ils soient brochés — comme c'est l'usage en France — et non reliés. Aux Etats-Unis, les livres de qualité le sont, tandis que la couverture souple (*paperback*) est réservée aux ouvrages de poche. A quoi tiennent les grandes inimitiés!

L'arrivée du gouvernement socialiste, au printemps de 1997, n'a pas simplifié la donne. Au plan intérieur, l'Otan ne fait pas recette : la signature à l'Elysée, le 27 mai, en pleine campagne législative, de l'accord de partenariat avec la Russie et en présence de Boris Eltsine et des chefs d'Etat ou de gouvernement de tous les pays de l'Alliance, ne provoque aucun intérêt particulier chez les Français. Quelques semaines plus tard, le nouveau Premier ministre, Lionel Jospin, fera savoir qu'il n'entend pas voir la France réintégrer l'Otan. Hubert Védrine, son ministre des Affaires étrangères, n'écrivait-il pas, très sévère, quelques semaines avant son entrée au gouvernement, que les questions relatives à la défense européenne et à l'élargissement de l'Otan n'avaient pas été traitées « entre alliés, mais à Washington, entre la Maison Blanche, le Pentagone, le Département d'Etat, le Congrès et les médias. Les décisions prises s'imposent à l'Union européenne, puisque les Etats-Unis le veulent[1] ».

Jacques Chirac, ayant été renvoyé par Washington à ses vues stratégiques mal préparées comme un sous-chef de bureau, va, finalement, considérer le refus de l'acceptation des conditions françaises comme une excellente raison de ne pas rejoindre l'Otan, et de s'en tenir à ce qui a déjà été accepté par la France depuis 1995.

L'ultime vexation, déglutie comme les autres avec force raclements de gorge, sera la décision unilatérale américaine de ne point élargir l'Otan dans les conditions réclamées par les Européens. Pour ces derniers, comme pour la France qui s'était faite la championne de l'admission de ces nouveaux membres, cinq pays de l'Est européen peuvent prétendre à rejoindre l'Alliance. Il s'agit de la République tchèque, de la Hongrie, de la Pologne, de la Roumanie et de la Slovénie. Mais Washington ne veut pas entendre parler de ces deux derniers pays, jugés insuffisamment prêts, aux plans économique, militaire et politique, à rejoindre les grandes démocraties. Jacques Chirac a beau estimer, avec quelques raisons, que les foyers de déstabilisation se situent précisément dans l'Europe balkanique et ses abords, c'est peine perdue : Bill Clinton estime avoir suffisamment à faire avec ses propres législateurs, qu'il lui faudra convaincre de s'engager dans de dispendieuses politiques d'aide — au bas mot 35 milliards de dollars sur treize ans pour les trois pays admis, dont 2 milliards à la charge des Etats-Unis[2] —, pour ne pas s'encombrer de compagnons qu'il faudrait porter à bout de bras. C'est aux parlementaires américains qu'il

---

1. Hubert Védrine, « Défense : l'Europe sous tutelle », *Le Point*, 12 avril 1997.
2. En 1997, le Congressional Budget Office estimait pour sa part le coût de l'élargissement de l'Otan à 125 milliards de dollars sur quinze ans, dont 19 à la charge des Etats-Unis.

annoncera le 12 juin que les Etats-Unis ne soutiendront que la candidature des trois pays qu'ils souhaitent voir intégrer l'Otan. Ce sont d'ailleurs eux qui comptent le plus de citoyens américains originaires de leurs territoires, lesquels représentent un cinquième de la population américaine. La décision, entérinée de mauvaise grâce, mais entérinée, par les membres de l'Alliance, sera officialisée au sommet de Madrid, les 8 et 9 juillet. L'Europe et la France avaient perdu une nouvelle bataille. Une de plus !

ONU ET KOFI ANNAN

A la fin de l'année 1996, une étonnante affaire — d'une ampleur bien moindre que celle de l'Otan — avait déjà passablement assombri les relations entre la France et les Etatsunis. Elle ne se termina pas, elle non plus, par une victoire pour les thèses de Jacques Chirac. En décembre de cette année-là, le mandat de Boutros Boutros-Ghali, élu au secrétariat général des Nations unies en novembre 1991, arrivait à son terme. L'ancien ministre égyptien des Affaires étrangères était le premier responsable politique originaire d'un pays arabe à s'être vu nommer à la tête de l'organisation internationale, pour un lustre qui ne manqua pas d'animation. En juin 1996, le président Clinton fit savoir qu'il s'opposerait au renouvellement du mandat de Boutros-Ghali, prenant prétexte de sa trop faible implication dans la réduction de la bureaucratie onusienne, et voyant en lui l'emblème des fréquentes impuissances de cette Onu dans nombre de conflits, dont ceux de l'ex-Yougoslavie ou en Somalie. En réalité, là encore, ce sont pour une large part des considérations de politique intérieure américaine qui ont joué. En prenant pour cible l'Onu et ses dépenses jugées inconsidérées, le candidat républicain Bob Dole avait rencontré un écho certain dans son électorat, et le président sortant, lui aussi en campagne, ne pouvait laisser son adversaire seul sur ce terrain. Pour la France, c'est un coup dur. Au Conseil de sécurité, dont les membres doivent proposer la candidature du futur secrétaire général à l'Assemblée générale de l'Onu, c'est la France qui soutient le plus vigoureusement Boutros Boutros-Ghali. Mais elle ne pourra rien si les Etats-Unis opposent leur veto, ce que le président américain a l'intention de faire.

Les Français estiment pour leur part que Washington n'a pas à s'opposer de la sorte à la nouvelle candidature de Boutros-Ghali. D'abord, parce qu'il n'a pas vraiment démérité dans un contexte international particulièrement difficile ; ensuite parce qu'il n'a pas si mal géré la crise financière de l'Onu, due pour une bonne part au refus des Etats-Unis de payer leurs cotisations. Enfin, parce qu'il est francophone. La France a toujours opposé son veto à des candidats à ce poste qui n'auraient pas parlé français. Pour Paris, la présence de Boutros-Ghali est un atout : il se dit francophile, dans une Onu où ce genre de beauté est plutôt mal porté. Second élément de poids : il est issu du continent africain, toujours considéré par Paris comme un élément majeur dans son jeu diplomatique mondial. Un grand ballet diplomatique s'engage alors, visant à maintenir le secrétaire général sortant à son poste. La question demeure toutefois de savoir pourquoi Paris et surtout Jacques Chirac en personne ont soutenu si vigoureusement Boutros-Ghali. Car sa « francophilie » peut être mise en doute, si l'on se réfère au nombre de postes que les Français occupaient à l'Onu avant qu'il n'y arrive, et qu'il a ensuite confiés à d'autres.

Ce fut, pour la France, peine perdue ! A l'opposition républicaine qui se faisait chaque jour plus vive contre lui, s'ajoutait, au sein du parti démocrate, une fronde menée par le représentant permanent des Etats-Unis à l'Onu, et futur secrétaire d'Etat, Madeleine Albright, viscéralement opposée à l'homme lui-même. Elle avait compris qu'en affichant cette objection, elle s'attirerait les bonnes grâces de l'opinion publique, excédée par l'Onu. Même chez les alliés africains, la prétention française à imposer que le successeur du sortant soit francophone a irrité, lorsqu'il fut acquis que l'opposition à Boutros-Ghali était irrémédiable. Evoquant cette condition *sine qua non* émise par la France, qui refusa longtemps la candidature de Kofi Annan, originaire du très anglophone Ghana, le ministre camerounais des Relations extérieures, Ferdinand Oyono, affirma que cette attitude conduisait à « confiner l'Afrique dans un jeu de ping-pong, dans un veto systématique ». Jacques Chirac s'engagea personnellement, ferraillant durant plusieurs semaines dans ce combat perdu d'avance. Mais c'était faire peu de cas de l'influence américaine : pour la Maison Blanche, le secrétaire général de l'Onu obéit aux instructions, ou prend la porte. Boutros-Ghali trop indépendant d'esprit, menait des stratégies propres que les Etats-Unis analysaient comme contraire à leurs intérêts. La France, qui ne pouvait se permettre le luxe de mettre son veto à un autre candidat, perdit jour après jour tous ses appuis dans une bataille qui, de l'avis général, n'en valait pas la peine. De guerre lasse, Paris jeta l'éponge. Boutros-Ghali fut évincé, remplacé par le Ghanéen Kofi Annan ; et le président français ravala avec dépit cette nouvelle humiliation. Les ambitions mondiales de Jacques Chirac avaient été confrontées à la dure réalité : à l'Onu, les Etats-Unis commandent.

FRANCOPHONIE

S'il est un lieu où les Américains n'ont en revanche rien à dire, au sens propre du terme, c'est bien dans l'espace linguistique francophone. Pour la bonne raison qu'ils ne parlent que très rarement des langues étrangères à la leur. Pour Boutros Boutros-Ghali, l'ancien élève de Sciences-Po à Paris, c'est là qu'une porte de sortie s'est offerte, ouverte par la France dès son éviction de l'Onu. Dans l'univers mondialisé, Jacques Chirac souhaitait redonner un sens à la francophonie, cette vaste communauté d'intérêts et d'idées mêlés qui se rassemble autour de la langue française parlée par cent vingt millions d'habitants de la planète, dans une cinquantaine de pays. Naguère, les diplomates du Quai d'Orsay avaient eu la géniale idée, dans « un projet culturel extérieur » grandiose, de pourfendre l'*homo coca-colens*, tout en protégeant la langue française de ses ignobles intrusions[1]. Jacques Chirac, de manière moins saugrenue, estima dès son arrivée aux affaires qu'il convenait de créer un secrétariat général de la Francophonie, offert sur un plateau à Boutros-Ghali. L'opposition du Béninois Emile Zinzou, qui avait présenté sa candidature avec l'appui de plusieurs chefs d'Etat africains, fut balayée lors du sommet francophone de Hanoi. Pourtant, c'étaient bien trois grands Africains, Léopold Sedar Senghor, Hamani Diori et Habib Bourguiba, qui avaient lancé l'idée de la francophonie « politique » au début des années 70. Leurs successeurs estimaient que la nomination de l'ancien secrétaire général de l'Onu n'était qu'une mesquine revanche sur les Etats-Unis qui l'avaient évincé. Mais Jacques Chirac ne tint pas compte de leurs remarques, et Boutros-Ghali s'installa à son nouveau poste.

Y fera-t-il des étincelles à la Francophonie ? Plus d'un an après sa nomination, rien n'est moins sûr. Quant à la langue française ! Qu'il s'agisse d'un outil d'influence mondiale est assez contestable : sur la planète globalisée, il est souvent difficile pour des pays « ayant la langue française en partage » de se retrouver ensemble sur ce même terrain. Au reste, ce critère de la langue ne suffit pas à rassembler des pays anglophones, hispanophones ou lusophones. En réalité, la démarche francophone est hypothéquée par une donnée historique : c'est au cours de la colonisation que la France a imposé sa langue et sa culture aux pays qu'elle entendait regrouper autour de sa bannière. Souvent, ce contentieux historique demeure lourd à gérer, et la politique française en la matière est vue comme une manière de reconquérir un espace de puissance, réminiscence de l'empire perdu.

Ainsi, le Vietnam, où un sommet de la Francophonie s'est tenu en novembre 1997, revient de loin en matière d'enseignement du français. Entre 1954 — date du départ de

---

1. JEAN-FRANÇOIS REVEL, « Comment défendre la francophonie », *Le Point*, 21 août 1993.

l'ancienne puissance coloniale, chassée par la guerre d'indépendance victorieuse menée par les communistes — et le
début des années 90, les seules langues étrangères ensei-
gnées dans ce pays ont été le russe et l'allemand : relations
exclusives avec les pays frères en socialisme — URSS et
Allemagne de l'Est — obligent. Seulement chez quelques
intellectuels de la vieille garde, la vacillante chandelle du
français n'a pas été mouchée. La réouverture progressive du
pays, à l'aube de cette décennie, s'est traduite par une invasion de l'anglais, la langue « naturelle » des relations avec les
pays asiatiques. Et le paradoxe, c'est que le nouveau et
luxueux palais des Congrès de Hanoi, construit par une
filiale de Bouygues installée à Singapour et très largement
financé par le contribuable français (qui a offert trente-cinq
millions de francs pour sa construction), accueillera également dans la foulée le sommet de l'Asean (Assembly of East
Asia Nations). Le sommet de la Francophonie, qui a signé
les retrouvailles du pays avec la communauté internationale,
aura été le prélude au grand retour des Vietnamiens, en
1999, dans le concert asiatique. Et anglophone. Avant
l'ultime normalisation : la réconciliation, très attendue
sinon programmée, avec les Etats-Unis[1].

Au Liban, parler français n'est pas une rareté. La moitié
des adultes chrétiens maronites le parlent, mais aussi 12 %
des chiites, 11 % des sunnites, 10 % des Grecs orthodoxes[2].
Les journaux francophones, qui n'assurent que 15 % du
tirage de la presse libanaise, reçoivent 40 % des budgets
publicitaires. Les éditeurs français réalisent au Liban
47,5 millions de francs de ventes annuelles. Paradoxalement, la langue française est l'un des rares ferments d'unité
nationale, avec un net regain de faveur depuis que Paris a
joué un rôle important dans les derniers soubresauts moyen-
orientaux. Jacques Chirac, ami personnel de Rafic Hariri,
Premier ministre jusqu'en novembre 1998, possède ici une

---

1. « La dernière bataille du français », *Le Point*, 8 novembre 1997.
2. Sélim Abou, Choghig Kasparian, Katia Haddad, *Anatomie de la
francophonie libanaise*, FMA, Beyrouth, 1996.

forte cote d'amour. Chez ce peuple de commerçants, les évolutions géopolitiques de la planète provoquent des effets surprenants. C'est ainsi que Paris a dû ouvrir d'urgence, le 6 octobre 1997, un septième lycée français à Habouch, au Sud-Liban, au cœur du fief chiite. Explication : les commerçants chiites libanais ont fui en masse l'Afrique francophone en pleine convulsion. Et ces riches hommes d'affaires exigent que leurs enfants soient scolarisés en français. Au nouveau lycée d'Habouch, soixante élèves sont arrivés directement du lycée français de Brazzaville à la rentrée de septembre 1997 ! L'évolution de la francophonie est évidente : dans les pays francophones, il n'est plus question de parler seulement le français. Pour ceux qui vivent dans les pays où le français a conservé un rôle, notre langue demeure un merveilleux moyen d'accès à la culture. Mais pour une bien plus large partie de l'humanité, l'anglais est déjà devenu la langue du travail, de la communication, des relations avec le reste du monde.

Dans une interview, Boutros Boutros-Ghali expliquait : « Pour certains, il s'agit de défendre la langue française contre la langue anglaise, une continuation de Fachoda[1], la nostalgie d'un empire. Ces notions doivent être corrigées[2]. » Encore faudrait-il que la francophonie s'adapte au monde moderne ! Radio France International fait excellemment son travail, et demeure la référence de base, par exemple en Afrique. Mais le réseau de diffusion n'est pas présent partout, et la BBC World Service ou la Voice of America font souvent mieux. Pour un francophone, voyager autour de la planète est débilitant : quand les réseaux anglophones de télévision (CNN ou BBC World) inondent le monde de programmes d'information intelligents, complets et

---

1. Arrivés en juillet 1898 à Fachoda (Soudan), le capitaine Marchand et ses hommes furent contraints par le gouvernement français d'évacuer le poste, après que les Britanniques qui le convoitaient également eurent envoyé un ultimatum. L'affaire est devenue le symbole de la capitulation française devant le volontarisme britannique.

2. *Le Figaro*, 27 avril 1998.

conformes aux habitudes culturelles des Américains ou des Britanniques, les Français se révèlent incapables de mettre sur pied un réseau digne de ce nom. Deux réseaux très faibles coexistent, CFI (Canal France International) — en perte de vitesse — et TV5, qui ne proposent pas de programmes cohérents avec les standards mondiaux. Il n'existe aucun moyen, pour un francophone, de s'informer sur une base horaire, vingt-quatre heures sur vingt-quatre, des évolutions de la planète. Ce constat est dommageable. Ne serait-ce que pour une raison : les autorités françaises ne peuvent compter sur un réseau de ce type pour présenter au reste du monde les actualités françaises et mondiales vues de France. Ce qui peut avoir des implications lourdes, quand de gros conflits commerciaux sont en cours, quand des polémiques éclatent sur tel ou tel événement, ou quand des troupes françaises sont engagées.

Il est déplaisant, quand la France est actrice d'un événement de grande ampleur, que les images la concernant soient transmises à la Terre entière par une chaîne américaine, en l'occurrence CNN. Sa formule qui peut paraître banale mais était révolutionnaire lorsque la chaîne fut lancée par Ted Turner, le 1er juin 1980 : des informations et des analyses sur l'actualité mondiale. Durant la guerre du Golfe, CNN fut la seule chaîne diffusant en direct depuis l'Irak. Signe indiscutable de son emprise : en août 1991, lors du coup d'Etat avorté contre Boris Eltsine, les Russes étaient mieux informés sur la situation, et en direct, par CNN que par les télévisions locales. Il est évident que CNN a su, par la force de ses images, induire bien des émotions américaines : que la chaîne soit présente dans une zone de conflit change la perception des choses dans l'opinion publique et chez les politiciens américains. Lors de la crise avec l'Irak, au début de 1998, la chaîne avait clairement préparé une guerre, expédiant des envoyés spéciaux et des stations de transmission sur les points sensibles, et obtenant, fait unique, l'exclusivité sur une part des communications publiques du gouvernement américain. C'est ce qu'on appelle en France, avec un soupçon de jalousie mêlée d'admiration, le « syndrome CNN ». Lorsqu'un hebdomadaire français demande à des écrivains, à l'occasion du centenaire de la parution du *J'accuse* d'Emile Zola, de lancer leur propre pamphlet pour la fin du xxᵉ siècle, le grand Manuel Vasquez Montalban s'en prend à CNN, accusée d'être devenue une illustration des ambitions orwelliennes des Etats-Unis : « CNN utilise le code linguistique d'un hôtel cinq étoiles : pas de caféine, pas de fumeurs ; avec un préservatif sur la langue, avec un système unique de signes, elle informe d'une catastrophe massive ou de la perte de poids d'une princesse suédoise, et c'est toujours, toujours, un aérobic de l'information, que l'on bombarde Bagdad, que les vaches saines deviennent folles, ou que les écologistes meurent pour raison d'Etat[1]. »

Que faire contre cette hégémonie télévisuelle ? La réponse française est classique : d'abord, créer une commission — ce sera le CSAE (Comité stratégique pour l'audiovisuel extérieur) —, puis demander un premier rapport (à Francis Balle), un second rapport (à Jean-Paul Cluzel et Michel Meyer), un troisième rapport (à Patrick Imhaus), puis un quatrième rapport (à Jacques Pomonti). Ensuite il convient de confier le bébé à un apparatchik, si possible énarque, puis d'humecter son berceau d'argent public, 130 millions de francs par an (contre 3,6 milliards de francs de budget de fonctionnement pour CNN). Enfin, un ministre doit s'exprimer sur la question. Ce qu'Hubert Védrine fera, le 30 avril 1998, au Conseil des ministres. « Le renforcement de notre audiovisuel extérieur est une nécessité absolue », expliquera-t-il[2], en annonçant que la décision gouvernementale consiste à s'appuyer sur le réseau de TV5, mais à renoncer à copier le modèle CNN. Trop dispendieux. Ce n'est pas de cette manière que les Français obtiendront des résultats comparables à ceux de CNN. Ni même de BBC World, voire des télévisions italiennes commerciales que

1. Manuel Vasquez Montalban, « J'accuse CNN », *Le Nouvel Observateur*, 8 janvier 1998.
2. *Le Monde*, 2 mai 1998.

l'on peut regarder dans tous les hôtels du monde. Sans parler de l'idée consistant à aider le secteur privé à lancer cette initiative. Pourquoi ce que Ted Turner a réussi aux Etats-Unis ne serait-il pas réalisable, vingt ans après, par les Français ? C'est une question à laquelle personne, hélas, ne veut répondre !

3

Chirac d'Arabie

LES RAISONS DE LA COLÈRE

L'image est forte : elle a fait le tour du monde. Dans une rue de la vieille ville arabe de Jérusalem envahie par Jacques Chirac, sa délégation officielle, la presse française et internationale et le service d'ordre israélien qui les serre de très près, le président français se fâche tout rouge. Il le fait en anglais, et utilise un ton très peu diplomatique, véhément, pour s'en prendre aux gardes du corps en surnombre, même dans cette zone dangereuse. Leur unique fonction semble consister à empêcher le président français d'avoir un contact physique, de parler avec les habitants de la vieille ville. Il faudra qu'il menace de reprendre l'avion pour Paris : « Mais que voulez-vous ? Que je remonte dans l'avion et que je rentre en France ? Ça suffit ! Ce n'est pas de la sécurité, c'est de la provocation ! » On conviendra qu'il s'agit là d'une manifestation inhabituelle de mécontentement public, lors d'un voyage officiel. Abondamment reprise par toutes les télévisions du monde, diffusée en boucle sur CNN, l'image grandira la stature de Jacques Chirac dans le monde arabe, où cette poussée de colère sera vue comme une manifestation d'inimitié ostensible à l'égard d'Israël. La réalité fut plus complexe, mais cet incident au cours du voyage présidentiel en Terre sainte venait clore un semestre moyen-oriental particulièrement agité pour la présidence française.

Quand Jacques Chirac est élu à la présidence de la République, en 1995, c'est un ami des Arabes qui s'installe à l'Elysée. Il attendra quelques mois pour prendre contact avec le Moyen-Orient. En avril 1996, il se rend au Liban et en Egypte, où il prononce à l'université du Caire un discours remarqué. Se présentant comme l'héritier du général de Gaulle, il y trace à grandes lignes la politique arabe qu'il entend faire suivre à la France, mais insiste également sur son désir de voir l'Europe se pencher enfin sur son flanc sud, sur ce pourtour méditerranéen qui semble si loin de ses soucis, et qu'il entend voir passer au rang de « préoccupation essentielle » de l'Union européenne. L'Europe s'en désintéresserait-elle? C'est ce que semble penser Jacques Chirac, qui donne le sentiment dès sa prise de fonction — comme il le fera deux ans et demi plus tard lors de la nouvelle crise irakienne — de vouloir à lui seul compenser les carences du Vieux Continent. La politique moyen-orientale s'affiche régulièrement comme l'un des étalons de la vacuité de la PESC (Politique étrangère et de sécurité commune). La France sera souvent contrainte de faire cavalier seul en ce domaine. Lors des puissantes secousses qui ont agité cette partie du monde, singulièrement après l'assassinat d'Itzhak Rabin et la ruine du processus de paix consécutive à l'élection de Benyamin Netanyahou, l'Europe n'a pas souhaité jouer sa partie. Elle a préféré laisser les Etats-Unis occuper seuls le terrain, avec d'autant plus de facilité que Washington, appuyé par Israël, n'entend pas le moins du monde partager son leadership dans la région.

Jacques Chirac a été rappelé brutalement à l'implacable réalité moyen-orientale. A peine avait-il quitté la région qu'une véritable guerre éclatait au Liban, trois jours après son départ du Caire. Pour riposter à la mort d'un soldat de Tsahal, tué par la milice chiite Hezbollah au Sud-Liban, Israël engage le 11 avril 1996 l'opération « Raisins de la colère ». Son aviation s'en prend d'abord à la banlieue sud de Beyrouth. Suivent alors une série d'opérations militaires de part et d'autre de la frontières sud du Liban, qui provoquent des dizaines de morts et laissent craindre que la région s'embrase une nouvelle fois. Le président français envoie sur place alors le ministre des Affaires étrangères Hervé de Charette, qui va entamer — au grand dam des Israéliens et des Américains — une spectaculaire mission de paix dans la région. On craint le pire le 18 avril, quand Tsahal bombarde — erreur? provocation délibérée? — un poste de la force de l'Onu présente au Sud-Liban, la Finul, où de nombreux civils sont venus se réfugier. Le bilan est épouvantable : cent deux Libanais trouvent la mort, et cent cinq autres sont blessés.

Les observateurs assisteront sur place au curieux ballet de deux avions dans la région, le minuscule Falcon d'Hervé de Charette jouant à saute-mouton sur les frontières, suivi ou précédé, selon les cas, par le gros Boeing bourré d'antennes et de systèmes de transmission qu'occupe le secrétaire d'Etat américain Warren Christopher — surnommé le « pruneau » par ses concitoyens en raison de son visage ridé. Dès le début de la crise, la France a tenu à marquer sa singularité. Jouant les cavaliers seuls, alors même que l'Union européenne se faisait fort depuis plusieurs années d'afficher des positions communes lors des crises internationales, Paris choisit de critiquer sévèrement Israël. Le Premier ministre, Alain Juppé, s'est attelé à cette tâche délicate, en condamnant les bombardements effectués par Tsahal sur le territoire libanais. Devant l'Assemblée nationale, il a affirmé que, du fait des actions militaires de l'Etat hébreu, « c'est la population libanaise qui est prise en otage, notamment par la destruction de deux centrales électriques à Beyrouth ». Jacques Chirac exigera d'ailleurs qu'Electricité de France trouve toutes affaires cessantes les moyens d'envoyer une nouvelle centrale en pièces détachées dans la capitale libanaise, où elle sera effectivement livrée peu après, dans des délais records. A Paris, de nombreux observateurs établissent un rapprochement entre cette position élyséenne et celle qu'avait prise le général de Gaulle en 1967, critiquant lui aussi fermement Israël après la guerre des Six Jours.

Paris cherche d'autant plus à se singulariser dans cette affaire que les divers pays européens ont présenté des positions prudentes, sans aller jusqu'à afficher leur soutien à Shimon Pérès avec la même conviction que la Maison Blanche. Paris et Washington se trouvent dans une curieuse position antagoniste : la capitale américaine soutient Israël, quand la capitale française exprime sa solidarité avec le Liban, Jacques Chirac recevant à l'Elysée, en pleine bataille, son ami le Premier ministre libanais, Rafic Hariri... Cette divergence de vues a été jugée suffisamment sérieuse à Washington pour que la Maison Blanche publie une mise au point, affirmant que « nous sommes dans une phase où les deux nations partagent et coordonnent l'initiative diplomatique en vue de mettre un terme aux affrontements qui opposent les forces israéliennes et les milices chiites pro-iraniennes du Hezbollah au Sud-Liban ».

Les dissonances entre, d'une part, les Israéliens et les Américains, et de l'autre, les Français seront constantes durant la crise. Evoquée dans une interview au quotidien *Haaretz* par Hervé de Charette, qui n'a pas quitté le Proche-Orient depuis le 15 avril, l'éventualité de la mise en place d'une force multinationale de maintien de la paix au Sud-Liban, à laquelle participeraient les militaires français, a été mal accueillie par Shimon Pérès. Le Premier ministre israélien s'est publiquement interrogé : « Comment un militaire français d'une force multinationale pourrait-il faire la distinction entre un civil innocent et un terroriste du Hezbollah sans uniforme ? » En fait, l'initiative française — qui se mène en accord avec l'Union européenne, souligne-t-on à Paris — irrite très fortement Israéliens et Américains. Ces derniers entendant mener seuls les négociations pouvant déboucher sur une cessation des hostilités. Hervé de Charette considérera que « la décision finale, l'arrangement final auquel nous sommes parvenus, est inspirée à 80 % des thèses françaises ». Warren Christopher pense pour sa part l'inverse, et cache mal un prodigieux agacement...

L'un des observateurs les plus pertinents de la région, le Libanais Ghassam Salamé, estimera, quant à lui, que la position de la France s'est révélée très positive, et que l'attitude américaine de soutien inconditionnel à Israël n'a conduit qu'à fragiliser son image auprès des Arabes : « Cette évolution était dans l'air depuis plusieurs mois, même si la guerre du Golfe, l'effondrement de l'URSS et l'évolution qui avaient suivi la conférence de Madrid avaient pu la masquer. Aujourd'hui, près de six ans après la guerre du Golfe, les failles de la politique américaine dans la région sont très visibles... Ils ne parviennent pas à concilier leur rôle d'allié privilégié d'Israël avec celui de médiateur dans une crise majeure[1]. » Ce qui n'est pas le cas de la France. Israël-Palestine, mais aussi Irak : partout, Paris exige que l'on entende sa voix.

IRAK : LES RELATIONS PARTICULIÈRES

La France entretient avec l'Irak, au cœur du Moyen-Orient, une relation particulière. La volonté d'évincer la Grande-Bretagne, puissance tutélaire désignée par la Société des Nations après la Première Guerre mondiale, n'en est pas absente. Dès le début des années 70, Paris a livré à ce pays riche des armes et des équipements civils — dont la centrale nucléaire Osirak, détruite par l'aviation israélienne au cours de l'opération Babylone le 7 juin 1981 — qui ont contribué pour une large part à la bonne tenue de la balance du commerce extérieure français. Pendant plus de quinze ans, jusqu'à la guerre du Golfe de 1991, l'Irak a acheté pratiquement toutes ses armes en France. Des étudiants irakiens venaient s'y former, les dirigeants aimaient faire des escapades à Paris, la classe politique française se rendait régulièrement à Bagdad. Bref, tout allait pour le mieux entre le meilleur des clients et le plus aimable fournisseur. Les méthodes sanglantes de Saddam Hussein, un des architectes de la prise de pouvoir par le parti Baas en 1968, arrivé à la tête de l'Etat en juillet 1979 grâce à une révolution de palais, ne remettaient pas en cause ces bonnes

1. *Tocqueville Connection*, 25 avril 1996. [http://www.adetocqueville.com]

relations. L'Irak baasiste était laïque, dépensier pour ses infrastructures, n'enfermait pas ses femmes, éduquait sa population. Il était fréquentable. Pendant sa guerre contre l'Iran, Paris a contribué à l'effort de guerre en fournissant tous les armements dont Bagdad avait besoin. Les marchands de canons français ne craignaient pas toutefois de fournir, en même temps et clandestinement, des armes à l'Iran khomeiniste[1]. Pratiquement, toutes les guerres se conduisent de la sorte. Il est clair pour le président François Mitterrand, durant la décennie 80, que les bonnes relations avec l'Irak forment une composante de base de la politique étrangère française, et un atout majeur dans le rôle que la France entend continuer à jouer au Moyen-Orient.

En août 1990, patatras! Le tyran de Bagdad, ulcéré par le refus de l'émir du Koweit de participer au financement de l'effort de guerre que l'Irak a mené seul contre l'Iran, étranglé par un maintien de prix du pétrole particulièrement bas, et adepte d'actions à la hussarde, s'empare sans coup férir de l'émirat pétrolier. Les services de renseignements américains, israéliens, britanniques, les meilleurs sur la zone, voient le coup venir. Ils observent par satellite et écoutes radio les mouvements de troupes et de matériels vers la frontière, mais ne croient pas à des intentions agressives, plutôt à un coup de bluff destiné à faire monter les enchères. Le 2 août, c'est fait. Saddam s'est emparé de Koweit-City, première annexion par les armes d'un Etat membre de l'Onu, et a mis la communauté internationale devant le fait accompli. Dans sa manœuvre militaire, il a été prudent, à sa manière. Car s'il l'avait souhaité, il aurait aussi bien conquis dans la foulée le colosse de sable qu'est l'Arabie Saoudite. Il a sans doute pensé que le morceau serait trop gros à avaler, et que personne n'oserait reconquérir le Koweit en prenant le risque d'affronter l'armée irakienne, la plus puissante de la région avec son million d'hommes en armes.

---

1. Cette pratique est au cœur de l'affaire Luchaire. Lire à ce propos : JEAN GUISNEL, *Charles Hernu, ou la République au cœur*, Fayard, Paris, 1993, p. 492-497.

Le 9 août 1990, François Mitterrand réunit à l'Elysée un conseil restreint. Il n'est, en politique, ni un parangon de vertu ni un naïf. La seule question qui lui importe, pour l'heure, c'est l'attitude que son pays adoptera à l'égard de celle prise par les Etats-Unis, très offensive. C'est en fonction de Washington, bien davantage qu'en fonction du terrain, qu'il va se déterminer : « On est content d'avoir les Américains en certaines circonstances. Nous sommes leurs alliés. Nous ne le sommes pas quand ils soutiennent inconditionnellement Israël, bombardent la Libye[1], mais dans le cas présent, il faut de la clarté dans la solidarité. S'il faut choisir, j'estime qu'il faut lutter contre Saddam Hussein, quelles qu'en soient les conséquences. Si nous ne le faisons pas, nous serons les faux frères de l'Occident[2]. » Fin connaisseur de la psychologie mitterrandienne, Hubert Védrine, alors son conseiller diplomatique, confirme que le vrai ressort de l'engagement français dans la guerre du Golfe est à chercher partout ailleurs qu'au Moyen-Orient : « Si la France ne participait pas, elle serait moralement, militairement et diplomatiquement discréditée sur les terrains européen et euro-atlantique où, au même moment, se jouent son crédit et son avenir[3]. »

AFFAIRES IRAKIENNES

Dès la fin de la guerre, la France a affiché vis-à-vis de l'Irak une attitude nettement moins hostile que les Etats-Unis. Sans doute les dirigeants français cherchaient-il discrètement à tenter de faire rentrer l'Irak dans la communauté internationale, mais, pendant ce temps, les hommes

---

1. Allusion à l'opération *El Dorado Canyon*, un raid mené sur Tripoli le 12 avril 1986, qui a causé trente-sept morts civiles.
2. PIERRE FAVIER et MICHEL MARTIN-ROLAND, *La Décennie Mitterrand, tome 3 : Les défis*, Le Seuil, Paris, 1996, p. 446.
3. Hubert Védrine, *Les Mondes de François Mitterrand. A l'Elysée 1981-1995*, Fayard, Paris, 1997, p. 527.

d'affaires retrouvaient le chemin de Bagdad, pour recommencer à signer des documents — sans grande valeur dans l'instant, mais riches de potentialités futures, après la normalisation. Saddam Hussein, qui ne fut pas un ami facile lors de sa longue lune de miel avec la France, n'est pas non plus un adversaire simple. Tenant son pays d'une main de fer, il ne connaît que la force brutale, et ne cède qu'à l'ultime instant, non sans profiter de la situation créée par son acharnement pour tirer un ou deux avantages. Parmi ses actions favorites : placer des coins entre d'une part les Etats-Unis et la Grande-Bretagne, va-t-en guerre patentés en ce qui le concerne, et, d'autre part, les trois autres membres permanents du Conseil de sécurité de l'Onu, qui tiennent historiquement compte du rôle de l'Irak dans cette partie du monde pour systématiquement favoriser les solutions négociées : la Russie, la Chine et la France. Après la guerre de 1991, plusieurs alertes chaudes ont ainsi été mises à profit par le maître de Bagdad pour tester la solidarité des anciens alliés, la première d'entre elles remontant au mois d'octobre 1994, quand l'opposition irakienne fait état de mouvement de troupes — dont la garde présidentielle — vers le Koweit.

Ces mouvements étaient-ils réels? Peut-être. Mais on peut remarquer que l'alerte, puissamment relayée par le Pentagone, intervient quelques jours seulement avant que Rolf Ekeeus, le patron de l'Unscom (United Nations Special Commission), présente son rapport au Conseil de sécurité de l'Onu. En outre, les opposants qui alertent l'opinion internationale sont, pour une bonne part, financés par les services de renseignement américains. Le gouvernement français, informé par ses propres services de renseignement, et singulièrement la DRM (Direction du renseignement militaire), qu'une offensive irakienne est rien moins que probable, affiche une position dubitative. Le Premier ministre, Alain Juppé, déclare que l'intention de la France consiste à « réunir les conditions de la paix et non pas préparer une nouvelle guerre ». A la déléguée américaine aux Nations unies, Madeleine Albright, qui reprend alors le vieux couplet américain sur la défense exclusive par la

France de ses intérêts commerciaux dans la région, le Premier ministre répond sèchement : « La France défend ses intérêts partout dans le monde. Elle a une politique étrangère indépendante. Elle n'est aux ordres de personne. Je comprends que cela puisse déplaire. Ce n'est pas nous que cela fera changer d'avis. Quant à la défense des intérêts commerciaux, je crois qu'il y a de très grandes puissances qui n'ont en la matière aucune leçon à donner à personne[1]. »

GUERRES SECRÈTES RATÉES

Prompts à donner aux autres des leçons de conduite des guerres secrètes, les Américains se tirent régulièrement des balles dans le pied, laissant chaque fois derrière eux de respectables monceaux de cadavres. Au palmarès des coups machiavéliques mais complètement ratés de la CIA, on retiendra comme un cas d'école celui qui s'est produit, justement, en Irak. Révélée par le *Washington Post* en septembre 1996, cette affaire remontait en fait à 1991, à la fin de la guerre du Golfe. Le président George Bush avait alors autorisé la CIA à monter une opération secrète pour aider les Kurdes irakiens à renverser Saddam Hussein, son ennemi obsessionnel. Mais, en choisissant la mouvance politique qu'ils soutiendraient, les agents secrets américains n'avaient pas enfourché le bon cheval. Bien que le nouveau président Bill Clinton ait décidé, en 1994, la poursuite de l'opération dirigée ensuite, rênes courtes, par Leon Fuerth, collaborateur direct du vice-président Al Gore, les Kurdes indociles se révélaient être de piètres comploteurs. Après qu'une première organisation eut bénéficié des largesses de la CIA, sans le moindre succès, la centrale de Langley décidait de changer ses bombes de mains, et les confiait à l'Ani (Accord national irakien). Mais si leurs charges de plastic tuèrent de nombreux civils à Bagdad, et détruisirent les

1. *Le Monde*, 18 octobre 1994.

locaux d'un parti rival, Saddam Hussein frétillait toujours après qu'elles avaient explosé... un lustre après le début de l'opération ! Rien d'étonnant : l'Ani était sérieusement infiltrée par la police secrète du dictateur.

Alors que la France cherchait par les moyens diplomatiques classiques à amener les Irakiens à une attitude plus conciliante, les Etats-Unis et la CIA continuaient, envers et contre tout, à jeter de l'huile sur le feu. En juin 1996, les policiers de Saddam Hussein arrêtèrent une centaine de contacts de la CIA dans l'armée irakienne, qui furent naturellement passés sans discussion par les armes, plus une trentaine d'autres, pour faire bonne mesure. Quelques semaines plus tard, le PDK (Parti démocratique du Kurdistan), dirigé par Massoud Barzani, aida l'armée irakienne à pénétrer par surprise, avec l'accord tacite de Washington[1], dans le fief kurde de l'UPK (Union patriotique du Kurdistan) de Jalal Talabani au nord du pays[2], accusé d'être manipulé en sous-main par Téhéran. Les troupes de Bagdad eurent d'autant moins de mal à retrouver les amis de la CIA que des listes entières d'émargement — en clair ! — ont été découvertes dans les locaux qu'ils occupaient. Terrifiés, désespérés, et choqués par ce qu'ils prirent pour une trahison pure et simple, les Kurdes « soutenus » par la CIA — et néanmoins considérés par elle comme incontrôlables — ne furent pas autorisés, sauf à de rares exceptions, à émigrer aux Etats-Unis. Quant à Saddam, « il est toujours là[3] », admet froidement l'un des anciens patrons des services secrets US, sept ans après le début de l'opération qui devait conduire à l'élimination du despote. Une application parfaite des principes d'incompétence et de trahison, dont les services secrets américains sont coutumiers. Dans ces jeux

---

1. AMIR TAHERI, « Diplomatie américaine : la grande absente », *Politique internationale*, n° 73, octobre 1996.

2. JIM HOAGLAND, « How CIA's secret war on Saddam collapsed », *Washington Post*, 26 juin 1997.

3. JOHN DEUTCH, « Options : good and bad ways to rid the world of Saddam », *International Herald Tribune*, 24 février 1998.

pervers avec les opposants irakiens, les Américains ont appliqué les *Budapest Rules* (règles de Budapest), nommées ainsi en souvenir des sinistres journées de 1956, quand la CIA avait été accusée d'avoir incité les Hongrois à se soulever, avant de les abandonner à leur triste sort, lors de leur écrasement par les chars soviétiques.

Pas davantage que les précédents, les bombardements menés par Washington contre l'Irak les 3 et 4 septembre 1996 ne produisirent l'effet escompté. Le recul de la zone interdite (la « zone d'exclusion ») de survol par les avions irakiens du 36e parallèle au nord au 32e au sud, n'a pas eu davantage de succès. Entre George Bush, puis Bill Clinton, d'une part, et Saddam Hussein de l'autre, le combat est entré dans l'irrationnel. Aux Etats-Unis, on joue à se faire peur. Non que le tyran moustachu soit un saint, bien loin de là! Mais de là à voir en lui un adversaire de la taille de l'ex-URSS, en évoquant une résurgence de la guerre froide, comme le font certains commentaires américains, il y a un gouffre. Une des raisons de leur détestation actuelle des Français est que ces derniers refusent de faire endosser à Saddam Hussein le costume de diable que l'Amérique lui a taillé. Les Français n'oublient pas que les premiers responsables de l'armement irakien, aussi bien en matière de missiles que d'armes chimiques ou bactériologiques, sont ceux-là mêmes qui le combattirent ensuite. En réalité, on se bat par habitude, et si les Américains jurent ouvertement la perte physique du dictateur, ils n'ont jamais eu les moyens de la mettre en œuvre. A la fin de 1997, lorsqu'il fut acquis que Saddam Hussein se gaussait des inspecteurs envoyés sur place par l'Onu, Bill Clinton a choisi la manière forte, au moins verbalement, quand il a confié que « les sanctions contre l'Irak resteront en vigueur tant que Saddam Hussein sera là ». Un discours guerrier qui ne masquait que l'impuissance des Etats-Unis, et que la France ne pouvait pas admettre, qu'elle ne toléra pas davantage que la Chine, et la Russie.

Quand les Américains, en 1997, ont voulu une fois encore bombarder l'Irak s'il ne se soumettait pas aux inspections des équipes des Nations unies mandatées pour débusquer les éventuelles armes de destruction massive encore stockées, ici ou là, quelle volonté politique les anime? Humilié, brisé, son économie anéantie, sa population réduite à la mendicité, le pays est à bout de forces. Huit longues années après la fin de la guerre du Golfe, qui a tué des dizaines de milliers de ses soldats et réduit ses infrastructures essentielles en poussière, l'Irak, scruté à la loupe par le gigantesque appareil de renseignement technique des grandes nations, ne peut plus constituer une menace sérieuse. Pour autant, l'Amérique puritaine n'est pas satisfaite. Elle veut la guerre, de nouveau. La France, au contraire appelle de ses vœux le recours aux processus diplomatiques prévus par l'Onu. L'embargo sur le commerce avec l'Irak est observé par le gouvernement français : la solidarité avec la communauté internationale ne se discute pas. Pour autant, le combat de coqs qui s'est instauré entre les présidents américain et irakien n'est pas le genre de jeu qui plaît aux Français. Durant près de deux décennies, du début des années 70 à la guerre du Golfe, Bagdad s'est abondamment fourni en France, en matériels tant civils que militaires. Que notre pays se prépare au retour de la paix, quoi de plus normal? Aucun conflit ne peut être éternel, et entre Etats, il n'est point de haines qui ne finissent par s'éteindre : raison oblige.

ENJEUX PÉTROLIERS

Il n'en n'irait pas de même si l'Irak était pauvre, n'excitant alors aucune convoitise. Mais ce n'est pas le cas concernant ce pays béni des dieux car il se trouve dans un cas de double richesse, unique au Proche-Orient. La première de ses richesses est assez partagée dans cette région du monde : le pétrole. Mais il a à sa disposition un trésor qui, lui, n'est pas donné à tout le monde : l'eau que dispensent généreusement le Tigre et l'Euphrate. Le pétrole garantit les devises. L'eau, la renaissance d'une agriculture prospère...

Après la guerre du Golfe qui ne visait rien d'autre qu'à contrer, les armes à la main, l'ambition de Saddam Hussein de mettre la main sur le pétrole koweitien, donc de contrôler le cinquième des ressources pétrolières mondiales — ce qui aurait eu pour conséquence immédiate la montée des prix de l'or noir — il fallait, pour les Américains, parachever l'œuvre entreprise. L'empêcher de poursuivre ses efforts pour produire des armes chimiques et des bombes atomiques. Ce dont personne ne peut contester l'intérêt. Mais aussi faire en sorte que l'un des pays les plus riches du Moyen-Orient cesse de se fournir avec trop de parti pris en Europe. Comment accepter qu'un Etat achetant des masses d'armement et de technologie, disposant d'une élite scientifiquement formée, ne se tourne pas vers le seul fournisseur qui vaille, les Etats-Unis ?

Après la guerre puis l'embargo terrible qui frappe l'Irak, il faudra reconstruire, rééquiper, remettre à niveau le berceau de la civilisation sumérienne. Il n'y a pas le moindre doute : un jour, sans Saddam Hussein si possible, et sinon avec lui, l'Irak resurgira de l'empire des ombres. Cela prendra le temps qu'il faudra, mais en matière de diplomatie commerciale, les Américains ont le temps. Il est clair que seul le refus de Saddam Hussein de se laisser assassiner ou de transmettre le pouvoir à d'autres amène les Etats-Unis à faire imposer par l'Onu un embargo draconien, aux effets dévastateurs, non sur la clique sanglante au pouvoir, mais sur la population irakienne. Les puritains d'outre-Atlantique veulent faire expier au démon de l'Euphrate la peur qu'il leur a causée. Quitte pour cela à infliger une punition collective, sans jugement ni justification, à un peuple qui a subi la guerre du Golfe autant, sinon davantage, que les populations koweitienne et saoudienne. Alors que l'Amérique a choisi en son temps de ne pas poursuivre le chef de guerre jusque dans son repaire, en n'attaquant pas Bagdad, le châtiment de Saddam Hussein, coupable d'avoir sauté à pieds joints sur les puits de pétrole koweitiens ne lui paraît plus suffisant, puisqu'il ne s'est pas repenti. Mais il n'est pas si facile de le contraindre... Ensuite, mais seulement quand ce châtiment aura été jugée suffisant à leurs yeux, ils reprendront pied au plan économique dans le pays, pour participer à sa reconstruction.

En 1998, les deux pays sauvés par l'intervention mondiale se portent le mieux du monde : le Koweit qui n'avait pas voulu, en son temps, payer sa quote-part de la victoire militaire de l'Irak sur l'Iran, au début des années 80, tout en profitant de l'aubaine, continue de voir prospérer une poignée de nantis féodaux exploitant honteusement des dizaines de milliers d'expatriés asiatiques, vivant souvent dans des conditions proches de l'esclavage. Quant à l'Arabie Saoudite, dictature sanglante où les droits de l'homme ne sont pas même évoqués, c'est encore pire; la décapitation au sabre y demeure un moyen de rendre la justice, et les lois sont moyenâgeuses : l'adultère d'une femme est puni de lapidation, jusqu'à ce que mort s'ensuive, et pour un Européen qui circule dans les souks de Djeddah ou de Riyad, quel choc de voir ces femmes réduites à se recouvrir entièrement — y compris le visage — d'un voile noir, sans être même autorisées à conduire une voiture! La terrible police religieuse se promène avec ses grandes matraques, et gare aux contrevenantes. A Djeddah, on raconte volontiers l'histoire de cette épouse de diplomate américain qui, voulant montrer son indépendance et se promenant en robe légère, fut interpellée et renvoyée à son domicile avec les jambes couverte de cirage noir...

Si l'Arabie Saoudite est cependant « fréquentable » par les Américains, c'est qu'elle ne conteste pas la suprématie de son grand allié. Le régime saoudien a payé au prix fort le soutien des cours du pétrole et de la liberté d'accès aux puits : entre soixante et quatre-vingts milliards de dollars, payés aux mercenaires internationaux en contribution à l'effort de guerre. Mais surtout quarante-cinq milliards de dollars payés après la guerre aux Etats-Unis pour les matériels militaires qui ont été vendus au royaume wahhabite. Tout indique que, dans la région du golfe, prise au sens large, les Américains observent deux attitudes : l'une à l'égard des « bons », et l'autre pour les « méchants ». Dans la première catégorie, les monarchies du golfe, dont on sait ce qu'elles pensent de la démocratie, des droits de l'homme et du refus de la corruption des élites. Trois critères dont l'observation intransigeante est pourtant, en principe, déterminante pour l'établissement de relations diplomatiques et commerciales sereines avec les Etats-Unis. Et qui sont ouvertement bafoués, heure après heure, par ces monarchies pétrolières. De l'autre côté se trouvent les « méchants » désignés par Washington, et assujettis à un « double confinement » : l'Irak et l'Iran. Frappés d'embargo, selon des critères différents, par l'empereur américain, qui a édicté unilatéralement ses lois pour imposer que sa vision des actions diplomatiques soit assortie, en cas de non-observance par des tiers, de sanctions commerciales visant ces derniers.

Elf et Total dans les starting-blocks

Durant l'été de 1997, les compagnies pétrolières se sont empressées d'envoyer leurs navires enlever les petites quantités d'or noir que l'Irak avait le droit de vendre à nouveau, dans le cadre de l'accord « pétrole contre nourriture » du 20 mai 1996, pour la première fois depuis la fin de la guerre du Golfe, cinq ans plus tôt. Mais leur principal intérêt réside dans la perspective de conclure, dès que la situation diplomatico-politique sera normalisée, des contrats de prospection particulièrement prometteurs. Les Français, et ceci explique pour une large part l'animosité américaine, se trouvent d'autant mieux placés que la politique suivie par Paris est de celles que Bagdad a publiquement appréciées à plusieurs reprises. Parmi les firmes pétrolières dans les starting-blocks, Elf se trouve au tout premier rang, avec de bons espoirs de signer à la première occasion un contrat de prospection pour le site de Majnoon, qui promet plus de 600 000 barils/jour. Second sur la ligne de départ, un autre Etat ami de l'Irak, la Russie. La firme Lukoil Tatarneft est elle aussi prête à conclure un accord, pour le site de West

Qurna cette fois, qui promet une extraction quotidienne similaire à celle de Majnoon. Et Total n'est pas en reste, sur le champ de Nahr-Umar...

Selon des hommes d'affaires français fréquentant la capitale irakienne, « les Américains sont partout ». Il aurait été étonnant que les compagnies pétrolières comptant parmi les plus importantes du monde se désintéressent d'un tel pactole. Mais une telle attitude, qui ne peut être revendiquée, en raison de la position officielle de Washington, se doit d'être discrète. Il se murmure, avec une certaine insistance, que des sociétés américaines ont pris quelques positions dans le sillage des firmes, françaises et autres, qui ne craignent pas d'être présentes quasi officiellement. Mais Washington ne peut pas admettre une telle hypocrisie, et s'en tient donc à une position de principe. Quand le conflit avec les inspecteurs des Nations unies s'est fait plus sérieux à la fin de 1997, le président Bill Clinton n'a pas hésité à brandir le gros bâton, et à envoyer des renforts sur place. Mais pour quoi faire ?

Les Français, tout en affirmant qu'ils seraient solidaires d'éventuelles mesures coercitives prises par la communauté internationale, ont, pour leur part, choisi le réalisme. Contraindre Saddam Hussein, en tentant de ne point écraser de souffrances supplémentaires une population irakienne exsangue. Même aux Etats-Unis, des voix s'élèvent qui, tout en réclamant des sanctions sévères, n'en jugent pas moins que l'attitude américaine envers l'Irak est erronée : « Washington aurait dû savoir, par exemple, que lorsque les Etats-Unis ont frappé des infrastructures civiles aux environs de Bagdad en plus des cibles militaires, durant la guerre du Golfe, ils semaient les graines de la maladie, de la faim et de la déshydratation, en aliénant de la sorte le peuple irakien, donc en donnant à Saddam Hussein un pouvoir encore plus étendu[1]. » Un jour ou l'autre, il faudra bien se réconcilier avec Saddam Hussein, et il convient de se

---

1. CALEB CARR, « Terrorism as warfare : lessons of military history », *World Policy Journal*, hiver 96/97.

préparer à cette éventualité, plutôt que de chercher à résoudre les désaccords avec lui à coups de bombes. Ce que fait la France. Toutefois, « cela ne veut pas dire comme on le croit trop souvent, que les Français ne partagent pas nos objectifs ni nos idéaux. Ils le font. Mais simplement, ils n'entendent pas gaspiller leur temps et leur argent, et certainement pas leurs vies, dans d'inutiles gesticulations ou des politiques destinées à échouer [1] ».

Un beau succès français

Lorsque la tension est brutalement montée, à l'automne 1997, entre le régime irakien et les inspecteurs de l'Onu chargés de retrouver les preuves de la poursuite d'un programme national de fabrication d'armes de destruction massive, la Maison Blanche n'a eu qu'une idée en tête : bombarder l'Irak, détruire ce qui reste de colonne vertébrale à l'Etat, et humilier davantage le dictateur. Dans cet épisode, qui atteindra sa tension maximale à la fin de février 1998, l'affirmation de l'efficacité militaire contre les armes chimiques éventuellement détenues par Bagdad n'est qu'un faux-semblant. Il était militairement impossible d'atteindre ces stocks, dont personne, ailleurs que dans l'appareil dirigeant irakien, ne savait à l'époque s'ils existaient encore, et où ils pouvaient se trouver ! Leur existence avait été révélée lors de sa défection, en 1995, par le gendre de Saddam Hussein, Hussein Kamel. Trois ans plus tard et après des mois d'enquête et de recherches précises sur le terrain, l'Unscom, épaulée par l'appareil de renseignement technique américain, n'était certaine, en février 1998, que des destructions qu'elle avait assurées, et s'interrogeait publiquement sur la nature des éléments qui pouvaient encore être en possession de Saddam Hussein [2]. Mais pour Bill

---

1. Michael Ledeen, « In defense of "perfidious" France », *Wall Street Journal*, 28 novembre 1997.

2. Début février 1998, l'Unscom annonçait avoir détruit 38 000 armes chimiques, 480 000 litres de composants divers, 48 missiles,

Clinton, son administration et le Pentagone, l'intérêt majeur ne consistait ni à faire respecter les résolutions des Nations unies (ou alors, il aurait fait de même avec celles concernant Israël), ni à préserver la population irakienne des vilenies de son tyran : dans tous les cas de figure, la volonté affirmée de faire respecter le droit international se serait immédiatement traduite par des dizaines ou des centaines de morts innocentes sur le sol irakien, malgré les assurances prétendument offertes par l'emploi massif d'armes de grande précision.

En réalité, le véritable dessein des Etats-Unis — incapable de frapper des stocks d'armes chimiques introuvables — consistait à parachever l'œuvre que la guerre de 1991 avait seulement entamée, puisqu'elle s'était concentrée sur l'appareil militaire irakien et sur les voies de communication.

Il ne faut pas chercher ailleurs les raisons de l'opposition internationale quasi unanime à l'initiative militaire du président américain. Dans le monde arabe, tous les grands leaders ont élevé la voix, mesurant les effets dévastateurs qu'une action militaire américaine auraient sur l'opinion publique arabe. Les autres grands pôles de protestation ont été Pékin, Moscou et surtout Paris, qui a joué à cette occasion un rôle diplomatique majeur. Dès le début de la nouvelle crise, Paris a fait savoir que l'option militaire ne pouvait constituer qu'un ultime recours, une fois l'ensemble des ressources de la diplomatie épuisées. Mais, face à l'intransigeance américaine et à la volonté d'en découdre, il n'était pas évident d'élever la voix, dès lors que chaque froncement de sourcil est perçu comme une agression : « De tels conflits reflètent la détermination croissante de la France et d'autres

---

six lanceurs de missiles et l'usine de production Al Hakam. Elle était encore à la recherche de 200 tonnes d'ingrédients entrant dans la fabrication de gaz neurotoxique VX, de 31 000 obus ou bombes, de 17 tonnes de composants pour armes biologiques, de missiles en nombre indéterminé et de grandes quantités de produits bactériologiques prêts à l'emploi, dont des germes d'anthrax et de variole.

pays de diminuer ou de diluer la puissance américaine, chaque fois qu'ils le peuvent et dans tous les lieux possibles [1]. » Le gouvernement et le président de la République français ont quand même persisté dans cette voie, sans avoir trop de mal à accorder leurs violons, soulevant une fois de plus le courroux de nombreux commentateurs américains.

Pourtant, quelques bons connaisseurs de notre pays se sont présentés pour jouer les chevaliers blancs, tel Ronald Tiersky. Professeur a l'Amherst College (Massachusetts), il a voulu répondre à la question que ses concitoyens, lecteurs du *New York Times*, se posent : « Pouvons-nous avoir confiance dans les Français? » Et d'expliquer que diplomates français et américains se partagent le travail, un peu à la manière de ces policiers qui interrogent un voyou et jouent en connivence le rôle du « bon flic », qui passe cigarettes et mots aimables, et celui du « méchant flic », enchaînant gifles et menaces : « Dans la division de la diplomatie, chaque nation tente de jouer le rôle correspondant à ses intérêts, sa moralité, sa position géopolitique et ses capacités. Les Français jouent leur rôle habituel : celui d'une voix indépendante contre les plus grandes puissances. Qu'elle ne soient pas guidée par les Américains ne signifie pas qu'elle fasse preuve de mauvaise volonté [2]. »

Hubert Védrine, s'adressant aux ambassadeurs de France réunis au Quai d'Orsay l'été précédent, et définissant l'attitude qui serait la sienne face aux Etats-Unis, n'avait pas dit autre chose : « Quand je parle de leur puissance, je constate un fait. Je le fais, faut-il le souligner, sans acrimonie. Un fait est un fait. L'Histoire, la volonté de leurs dirigeants, leur prodigieux dynamisme, leur confiance en eux, la défaillance de bien d'autres puissances les ont amenés là où ils sont. Mais cette puissance porte en elle-même, dès lors qu'elle est sans contrepoids, notamment aujourd'hui, la tentation unilatéraliste, notamment du côté des organes législatifs, et le

1. *Armed Forces Journal*, février 1998.
2. Ronald Tiersky, « France plays its part », *New York Times*, 11 novembre 1997.

risque hégémonique. Donc, selon les cas, nous serons les amis des Etats-Unis ou leur allié; dans d'autres cas, nous serons amenés à leur dire non — là aussi sans acrimonie — au nom de nos intérêts légitimes, ou de ceux de l'Europe, ou encore de l'idée que nous nous faisons des relations internationales. Tout cela, nous devons le leur dire dans le cadre d'un dialogue amical, franc, véritable et direct[1]. » La crise irakienne constituera l'un des meilleurs exemples de l'application de ces principes...

Le voyage de Kofi Annan à Bagdad pour désamorcer la crise, à bord de l'avion présidentiel français, n'avait été appuyé par la Maison Blanche, qui n'avait pas le choix, que du bout des lèvres... Après que le secrétaire général de l'Onu eut rendu visite à Jacques Chirac, à l'aller et au retour de son déplacement décisif à Bagdad, entre le 21 et le 23 février 1998, il était aisé pour l'hôte de l'Elysée, mais aussi pour le ministre des Affaires étrangères Hubert Védrine, de faire valoir que ce succès leur revenait en grande partie. Dans cette crise, Paris avait joué le rôle décisif de démineur qui avait été celui de Moscou lors de la précédente montée aux extrêmes, en novembre 1997. Jacques Chirac a le triomphe modeste quand il affirme, tirant un premier bilan de la crise de février, et comparant son rôle avec celui de Bill Clinton : « Au fond, nous utilisions deux moyens différents, mais nous avions tous deux la volonté d'arriver à un objectif de paix. J'étais convaincu, parce que je le connais assez bien, que le président Clinton ne lancerait pas une frappe militaire sans une réflexion approfondie et sans attendre l'ultime moment[2]. » Malgré ces mots apaisants, il n'en demeure pas moins que les Français ont ulcéré les Américains durant la crise irakienne. S'allier aux Russes pour contrer la puissance de l'empire... Quelle audace!

Et mauvais joueur, en plus! L'agacement de l'administration Clinton a, encore une fois, été manifeste, après la réussite de la voie diplomatique. Elle a voulu faire savoir que le

1. Discours à la conférence des ambassadeurs, 29 août 1997.
2. *Le Monde*, 27 février 1998.

mérite n'en revenait qu'à elle. Si Saddam Hussein a finalement accepté que les inspecteurs de l'Unscom — accompagnés de diplomates comme la France l'avait suggéré — visitent les huit palais présidentiels qui leur étaient jusque-là fermés, c'est que Washington avait d'abord battu les tambours de la guerre, avant que Madeleine Albright ait mandaté Kofi Annan pour trouver une issue favorable à la crise[1]. Toujours est-il que, du coup, Saddam Hussein est parvenu à reprendre une place, modeste, dans le concert des nations. En acceptant la médiation de Kofi Annan et les suggestions de ceux qui lui demandaient de ne point s'enfermer dans une attitude butée, il a permis non seulement d'éviter à son pays des bombardements destructeurs, mais encore de préparer son grand retour sur la scène internationale. Aucun plan sérieux au Moyen-Orient ne peut voir le jour sans que la situation irakienne soit stabilisée, et l'étape suivante — à condition que Saddam Hussein ait respecté ses engagements écrits — aurait consisté dans la levée de l'embargo. A quelle échéance? C'est la question. Jusqu'à cette crise, les Etats-Unis avaient indiqué à plusieurs reprises que cette éventualité ne pouvait être envisagée que si Saddam Hussein lâchait les commandes du pays. Dans l'entourage de Bill Clinton, on avait même publiquement souhaité sa mort. Une habitude! Après l'accord avec les Nations unies, les Américains eux-mêmes paraissaient près d'être convaincus que cet ostracisme de l'Irak deviendrait intenable. L'Irak avait su transformer un étranglement militaire en victoire diplomatique. Une manie, chez le dictateur, puisqu'en novembre 1998, il renouvelait l'opération.

Cette nouvelle crise était née le jour de la Toussaint 1998, lorsque l'Irak avait brutalement annoncé qu'il cessait toute coopération avec la centaine d'inspecteurs de l'Unscom, qui, sous la conduite de l'australien Richard Butler, continuaient à chercher les preuves de la détention d'armes de

---

1. Michael R. Gordon et Elaine Sciolino, « How US got what it wanted from Irak and resolved its own internal debate », *New York Times*, 25 février 1998.

destruction massive. Cette décision unilatérale entraîna un nouveau et vigoureux bras de fer avec les Etats-Unis, qui, faisant fi d'une éventuelle nouvelle démarche diplomatique de l'Onu, entendaient bien frapper militairement le régime irakien. Cette fois-ci, la France ne chercha pas à se montrer compréhensive à l'égard de Saddam Hussein, arguant que son intransigeance ne pouvait plus le mener nulle part. Les Etats-Unis avaient encore une fois, quelques semaines plus tôt, accusé Paris de faiblesse coupable à l'égard du tyran, l'attaque prenant de nouveau la forme d'un article acide dans le *New York Times*. L'article prétendait que les chimistes du centre du Bouchet, dépendant de la délégation générale pour l'armement, avaient découvert des traces de gaz toxiques dans les échantillons de missiles irakiens fournis par l'Onu aux fins d'analyses, mais que le gouvernement français avait refusé que l'annonce en soit faite, « car les résultats pourraient être dommageables pour les Irakiens[1] ». En réalité, d'infimes traces avaient effectivement été trouvées, mais sans qu'il soit possible de déterminer si ces substances venaient de gaz de combat mortels, ou de détergents.

A la mi-novembre 1998, le bras de fer américano-irakien avait atteint des sommets : le Pentagone s'était mis en ordre de bataille, avait envoyé avions, troupes et navires de guerre dans la région, et se préparait à envoyer ses premières bombes sur Bagdad lorsque, le 15 novembre, Saddam Hussein fit volte-face en annonçant que les inspecteurs de l'Onu pouvaient revenir dans son pays. Les Français furent naturellement pris à partie par les Américains déçus de n'avoir pu mener une guerre éclair d'autant plus fraîche et joyeuse qu'elle n'impliquait, pour eux, aucun risque militaire. Le sénateur républicain de l'Arizona John McCain accusa implicitement Paris, lors de l'une des émissions télévisées les plus en vue de la chaîne ABC, d'avoir averti l'Irak de l'imminence des attaques : « Nous avions dû informer nos alliés, dont les Français. » C'était un mensonge, puisque

---

1. BARBARA CROSSETTE, « French find gas on Iraqi arms, reports assert », 7 octobre 1998.

Paris n'avait pas été mis au courant des détails — dont les horaires — des missions prévues, qui auraient d'ailleurs commencé par des frappes de missiles de croisière automatiques Tomahawk, et Hubert Védrine fit la réponse cinglante qui convenait, en qualifiant les propos du parlementaire de « complètement idiots ». Et quelques jours plus tard, un peu penaudes, les autorités britanniques firent savoir que c'étaient elles qui avaient prévenu les Irakiens !

Finalement, Washington parvint à l'objectif que Bill Clinton s'était fixé depuis des années : attaquer « sérieusement » l'Irak, en le bombardant. C'est dans une ambiance et dans des conditions surréalistes que cette attaque, se déroula durant trois jours à compter du 16 décembre 1998. Intitulée *Desert Fox* (Renard du désert), et conduite par les seules forces américaines et britanniques entourées d'une réprobation internationale unanime, cette opération militaire bafoua l'Onu, puisqu'elle fut déclenchée alors même que le Conseil de sécurité était encore en réunion ! Mais les réactions de la communauté internationale furent particulièrement mesurées, notamment celles des Français qui se contentèrent de condamner du bout des lèvres l'opération, tout en réclamant que l'Onu s'attache à trouver les voies d'une « sortie de la crise ». Il est vrai que, durant ces journées explosives, la France et l'Europe se trouvaient confrontées à une offensive américaine d'un tout autre genre, portant cette fois sur les conditions faites par ces dernières aux producteurs de... bananes ! Washington se préparait alors à frapper nombre de produits européens de droits de douane de 100 %, pour protéger ses propres multinationales de la banane opérant dans son pré carré sud-américain. Et à Paris, on n'est jamais pressé de courir simultanément plusieurs lièvres antiaméricains.

Comme lors de l'opération avortée qui aurait dû être menée en février et qui avait été baptisée par avance *Thunder Storm*, il s'est agi pour le Pentagone durant *Desert Fox* de focaliser, à coups de missiles de croisière et de bombardiers, plusieurs centaines de frappes aériennes quotidiennes sur la destruction de l'appareil de contrôle social mis en place en un quart de siècle de dictature. Les installations et les équipements de la force prétorienne de Saddam Hussein, la garde républicaine, de la police secrète Moukhabarat, comme celles du parti Baas, et de l'Organisation de sécurité spéciale, dirigée par le fils cadet de Saddam Hussein, Qoussaï, ont été visées. De même, certaines capacités industrielles résiduelles, qui auraient très hypothétiquement pu servir à redémarrer la production d'armements, furent frappées. Problème : ces installations qualifiées dans le jargon militaire américain d'objectifs « L » (pour *leadership*) sont situées au cœur même de Bagdad et des grandes villes irakiennes. Plusieurs dizaines de morts ont donc été dénombrés dans la population civile, sans que Saddam Hussein, protégé, soit inquiété. Après les années de privation imposées par l'embargo, des habitants de Bagdad ont été tués, au nom de leur défense, et sans que les soldats américains prennent le moindre risque. On se prend à penser, à l'instar du Sganarelle du *Médecin malgré lui*, qu'« il y a parmi les morts une honnêteté, une discrétion la plus grande du monde ; et jamais on n'en voit se plaindre du médecin qui l'a tué ».

Et pendant ce temps, on se vautrait à Washington dans les turpitudes politiciennes des premiers votes parlementaires sur l'*impeachment* de Bill Clinton, provoquées par les suites de la relation du président avec Monica Lewinsky. Cette époque, décidément, marche sur la tête !

4

Pétrole, Islam et grands principes

En matière de terrorisme international meurtrier, c'est surtout la France qui a été visée depuis le début des années quatre-vingt. Des avions de ligne ont été détruits en vol ou attaqués au sol, des attentats commis dans les transports en commun à Paris et dans diverses grandes villes, des assassinats nombreux sont survenus. Après plusieurs périodes de flottement, les policiers français ont massivement reconverti une partie de leur appareil de contre-espionnage dans la lutte antiterroriste, où ils ont rencontré des succès incontestables. Faits de négociations secrètes avec les Etats « mécènes » des groupes terroristes, voire avec les poseurs de bombes eux-mêmes. Brutalement confrontés aux terroristes, d'abord d'origine nationale, mais aussi venant de l'étranger, les Etats-Unis, eux, ont aussitôt décidé d'imposer à leurs alliés, et surtout à la France, leurs vues en la matière. En août 1998, après deux explosions à Dar es-Salaam et à Nairobi, qui ont provoqué des centaines de morts, la Maison Blanche a choisi — alors que l'affaire Monica Lewinsky battait son plein — de riposter à sa manière : d'abord en désignant, sans preuve, le militant islamiste Oussama ben Laden comme responsable de ces opérations, ensuite en envoyant, le 20 août, des dizaines de missiles de croisière contre des camps d'entraînement en Afghanistan, et une usine pharmaceutique au Soudan. Bien sûr, ni l'Onu, ni les alliés également confrontés au terrorisme n'avaient été mis dans la confidence. Le gouvernement français a désapprouvé. Une manière de prendre ses distances avec des méthodes radicalement opposées aux siennes.

C'est le 30 juillet 1996, à Paris, lors d'une réunion des pays du G7, plus la Russie, que Washington avait choisi de proposer à la communauté internationale de mettre en œuvre vingt-cinq mesures antiterroristes. L'exigence du président américain Bill Clinton qui avait souhaité que des mesures spécifiques soient prises contre l'Iran, l'Irak, la Libye et le Soudan, n'a pas fait l'objet de considérations particulières dans le texte final de la résolution, dès lors qu'elle « n'était pas à l'ordre du jour », selon le ministre français des Affaires étrangères, Hervé de Charette. Cette réunion qui s'est tenue quelques jours après l'explosion en vol d'un Boeing de la TWA, vraisemblablement due à un problème d'ordre technique, le 17 juillet 1996, et un attentat commis lors des jeux Olympiques d'Atlanta, le 27 juillet, a permis aux participants d'insister sur plusieurs points, dont la nécessité de « renforcer la sécurité dans les transports publics ». Visant spécifiquement l'Internet, considéré comme un moyen potentiel de communication et de propagande pour les terroristes, les ministres du G7 ont souhaité « considérer les risques que comporte l'utilisation par des terroristes des réseaux et des systèmes télématiques en vue de commettre des actes criminels ».

L'arrivée des Etats-Unis dans le sinistre club des Etats confrontés au terrorisme ne changera pourtant pas les habitudes de travail des Européens, menés par la France. S'il est évident que cette bataille va devoir reprendre avec une plus grande ampleur, les menaces ne sont pas du même ordre. Les milices d'extrême droite qui pullulent sur le sol américain, et dont faisait partie Thimothy McVeigh — qui a placé une bombe contre le bâtiment fédéral Alfred P. Murrah à Oklahoma City le 19 avril 1995, causant cent soixante morts —, ne se régleront pas au plan international.

En réalité — si étrange que cela puisse paraître — les préoccupations commerciales ne sont pas absentes de ces affaires. Les Etats-Unis prétendent imposer leurs propres analyses à la communauté internationale, en la contraignant à ne pas commercer avec les pays qu'ils ont décidé de frapper d'embargo. Bill Clinton a souvent désigné, au cours de ces dernières années, les Etats considérés comme terroristes : l'Iran, l'Irak, la Libye, le Soudan et dans une moindre mesure la Corée du Nord. Cinq pays qui ont indiscutablement joué en leur temps de ces moyens de pression explosifs, mais qui aujourd'hui, de l'avis des experts européens des questions moyen-orientales qui affichent sur ce sujet des avis au moins aussi pertinents que ceux des Américains, ont renoncé (provisoirement?) à de tels modes d'action. Depuis vingt ans, les Européens et les Français ont progressé dans la connaissance du fonctionnement des terrorismes d'origine proche ou moyen-orientale. Ce travail mené essentiellement par les services secrets, parfois en collaboration avec leurs collègues des pays concernés, a été fort utile pour remettre les pendules à l'heure. En usant de la persuasion et des menaces, voire des poursuites judiciaires internationales et des rétorsions économiques, les choses sont progressivement rentrées dans l'ordre.

L'Amérique contre Total

En 1996, le sénateur républicain de New York Alphonse d'Amato[1] obtient, après deux ans de campagne intense, que les Etats-Unis s'interdisent de commercer avec l'Iran. L'embargo se veut total; l'*Iran and Libya Sanctions Act of 1996*, qui le définit, dispose que les Etats-Unis décident unilatéralement d'interdire à toute firme de commercer avec les deux Etats visés. Avant que cette loi soit approuvée par Bill Clinton en août 1996, en pleine campagne électorale, la société pétrolière américaine Conoco s'était vu proscrire de signer avec la République islamique un contrat d'un milliard de dollars. Hurlement de ladite firme, filiale du trust chimique Du Pont de Nemours qui s'était offusquée de

1. Battu aux élections du *mid-term* du 3 novembre 1998.

cette sanction, mais davantage encore du fait que les Français de Total aient reçu, eux, le *nihil obstat* de leur gouvernement et de Bruxelles pour signer en juillet 1995, avec les mêmes Iraniens de NIOC (National Iranian Oil Company), un contrat d'exploitation des gisements offshore de Sirri A et E, le premier signé après seize ans de boycott de l'Iran, à la suite de la prise de pouvoir par les ayatollahs en 1979. Qu'à cela ne tienne ! Alphonse d'Amato n'entend pas punir les seules entreprises nationales, surtout s'il s'agit d'ouvrir de cette manière la voie à ses concurrentes étrangères : son texte prévoit que ces dernières seront elles aussi visées.

Si elle n'est pas rétroactive, la loi d'Amato — appelé parfois le *Total Bill*, tant elle paraît tournée contre la firme française — affirme d'abord que toute personne investissant plus de 40 millions de dollars par an en Iran (et la moitié à partir d'août 1997) sera sanctionnée. Si elle est américaine, elle ne pourra plus prétendre aux aides à l'exportation de l'Export-Import Bank, ni aux crédits d'aucune autre banque nationale. Mais le plus fort concerne les entreprises étrangères : Washington s'interdira de commercer avec celles qui contreviendraient à ses lois nationales, empêchera leurs dirigeants de fouler son sol, décidera unilatéralement, le cas échéant, de proscrire tout contrat entre ces dernières et des sociétés américaines. Si ces punitions devaient ne pas suffire, Washington pourrait encore interdire les importations de biens qu'elles auraient produits, ou l'exportation de technologies qui leur seraient destinées. Cette stupéfiante prétention à légiférer sur des transactions entre pays tiers a valu ce sec commentaire de la commission de Bruxelles : « Cas inacceptable de législation extraterritoriale ».

La Maison Blanche ne désarme pas pour autant. En avril 1997, un tribunal de Berlin officialise ce que les services de renseignement européens savent déjà : il confirme dans un jugement spectaculaire que c'est bien « le plus haut sommet de l'Etat iranien » qui a commandité les meurtres, en 1992, de quatre opposants kurdes sur le sol allemand. Sans doute les pays européens ont-ils aussitôt décidé de rompre provisoirement avec leur politique de « dialogue critique » avec

l'Iran et de rappeler leurs ambassadeurs dans la capitale iranienne. Manière convenue de désapprouver les assassinats
d'opposants sur leurs sols, tout en choisissant de ne point
rompre définitivement les liens avec un pays qui améliore
d'autant plus les balances commerciales du Vieux
Continent que l'Amérique ne veut plus commercer avec lui.
Le porte-parole du Département d'Etat saute sur l'occasion
et déclare, quant à lui, à l'énoncé du verdict, que les
échanges demeureront plus que jamais bannis : « Nous ne
voulons pas que l'économie iranienne puisse en tirer un
quelconque profit qui lui permette de financer le terrorisme
et de construire des armes nucléaires, chimiques et biologiques. »

Les droits de l'homme ont bon dos. Entre la *realpolitik*
d'un continent européen qui ne peut, ni ne veut, perdre le
moindre marché extérieur, alors que le chômage massif sévit
un peu partout, et des Etats-Unis qui diabolisent l'Iran pour
justifier leur présence militaire dans la région et y déverser
des monceaux d'armement à qui veut les acheter, que pèse
le sort d'un écrivain condamné à mort? Coupable pour tout
« crime » d'avoir écrit des *Versets sataniques* jugés blasphéma-
toires par les mollahs, l'écrivain anglais Salman Rushdie,
victime d'un décret (fatwa) faisant devoir à tout musulman
de le tuer, vit comme un paria à partir du 15 février 1989,
figure emblématique de la liberté de l'esprit face à l'obs-
curantisme. Tous ceux qui le soutiennent affirment que
seule la fermeté politique paiera face à l'intransigeance du
clergé chiite, buté dans sa paranoïa, et que donc l'embargo
et les sanctions économiques vont dans le bon sens : « Ce
qui est vraiment réaliste, ce n'est pas de s'imaginer renforcer
tel groupe "libéral" de Téhéran en lui accordant à nos frais
des satisfactions dont il pourra se prévaloir, c'est de maintenir avec fermeté le cap d'une politique de défense des droits
de l'homme et de défense de la dignité des démocratie[1]. »

C'est pourtant contre cette idée que se sont battus, moins
intransigeants et sans doute plus réalistes, les tenants

2. Pierre Pachet, « Pour une autre politique française à l'égard de
l'Iran », *Libération*, 18 juillet 1997.

européens de la thèse du « dialogue critique », qui a finalement montré plus de succès que la première solution : en
octobre 1998, la *fatwa* a été levée. Les partisans du « dialogue critique » tablaient en particulier sur des batailles
internes de l'appareil gouvernemental et clérical iranien,
pour justifier des relations économiques qui feraient essentiellement le jeu des « démocrates ». Les paradoxes étant de
mise dans une économie globalisée, l'interdiction faite par
l'Amérique de commercer avec l'Iran visait moins à
défendre les droits de l'homme qu'à préserver les parts du
marché qui se développera après l'inévitable normalisation,
et sert les affaires de ceux qui acceptent de commercer
malgré l'embargo.

L'économie de marché s'accommode de toutes les situations, et l'ostracisme américain favorise ceux qui enfreignent
l'embargo qu'il a édicté. Dans un contexte hostile, le régime
des ayatollahs n'est pas en mesure d'imposer ses vues. En
position d'infériorité, il doit subir à la fois les conditions de
ses fournisseurs, qui lui vendent plus cher les produits qu'il
souhaite importer, et de ses clients, qui se procurent ses
exportations à un prix moins élevé. Donc, plus l'embargo
américain perdure, plus les affaires prospèrent : « Ainsi, la
capacité même des sanctions commerciales d'infliger à leur
cible un dommage conséquent crée du même coup, de
manière automatique, un mécanisme qui incite les entreprises des pays tiers à enfreindre le dispositif, ce qui tend en
définitive à en limiter l'efficacité [1]. » Autre effet pervers : plus
l'embargo dure, et plus le pays qui est frappé par cette
mesure se dote des moyens autonomes de s'en sortir, avec
d'autant plus de facilité relative qu'il dispose des moyens
financiers de sa politique. Dans ces conditions, « certains
groupes économiques tirent profit de l'embargo et souhaitent même le voir se prolonger. A l'exclusion du marché
noir qui devient florissant, des industries de substitution
sont créées ou de nouvelles voies d'approvisionnement sont

---

1. Daniel Sabbagh, « L'utilisation de l'arme économique dans la
politique étrangère des Etats-Unis : cadre d'analyse et évolution »,
Relations internationales et stratégiques, n° 24, hiver 1996.

établies. Le gouvernement y trouve de nouveaux appuis et peut ainsi maintenir la politique jugée déviante[1] ».

Moins de six mois après les décisions du tribunal allemand et de l'Union européenne, en avril 1997, les affaires qui n'avaient jamais été interrompues reprennent de plus belle. Les Allemands ont réduit des deux tiers leurs échanges avec l'Iran, passés de 9 milliards de marks en 1992 à 3,3 milliards de marks en 1996. Mais c'est une entreprise française de renom qui va faire le pied de nez le plus humiliant pour l'Amérique. Total est une compagnie pétrolière comme les autres, aux ambitions mondiales et à la politique commerciale agressives, insensible aux appels qui lui suggèrent de ne pas commercer avec les pays où les droits de l'homme ne sont pas respectés. Son patron depuis juin 1995, Thierry Desmarest, a les dents aussi pointues que longues, et n'est pas de ceux qu'on intimide avec des lois d'exception. Sa firme est la seconde de la place de Paris, en terme de capitalisation boursière, et il entend bien se hisser plus haut que la huitième place des compagnies pétrolières mondiales. Loi d'Amato ou pas, il n'a jamais eu l'intention de renoncer à un formidable contrat gazier avec l'Etat iranien, sur un énorme gisement de 8 milliards de mètres cubes : le champ gazier offshore de Pars-Sud, par 70 mètres de fond, en plein milieu du golfe et à mi-chemin entre les côtes iraniennes et la péninsule du Qatar. Le 28 septembre 1997, en association avec les groupes pétroliers malais Petronas et russe Gazprom, soutenu par le gouvernement français et l'Union européenne, Total conclut ce nouveau contrat de 3,5 milliards de dollars. Objectifs de production : 120 000 barils par jour, dont le tiers pour Total et ses partenaires, plus des droits sur une production d'un milliard de mètres cubes de gaz par an.

Le coup diplomatico-commercial est de toute beauté, puisque Total et la France prennent pied dans l'exploitation

---

1. NADÈGE BRENET et PHILIPPE PERCIER, « L'embargo : pertinence stratégique actuelle d'une arme économique », *Défense nationale*, novembre 1997.

du gaz iranien, coupant du même coup l'herbe sous le pied des Américains qui amorçaient un timide rapprochement. Ces derniers n'entendent pas laisser les flots de pétrole de la région Caspienne couler sans être de la partie. L'Iran se trouve dans une zone géostratégique de première importance, avec l'Azerbaïdjan, le Kazakhstan, la Russie et le Turkménistan, dont les réserves pourraient permettre, dès le tournant du siècle, de réduire la dépendance américaine à l'égard du golfe Persique[1]. En choisissant d'isoler la république des ayatollahs, Washington privilégie les autres Etats de la région, qui ne sont pas souvent des champions des droits de l'homme, mais ont signé des contrats considérables avec la plupart des grandes sociétés pétrolières américaines. Son implication est si considérable que la National Security Agency a été ouvertement accusée d'avoir prêté main forte aux Russes, quand ils ont réussi à assassiner le leader tchétchène Djokhar Doudaev, le 22 avril 1996. Ce dernier, qui entendait gérer le transfert par pipeline du pétrole passant de la mer Caspienne à la mer Noire, a été repéré par des moyens de guerre électronique. Alors qu'il utilisait un téléphone portable — fourni par des intermédiaires français liés à la fois aux services secrets français et américains —, l'aviation russe a pu tirer contre lui un missile se guidant automatiquement sur la fréquence de cet équipement[2].

Dans la conjoncture actuelle, l'Iran est exclu de la préparation des marchés futurs, et si le gouvernement américain a tant de mal à accepter que la France et ses pétroliers jouent leur propre jeu avec ses dirigeants, c'est que les Etats-Unis mènent à leur encontre une diplomatie pétrolière particulièrement active, en relation étroite avec ses firmes productrices : « L'un des grands atouts des Etats-Unis est le dynamisme de leur industrie pétrolière et le quasi-partenariat qui s'est instauré dans cette région entre les compagnies

---

1. ROMAIN GUBERT, SOPHIE LAMBROSCHINI, PATRICK BONAZZA, « Caucase, la nouvelle guerre du pétrole », *Le Point*, 6 juin 1998.
2. WAYNE MADSEN, « Did NSA help target Doudayev ? », *Covert Action Quaterly*, n° 61, été 1997.

américaines et leur gouvernement au service d'une stratégie commune. Il ne faut pas comprendre par « quasi-partenariat » une coopération formalisée, mais une communauté d'intérêts, le gouvernement américain facilitant par son action diplomatique la résolution de problèmes de caractère politico-économique, tels que l'évacuation du pétrole, et les compagnies pétrolières proposant aux pays de la région différents projets de développement, et les moyens techniques et financiers de les réaliser[1]. »

Dès l'annonce du contrat entre l'Iran et Total, le 30 septembre 1997, Washington crie au scandale, mais se garde de réagir autrement que verbalement. Car Total n'a évidemment pas agi sans se couvrir auprès des autorités françaises et européennes, afin d'obtenir un aval politique clair et précis. L'accord de principe pour la signature du contrat gazier avec l'Iran, approuvée en son temps par le Premier ministre, Alain Juppé, avait été l'une des premières décisions prises par son successeur Lionel Jospin. Et dans la première interview qu'il a accordée à un organe de presse français, le nouveau ministre des Affaires étrangères, Hubert Védrine, avait clairement indiqué quelle serait la ligne de conduite du gouvernement : « Quand les intérêts européens les plus légitimes sont en cause, quand le Congrès américain, par exemple, prétend imposer ses propres lois à d'autres pays souverains ou à des entreprises étrangères, les Européens se montrent capables de réagir, au nom d'une certaine conception des relations politiques et économiques internationales[2]. » Il ne manqua pas de confirmer ses propos lors de son voyage ostentatoire en Iran, quelques mois plus tard. Total n'avait guère d'inquiétude à se faire ! Le département d'Etat s'est fendu d'une déclaration sibylline, Alphonse d'Amato a fulminé en exigeant que la firme française soit « pleinement sanctionnée », et les entreprises américaines se sont empressées de réclamer une suspension des sanctions contre l'Iran,

---

1. FRANCIS PERRIN, « La stratégie pétrolière des Etats-Unis en mer Caspienne », *Défense*, septembre 1997.
2. *Le Nouvel Observateur*, 24 juillet 1997.

qui les pénalisent. Vilipendée, l'attitude française est pourtant compréhensible. Aux Etats-Unis, nombre de voix — semble-t-il entendues à la Maison Blanche — s'élèvent pour réclamer que des relations apaisées, sinon normales, reprennent avec Téhéran. L'ancien secrétaire d'Etat du temps de Jimmy Carter, Zbigniew Brzezinski, a réclamé, dans un livre remarqué, que le conflit se calme : « Ce n'est pas l'intérêt de l'Amérique de perpétuer l'hostilité américano-iranienne. Une éventuelle réconciliation devrait être basée sur la reconnaissance d'un intérêt stratégique mutuel à la stabilisation de ce qui constitue actuellement, pour l'Iran, un environnement régional particulièrement instable[1]. »

L'évolution de la position américaine a été notée à Téhéran, puisque le président élu de la République islamique, Mohammad Kahtami, installé à son poste en août 1997, n'a pas eu besoin de plus de quelques mois pour lancer — sur CNN à la mi-janvier 1998 — quelques perches aux Etats-Unis, qui se sont gardés de les saisir trop vivement, mais ont pris le chemin de la normalisation à petits pas. De la même manière que la machine économique mondiale peut difficilement se passer des apports d'un puissant pays pétrolier, l'Iran ne saurait continuer à subir éternellement cette hostilité visant sa production pétrolière, le cœur de son économie, de deuxième producteur et deuxième exportateur de l'Opep. Les revenus pétroliers représentent près de la moitié des recettes du budget iranien, soit quelque 18 milliards de dollars pour la période mars 1997/mars 1998 sur la base d'un baril à 17,5 dollars. Dès qu'on évoque les chiffres, on comprend très vite que s'il est désireux de reprendre sa place dans la communauté internationale, l'Iran devait d'abord rompre avec le terrorisme. C'est apparemment en bonne voie, bien que le Département d'Etat l'ait encore qualifié, début mai 1998, de « plus actif parmi les Etats soutenant le terrorisme[2] ». Mais tandis que les Américains se

1. Zbigniew Brzezinski, *The Grand Chessboard. American Primacy and its Geostrategic Imperatives*, Basic Books, New York, 1997, p. 204.
2. *Patterns of Global Terrorism*, Department of State, Washington,

sont interdit de renouer les fils brisés depuis l'affaire de otages de leur ambassade à Téhéran, en 1979, les Français n'ont jamais vraiment coupé le fil de leurs relations, y compris après de pénibles affaires terroristes sur le sol français, dont l'assassinat de l'ancien Premier ministre Chapour Bakhtiar, en août 1991, n'est que la plus spectaculaire.

Lors du sommet euro-américain de Londres le 18 mai 1998, le président américain annonce que son pays et l'Europe sont parvenus à un accord sur la non-application de la loi d'Amato contre le groupe Total et ses associés, à la condition que les Européens ne fournissent pas de technologies « sensibles » à l'Iran et à la Libye. D'autres firmes pourront bénéficier de la même dérogation accordée par les Etats-Unis; cet élément n'a guère de sens : les Européens ont démontré qu'ils n'obéissent pas à ces injonctions, et que seules les firmes américaines sont frappées. Il s'agit malgré tout d'un pas vers le retour attendu des grandes firmes pétrolières américaines en Iran, qui, dès l'annonce de l'accord, ont protesté contre le régime de faveur offert à leurs concurrentes européennes. Les bons sentiments ont une limite! A la veille du match de football Iran-USA lors de la Coupe du monde, le 21 juin 1998, qui s'est soldé par la défaite des Etats-Unis, des propos aimables ont été tenus publiquement par Bill Clinton, et Madeleine Albright a appelé explicitement la normalisation de ses vœux.

FONDAMENTALISME ALGÉRIEN

Le fondamentalisme islamique algérien est devenu le pire péril terroriste de l'heure sur le sol européen; en raison du fort soutien que ces groupes trouvent sur le sol français, cette menace se trouve beaucoup mieux connue que les autres. Certes, il est souvent difficile pour la police de prévenir des attentats, les réseaux — modernes Hydre de Lerne —

30 avril 1998. [http ://www.state.gov/www/global/terrorism/1997 report/ 1997index.html]

se reconstituant chaque fois qu'une de leurs têtes est coupée. L'attitude des dirigeants algériens, rongés par une terrible corruption et une pratique tyrannique du pouvoir, ne permet pas non plus à l'ancienne colonie française de sortir de la crise où elle s'enfonce. Enfin, les sergents recruteurs de l'islam terroriste trouvent sans trop de problème de vaillants petits soldats parmi les jeunes Algériens déracinés et sous-prolétarisés des banlieues françaises. En Algérie même, on vit l'horreur au quotidien. Des dizaines de milliers de morts, des massacres collectifs, et une barbarie insoutenable. Mais là, les Etats-Unis n'interviennent pas. Pour une raison simple : aucun citoyen américain n'est concerné. Il ne faut attendre ni un geste ni un mot de Washington. Ni en actes ni en paroles. Rien. Pas un communiqué digne de ce nom pour condamner un Etat qui bafoue le droit. Pas une critique sérieuse contre les islamistes radicaux. Un ancien responsable gouvernemental américain, Robert Pelletreau, ex-secrétaire d'Etat adjoint chargé du Moyen-Orient, excellent connaisseur du monde arabe pour avoir occupé les postes d'ambassadeur des Etats-Unis à Bahreïn, en Tunisie et en Egypte, peut même proclamer haut et fort que son pays ne lèvera pas le petit doigt pour participer à un règlement de la crise algérienne : « Pour nous, l'Algérie est un problème difficile qui concerne avant tout les Français. Et non une priorité américaine. Notre presse en parle peu[1]. »

Non seulement les Américains laissent faire, mais encore ils donnent l'impression de vouloir tirer les marrons du feu. Officiellement, Français et Américains œuvrent ensemble pour la paix en Algérie, comme Madeleine Albright et Hubert Védrine en sont convenus lors de leurs entretiens du 24 septembre 1997, en affirmant, *dixit* le secrétaire d'Etat, que « l'Algérie est un sujet sur lequel la France et les Etats-Unis pourraient amorcer un dialogue de fond ». Mais discrètement, pour ne pas évoquer un thème tabou, les autorités françaises distillent en privé des commentaires acides

1. *L'Express*, 22 janvier 1998.

sur le comportement de Washington à l'égard de l'Algérie, arguant que les Etats-Unis pratiquent en réalité une non-ingérence complice des islamistes. Ou bien, exprimé sous une autre forme, « les Etats-Unis s'estiment être les vrais interlocuteurs des forces montantes[1] ». Le dessein secret serait clair : tablant sur une victoire, à terme, des islamistes, industriels et gouvernement américains auraient noué un accord, tacite ou plus explicite, avec eux. D'abord parce que l'Algérie est un producteur d'hydrocarbures aux réserves considérables, ensuite parce que ce grand pays et ses trente millions d'habitants constituera dans l'avenir un gisement de consommateurs aptes à absorber les produits américains. Dès lors, le fait qu'aucun citoyen américain n'ait été victime du terrorisme islamique en Algérie est perçu comme un signal, faible sans doute, mais réel, d'une collusion qui n'ose pas dire son nom, dont d'autres concurrents commerciaux de la France, eux aussi implantés sur place, sont également bénéficiaires : « Octobre 1993/juin 1996 : cent vingt étrangers assassinés, dont quarante Français. Des meurtres à l'aveuglette ? Non, justement. Et voilà où l'on peut mesurer la qualité du renseignement recueilli par une organisation — et sa capacité à faire respecter l'ordre qu'elle donne. Nationalité des étrangers abattus : Belgique, Espagne, France, Grande-Bretagne, Italie. Des pays dans lesquels des réseaux terroristes islamiques ont été démantelés. (...) Continent américain : un Canadien. Pas un seul Américain, pas un seul Japonais, pas un seul Allemand. Coïncidence ? Neutralité négociée ? Reste une évidence : en juillet 1996, des expatriés américains fort repérables faisaient leur jogging sans protection aucune, dans le port pétrolier d'Arzew, près d'Oran[2]. »

Pour les services de renseignement français, notamment la DGSE, l'affaire est entendue : les Américains

1. BERTRAND RAVENEL, « Europe-Maghreb, vers une frontière armée ? », *Damoclès*, n° 74-75, 1997.

2. XAVIER RAUFFER, « Nouvelles menaces. Les entités criminelles hybrides. Le cas du Groupe islamiste armé algérien », Centre des hautes études de l'armement, Paris, décembre 1996.

s'implantent en Algérie, sans se soucier de la guerre civile, pour en expulser *de facto* les Français. Ceux-ci ne garderaient que l'exploitation du gaz algérien, grassement payé au-dessus des cours mondiaux, tandis qu'une nouvelle manne, pétrolière celle-là, ne bénéficierait qu'aux firmes américaines, et accessoirement britanniques. Plusieurs sociétés pétrolières, guidées dans le pays par l'un des clans du pouvoir et notamment par le conseiller du président Zéroual pour les affaires internationales, Abdelkadder Taffar, et par l'ambassadeur aux Etats-Unis Ramdane Lamamra, y ont signé de gros contrats depuis le début de la guerre civile ; ces sociétés pétrolières ont été vivement soutenues par l'Eximbank et la Citybank. Les explorations visant à découvrir de nouveaux gisements se poursuivent durant les massacres, comme si de rien n'était. Union Texas Petroleum, Repsol, British Petroleum, Arco, Anadarko, Halliburton, et d'autres, sont sur le pont pour chercher de nouveaux gisements pendant que le sang coule dans le pays. Pour que les pétroliers ne soient pas contraints de voir de trop près la réalité des massacres, la création d'une ligne aérienne directe entre Hassi-Messaoud et Houston (Texas) a été mise à l'étude. Prétendre, comme le font les Américains, que l'exploitation des richesses du sous-sol algérien a lieu sans que des commissions aient été versées aux officiels algériens, sans qu'une part notable de cette nouvelle richesse nationale n'aille directement dans les poches de membres du pouvoir, ne peut convaincre grand monde. Au début de la Seconde Guerre mondiale, un grand prospecteur pétrolier américain expliquait, parmi les principes de base de cette activité économique, ceux qui régissent le paiement de *royalties* au propriétaire du sol, qui s'interroge sur la qualité du forage qui vient d'être réalisé : « Y a-t-il quelque chose de certain dans cette transaction, quelque chose de tangible que reçoit le propriétaire ? Oui, bien sûr ; il gagne une prime en *cash* quand il signe son accord pour le forage[1]. » En Algérie comme ailleurs, les vieux principes ont la peau dure.

1. MAX W. BALL, *This Fascinating Oil Business*, The Bobbs-Merrill Company, New York, 1939, p. 93.

En deçà du bien et du mal

Les motivations des Etats-Unis, quand ils condamnent le terrorisme — ailleurs qu'en Algérie — sont officiellement liées à leur volonté de défendre les droits de l'homme. On sait que cette vertu est à géométrie variable, et que l'on voit mal, pour ne citer que cet exemple, en quoi l'Arabie Saoudite serait différente, de ce point de vue, de l'Iran. Rappelons que le régime de Riyad est le principal financier des islamistes fondamentalistes présents en Bosnie, et que ses services secrets sont accusés par nombre d'experts de l'intégrisme de n'être point étrangers au financement de certains groupes terroristes algériens et au renouveau de l'islam radical. En la matière, le cynisme est aux commandes.

Concernant aussi bien la Libye que l'Irak ou Cuba, la problématique américaine relève d'une analyse simpliste, voire sommaire : les Etats-Unis incarnent le bien et leur mission consiste à étendre son emprise sur la planète. Quant aux Etats rejetés dans les ténèbres extérieures, ils représentent le mal, et doivent être combattus comme tels. Naturellement, ce schéma n'a aucun sens dans un monde où tout démontre que les Etats passent par des phases successives, qui peuvent les conduire durant un temps à promouvoir le terrorisme, avant de revenir quelques années plus tard à des comportements plus conformes aux règles du droit international. Mais l'Amérique impériale n'en n'a cure : noir, c'est noir, et pour toujours. Et dans ce contexte, la France qui a affiché des positions plus nuancées, singulièrement au Proche-Orient, est mise dans le même sac. Autant il peut sembler compréhensible que les dirigeants américains tiennent ce type de discours réducteur quand ils doivent emporter l'adhésion de leur opinion publique pour mener des opérations qu'ils jugent utiles, autant il paraît curieux qu'ils y accordent eux-mêmes un crédit sincère. Pour ne prendre que les exemples de Saddam Hussein ou du colonel Kadhafi, il est évident que les dirigeants américains les considèrent comme des créatures diaboliques. Et ceux qui n'adoptent pas leur point de vue sont mis dans le même

89

panier. Quelques voix s'élèvent pour combattre cette attitude, comme celle d'Anthony Cordesman, qui affirme qu'« il est insensé de faire appel à la rhétorique extrême et à la politique inflexible qui nous mettent à dos des Etats alliés, amis et neutres qui doivent vivre avec l'Iran, l'Irak et la Libye, commercer avec eux, ou leur acheter du pétrole. (...) Les Etats-Unis vivent dans un monde gris, et ne parviendront pas à le transformer en noir et blanc[1]. » Même son de cloche chez Helmut Sonnenfeldt, de la Brookings Institution, qui admet volontiers que l'« arrogance » américaine se trouve au centre du sujet, bien que nombre de ses compatriotes « préfèrent prétendre qu'il s'agit d'une démonstration de leadership (...) Malgré tout, le défi est considérable. Il nécessite un niveau élevé de consensus et de finesse, et une approche hégémonique recherchant une adhésion aveugle aux vues américaines ne peut pas fonctionner[2] ».

Rien ne démontre que les sanctions économiques exercent un effet positif sur l'évolution des dirigeants qu'elles sont censées mettre à genoux. Les dictatures se sont toujours renforcées dans l'épreuve, les peuples pris en otages des sanctions économiques subissant plus durement la loi des tyrans, quand ceux-ci peuvent arguer d'une hostilité extérieure pour renforcer les mesures de coercition collective. Les sanctions commerciales ont-elles fait fléchir Kadhafi, Saddam Hussein ou Fidel Castro ? Certes non... Et quand les lois unilatérales américaines frappent les pays qui commercent avec les pestiférés, ces sanctions ne concernent plus seulement des ennemis, mais aussi des alliés des Etats-Unis : « Cruellement, ce ne sont pas les parias qui se trouvent punis, mais nos amis. Lamentablement, des cas comme ceux-ci [Cuba, Iran, Libye] ne se

1. ANTHONY H. CORDESMAN, « The quadriennal defense review, the american threat to the United States », *Center for Strategic and International Study*, 4 mars 1997.

2. HELMUT SONNENFELDT, « American arrogance, or leadership? », *The Tocqueville Connection*, 9 août 1996.

prêtent pas à l'amélioration du climat multilatéral, qui devrait soutenir les objectifs politiques recherchés[1]. » Bref, l'embargo obsessionnel ne mène à rien.

BONS BAISERS DE TRIPOLI

Dans la galerie des méchants, le colonel Kadhafi tient aux Etats-Unis une place à part. Il est également visé par la loi d'Amato ; bien que les Américains continuent à commercer discrètement avec lui, son pays fournissant l'un des meilleurs pétroles du monde, ils n'en entendent pas moins décider qui pourra, ou non, établir ou poursuivre avec lui des relations économiques et/ou politiques. *A priori*, les chefs d'Etat s'y conforment. Sauf un : Nelson Mandela. Le président sud-africain n'y est pas allé par quatre chemins, mais par un seul : la route, avec un cortège de cinquante voitures, afin de ne pas transgresser l'embargo aérien international imposé par l'Onu. C'est en tant que grand sage de l'Afrique qu'il s'est rendu, le 22 octobre 1997, chez son voisin du nord du continent, pour lequel il réclame la levée des sanctions économiques, s'attirant au passage les foudres du Département d'Etat : « Nous pensons que les contacts diplomatiques avec la Libye devraient être maintenus à un bas niveau, et nous serions déçus par la visite d'un chef d'Etat », s'était étranglé celui-ci avant la visite. Mais c'était sans compter sur l'indifférence absolue de l'étendard de la nouvelle Afrique à ce type d'arguments.

Nelson Mandela y a répondu vertement, arguant qu'il « ne peut y avoir un Etat qui s'arroge le rôle de gendarme du monde. Si d'autres pays se laissent guider leur conduite, l'Afrique du Sud ne le tolérera jamais ». Quant aux procès que les Etats-Unis réclament contre la Libye, accusée d'avoir organisé un attentat contre l'avion de la Pan Am détruit en vol le 21 décembre 1988 au-dessus de Lockerbie (Ecosse), il

1. DONALD BOUDREAU, « Economic Sanctions and the Military Force in the Twenty-First Century », *European Security,* vol. 6, n° 2, 1997.

est à ce propos encore plus net : « Personne ne peut être en même temps plaignant, procureur et juge. Les exigences d'un pays qui veut être tout cela à la fois m'inquiètent. On ne peut pas rendre la justice de cette façon ! » Cet octogénaire n'est pas de ceux qu'un mouvement de menton impressionne. Devant le colonel Kadhafi, il a dénoncé les sanctions économiques, loi d'Amato et embargo, « qui ne le touchent pas seulement lui, mais frappent la masse des gens ordinaires, nos frères et nos sœurs africains. Kadhafi est mon ami. Il nous a aidés quand nous étions seuls. Et ceux qui ont voulu nous empêcher de lui rendre visite, aidaient alors nos ennemis » — allusion au soutien dont a bénéficié aux Etats-Unis, durant des décennies, la sinistre politique de l'apartheid.

Nelson Mandela n'a pas manqué de nouveau de faire état, plus précisément, de son point de vue devant Bill Clinton, lors de la tournée triomphale que ce dernier a effectuée en Afrique noire en mars 1998. En soulignant ostensiblement devant son hôte que l'Afrique du Sud avait reçu l'un des pestiférés de l'Amérique, l'ancien président iranien Hashemi Rafsanjani, Nelson Mandela a ajouté — non sans un certain esprit de provocation — que les deux chefs d'Etat les plus honnis par son hôte, le Cubain Fidel Castro et le Libyen Kadhafi, avaient reçu de sa part une invitation à lui rendre visite : « Je l'ai fait parce que notre autorité morale nous dicte de ne pas abandonner ceux qui nous ont aidés dans les heures les plus noires de l'histoire de notre pays. Ils ne nous ont pas seulement aidés en rhétorique, ils nous ont offert des ressources pour mener la bataille, et conserver la volonté. » Cette leçon n'a sans doute été que très modérément appréciée par le président américain, auquel personne n'avait jamais parlé sur ce ton, mais il n'a rien laissé paraître de ses émotions ou de ses sentiments, se contentant comme à son habitude de pincer les lèvres. Quant aux amis de Mandela, ils en ont été enchantés, comme l'écrivain et prix Nobel de littérature Nadine Gordimer, qui a trouvé l'initiative « formidable. La preuve d'une grande indépendance. Tout le monde lève les mains face au *Big Brother* américain. Je pense qu'il était très important que quelqu'un tire. Il l'a fait[1] ».

CUBA ET L'ARME ÉCONOMIQUE

On l'a vu, les Etats désignés par les Etats-Unis comme « terroristes », ou « soutenant les terroristes » en leur offrant asile le cas échéant, sont au nombre de six : Soudan, Syrie, Iran, Irak, Libye, Corée du Nord[2]. S'y ajoute un septième, qui tient une place à part dans l'univers diplomatico-politique américain : Cuba. Sans doute Fidel Castro abrite-t-il quelques poseurs de bombes et assassins hispanisants, appartenant notamment à l'ETA et à divers groupes révolutionnaires sud-américains. Mais l'important est ailleurs. En 1959, lorsque le *lider maximo* a pris le pouvoir, il s'est empressé de nationaliser les propriétés américaines sur l'île, et a oublié de verser des indemnisations. Au grand dam de certains politiciens conservateurs américains, qui n'ont cessé de réclamer que des sanctions commerciales soient appliquées. Concernant les Etats-Unis, pas de problème : l'embargo contre Cuba est féroce depuis sa mise en place en octobre 1960, et encore davantage depuis la chute de l'URSS. La Russie n'est plus en mesure de fournir l'île communiste en biens de consommation ou en pétrole à des tarifs sans commune mesure avec les cours mondiaux. Et elle ne peut plus acquérir le sucre cubain, pas davantage que la Chine vers laquelle La Havane s'est tournée. Donc, depuis le milieu des années 80, Cuba est littéralement étranglé par l'embargo américain — son commerce extérieur, exportations et importations mêlées, ayant été divisé par cinq entre 1985 et 1995.

C'est en 1996 que les parlementaires américains Jesse Helms et Danny L. Burton parvinrent à faire voter une loi, le *Cuban Liberty and Democratic Solidarity Act of 1996*, qui

---

1. *L'Evénement du jeudi*, 16 avril 1998.
2. *Patterns of Global Terrorism, op. cit.*

non seulement renforce les sanctions économiques contre le régime communiste, mais encore permet aux Etats-Unis de punir les pays qui n'appliqueraient pas la législation américaine. Comme dans le cas de la loi d'Amato, cette extraordinaire prétention a fait pousser des cris aux partenaires européens des Etats-Unis, singulièrement les pays qui, comme l'Espagne, commercent abondamment avec La Havane. La loi fut effectivement appliquée à plusieurs reprises, notamment quand deux dirigeants de la firme canadienne Sherritt International, opérateur à Cuba d'une mine de nickel autrefois américaine et nationalisée en 1959, Rupert Pennant-Rea et Sir Patrick Sheehy, se virent interdire l'entrée aux Etats-Unis. Idem pour ceux de la firme mexicaine Grupo Domos, propriétaire à 37 % d'une société autrefois possédée par ITT, et elle aussi nationalisée. Quant à la firme italienne de télécommunications Stet, devenue Telecom Italia en 1997, qui avait pris en 1994 une participation de 30 % dans la firme cubaine de télécommunication Etecsa, elle a décidé de se conformer aux exigences américaines. Exploitant à Cuba des biens qui avaient également naguère appartenu à la société ITT, elle a accepté d'indemniser cette dernière, avant que ses dirigeants ne soient interdits d'entrée sur le sol américain. Très fâchée, on la comprend, par la prétention américaine à régenter les liens commerciaux entre des pays tiers, la commission européenne avait porté plainte, début 1997, devant l'OMC (Organisation mondiale du commerce). Elle retira ensuite cette plainte, et l'Amérique n'a pas fléchi pour autant. Même la spectaculaire visite du pape Jean-Paul II sur l'île, en janvier 1998, n'a pas amené d'élément nouveau : il a bien demandé que l'embargo américain soit levé, mais sans le moindre succès...

Cette obstination anachronique, alors que le régime cubain est exsangue et la population à bout de forces, est vivement combattue par plusieurs pays, dont la France. Mais Paris n'est pas allé jusqu'à manifester aussi publiquement sa désapprobation que le gouvernement canadien, par exemple lorsque le Premier ministre d'Ottawa, Jean Chrétien, s'est rendu sur l'île au printemps 1998. Il est vrai que le Canada est devenu le premier investisseur mondial à Cuba, et que les liens économiques entre les deux pays sont anciens. L'Europe, elle aussi, relève le scandale de la loi Helms-Burton, le ministre néerlandais du Commerce extérieur allant jusqu'à se demander pourquoi les Etats-Unis « considèrent que mener Cuba en enfer est plus important qu'entretenir de bonnes relations avec l'Europe[1] ». En attendant que les choses évoluent, Washington est obligé d'admettre que La Havane ne peut plus être considérée comme un épouvantail. En avril 1998, le Pentagone a enfin reconnu l'évidence, à savoir que l'île communiste ne constitue pas une menace pour la sécurité nationale des Etats-Unis. Puis, en même temps qu'il annonçait des assouplissements à la loi d'Amato, le président américain a annoncé en mai 1998 qu'il était parvenu à un « accord » avec les Européens : ceux-ci ouvriront un registre des propriétés confisquées par Castro en 1959, et aviseront les entreprises européennes qui seraient tentées de les acquérir qu'elles n'agissent pas correctement. Une manière, sans doute, pour les Américains, de commencer à admettre que les choses doivent évoluer...

---

1. Anneke Van Dock-Van Weele, « US should quit bossing its friends », *International Herald Tribune*, 1er juillet 1997.

5

La fin de l'Afrique française

Sur les pavés ronds de la cour d'honneur de l'Hôtel des Invalides, tout ce que Paris appelle le « village africain » est rassemblé en ce 2 avril 1997. Dans la tradition des obsèques républicaines, ses amis, ses clients, ses relations politiques et d'affaires, les journalistes tiers-mondistes dont il fut la bête noire, tous sont venus rendre un dernier hommage au défunt qui incarna la relation entre la France et l'Afrique durant plus de quatre décennies : Jacques Foccart[1], mort le 19 mars. Mais bien peu de ministres et de chefs d'Etat à l'épiderme sombre ont fait cette fois-ci le déplacement. A la fin de sa vie, le « Monsieur Afrique » de la seconde moitié du XXe siècle ne faisait plus recette, désaffection emblématique d'une réalité nouvelle : le continent noir donne toutes les apparences de vouloir tourner la page de sa relation privilégiée avec Paris. L'histoire aime ces clins d'œil, qui font coïncider en des instants symboliques un événement mineur — la mort d'un octogénaire, toujours influent, sans doute, mais aux canines élimées — et des bouleversements majuscules. Ainsi, la disparition du gourou africain de Charles

---

1. Sur la vie romanesque de cet homme mal connu, la référence indispensable demeure : PIERRE PÉAN, *L'Homme de l'ombre*, Fayard, Paris, 1990. Voir aussi les mémoires posthumes : JACQUES FOCCART, entretiens avec PHILIPPE GAILLARD, *Foccart parle*, Fayard / Jeune Afrique, Paris. Tome 1, 1995 ; tome 2, 1997.

de Gaulle, puis de toute la Vᵉ République, intervient-elle exactement l'année qui aura vu les plus profonds chambardements intervenus en Afrique francophone depuis que Paris accorda l'indépendance à ses colonies au début des années 60. Un autre symbole de ces années de postdécolonisation, le dictateur zaïrois Mobutu Sese Seko disparaît lui aussi quelques mois plus tard : deux dinosaures engloutis au cours de la même année, qui pourrait bien demeurer pour l'Histoire celle du naufrage de la France sur le continent noir. Huit ans après la fin de la guerre froide, qui avait fait de la France, dans le « pré carré » africain, le rempart de la présence occidentale face aux forces marxistes soutenues par Moscou, la situation n'est toutefois pas décantée, et les tenants de deux thèses africaines s'affrontent.

Pour les uns, la France a toujours sa place en Afrique, et les évolutions de sa politique à l'égard du continent, largement colonisé par ses soins au xixᵉ siècle, ne remettent pas en cause cette présence ancienne. Les tenants de cette théorie soulignent que les positions françaises demeurent très fortes dans la partie occidentale de l'Afrique, que les échanges économiques contribuent sensiblement à la balance commerciale française, et que la langue française y reste un important facteur unificateur entre des ethnies parlant souvent, dans un même pays, plusieurs langues vernaculaires incompréhensibles les unes pour les autres. Pour les tenants de la thèse opposée, en revanche, la France a fait son temps en Afrique, et l'Histoire commande que la superpuissance mondiale y assoie son empire. Non tant d'ailleurs, soulignent les plus lucides, parce que Washington aurait un jour décidé de s'implanter en Afrique ; mais parce que la nature a horreur du vide, et que le départ de l'un fait la litière de l'autre. En d'autres termes, « l'Amérique ne nous évince pas, elle comble nos retraites[1] ». Voire...

---

1. CLAUDE IMBERT : « Afrique : la main passe », *Le Point*, 5 juillet 1997.

AMÉRICAINS INDÉSIRABLES

Les Américains se réjouiraient, en réalité, de voir la France en position chancelante sur le continent noir... Telle est en tout cas la théorie développée avec une vigueur certaine par nombre des acteurs français concernés par ces dossiers. L'affaire dure depuis longtemps, mais ce conflit structurel, par bien des aspects, entre les intérêts français et ceux du monde anglophone, s'est envenimé à l'occasion du désastre rwandais de 1994. Cette année-là, les troupes de l'ethnie tutsie appartenant au Front patriotique rwandais, conduites par le général Paul Kagamé[1], étaient arrivées depuis l'Ouganda anglophone voisin pour conquérir le pouvoir que détenaient les Hutus installés à Kigali, la capitale rwandaise. Le 6 avril 1994, le président rwandais Juvénal Habyarimana et son homologue burundais Cyprien Ntaryamira, deux Hutus, qui rentrent ensemble à Kigali, sont abattus par des inconnus avec l'avion gouvernemental rwandais, un Falcon 50 offert par la France et piloté par des coopérants. Ces meurtres donnent le coup d'envoi d'un abominable génocide, apparemment préparé de longue date, contre la minorité tutsie vivant dans le pays, où elle représente alors 14 % de la population, contre 85 % pour les Hutus. Sans que des chiffres précis puissent être connus, ce sont des centaines de milliers de personnes, peut-être huit cent mille, qui seront massacrées dans des conditions atteignant des sommets d'horreur.

Dans ces circonstances, Paris n'est pas intervenu autrement qu'en évacuant les ressortissants européens. Les militaires français, déjà présents ou envoyés sur place pour l'occasion, n'ont pas réagi. Jusqu'au bout, très au-delà du raisonnable, Paris a pris *de facto* le parti des Hutus, sur l'impulsion personnelle, et maintes fois réaffirmée, du président François Mitterrand ; celle-ci était motivée à la fois par une amitié profonde pour son homologue rwandais Juvénal Habyarimana, et par la conviction que — sur le

---

1. Formé à l'école d'état-major de Fort Leavenworth (Texas).

continent africain — les impératifs de stabilité politique devaient l'emporter sur toute autre considération. En octobre 1990, lorsque le FPR (Front patriotique rwandais) de Paul Kagamé entama sa conquête du Rwanda, le soutien militaire français au régime de Kigali fut réaffirmé, notamment par l'envoi sur place de troupes parachutistes, dans le cadre de l'opération Noroît. S'il paraît admis qu'elles ne firent pas elles-mêmes le coup de feu, l'appui fut suffisamment explicite pour aller jusqu'au pointage de pièces d'artillerie. Les parachutistes français demeurèrent en place jusqu'en novembre 1993, laissant ensuite derrière eux un simple Dami (Détachement d'assistance militaire et d'instruction); celui-ci fit preuve d'une proximité suffisante avec le régime pour que de très graves accusations soient portées contre les militaires français, accusés — sans preuve formelle à ce jour — d'avoir formé des troupes, voire d'avoir prêté la main à la répression sauvage qui conduisit ensuite à des massacres de civils. Au lendemain de la mort du président rwandais, les Français organisent l'opération *Amaryllis* du 9 au 17 avril 1994, avec quelques centaines de parachutistes, appartenant notamment aux 1er, 3e et 8e régiments parachutistes d'infanterie de marine. Ils sont épaulés par des homologues italiens et belges, participant pour leur part à l'opération *Blue Beam*. Leur mission consiste alors exclusivement à évacuer les ressortissants français et européens, laissant les populations rwandaises en détresse à la merci de leurs bourreaux. Ce sont ces éléments qui ont conduit le tribunal pénal international sur le Rwanda à demander l'audition de plusieurs militaires français présents dans la région à cette époque.

Quelques semaines après la mort du président rwandais, la catastrophe apparaît dans toute son ampleur : un génocide a été perpétré dans l'indifférence internationale, mais surtout sous les yeux de ceux qui auraient peut-être pu l'empêcher; en France, cette catastrophe provoquera un séisme violent mais tardif, et déclenchera en 1998 l'ouverture inédite d'une mission d'information de l'Assemblée nationale, présidée par l'ancien ministre de la Défense Paul Quilès; celle-ci a entendu successivement tous les protagonistes de cette affaire, et son rapport final, publié le 15 décembre 1998[1], n'apporte pas de réponse décisive à la question cruciale : pourquoi? Si ce n'est que l'ensemble de la classe politique française a, soit fermé les yeux, soit accepté que les choses se déroulent de cette façon. Au nom des « équilibres » immuables sur cette terre d'Afrique. Alors chef des opérations de maintien de la paix au siège de l'Onu à New York, le futur secrétaire général Kofi Annan n'a pas agi, lui non plus. Plusieurs années plus tard, il admet que les informations sur les massacres étaient parvenues à temps à l'organisation internationale, mais que l'immobilisme l'emporta : « La volonté d'agir n'existait pas. La volonté politique nécessaire pour dépêcher une force n'existait pas[2]. »

L'attitude américaine ne fut pas plus glorieuse[3]. Lors de son voyage africain de mars 1998, le président Clinton, qui a procédé à un simple *touch and go* de trois heures sur l'aéroport de Kigali, n'a pas manqué d'écraser une larme en affirmant que « la communauté internationale doit accepter sa part de responsabilité dans cette tragédie (...). Nous n'avons pas immédiatement appelé ces crimes par leur nom : génocide ». En oubliant de préciser que cette omission sémantique avait une motivation bien précise : si elle avait admis que le terme « génocide » s'appliquait au Rwanda, l'Amérique se serait *ipso facto* trouvée dans l'obligation d'intervenir. Or telle ne fut jamais son intention : « Les officiels américains firent clairement savoir qu'empêcher des massacres dans d'autres pays n'était pas suffisamment important du point de vue de l'intérêt national pour risquer la vie de leurs soldats[4]. »

1. Paul Quilès, Pierre Brana, Bernard Cazeneuve, Enquête sur la tragédie rwandaise (1990-1994), six volumes, Assemblée nationale, Paris, 1998.
2. Entretien avec *Libération*, 18 mars 1998.
3. Sur l'attitude de l'administration américaine à cette époque, on se reportera aux pages cruelles de David Callahan, *Unwinnable Wars; American Power and Ethnic Conflict*, Hill and Wang, New York, 1997, p. 143 sq.
4. *Unwinnable Wars, op. cit.*, p. 6.

La fin du génocide coïncide avec l'arrivée du FPR au pouvoir, et la prise de contrôle progressive de tout le pays. Le pouvoir a changé de mains : ancienne colonie belge francophone, le Rwanda a finalement été conquis par des Tutsis anglophones venus de l'Ouganda, avec le soutien du président ougandais Yoweri Museveni, et la bénédiction active des Américains. Chez les partisans français, notamment militaires, de l'intervention armée en faveur des Hutus, l'analyse géostratégique est d'une rare simplicité : sur la carte, ils dessinent un arc de cercle allant de l'Ouganda au Burundi, en passant par le Rwanda. Et ils expliquent que le dessein des Tutsis est clair : constituer une grande alliance anglophone, le Tutsiland, qui aurait pour fonction de bouter les francophones hors de cette partie de l'Afrique « francophone », mais non française — car la Belgique y fut naguère la puissance coloniale. Et alors ? Pour Jean-François Bayard, l'un des meilleurs analystes français de la situation africaine, Paris n'avait pas à mettre les pieds dans ce guêpier : « Le bilan de cette politique s'est révélé catastrophique : la France n'a pu éviter la victoire du FPR, s'est aliéné cet acteur qui se révélera être quelques années plus tard un acteur majeur de la crise zaïroise, s'est discréditée comme arbitre dans l'ensemble de la région et s'est trouvée compromise, à son corps défendant, dans un génocide. La perte sèche d'influence est impressionnante, sans que l'on sache très bien en quoi la poussée de l'Ouganda et de ses alliés, à commencer par le FPR, était de nature à léser les intérêts de Paris dans cette région[1]. »

A l'été 1994, comme si un génocide ne suffisait pas, une catastrophe humanitaire sans précédent menace sérieusement la région des Grands Lacs, où les populations fuyant les massacres affluent vers la frontière zaïroise : qui peut l'éviter ? Paris souhaite que l'Onu dépêche des troupes pour

---

1. JEAN-FRANÇOIS BAYARD, « Bis repetita : la politique africaine de François Mitterrand de 1989 à 1995 », intervention lors du colloque *La Politique extérieure de François Mitterrand à l'épreuve de l'après-guerre froide*, Paris, 13-15 mai 1997.

renforcer l'inutile MINUAR[1], mais c'est un refus qui tombe, après des semaines d'atermoiements ; la tentative de constitution d'un corps expéditionnaire qui aurait été commandé par le général canadien Roméo Dallaire, patron de la Minuar, tourne court. Edouard Balladur, le Premier ministre français, est également opposé à une intervention unilatérale qu'il juge à la fois inopportune et dangereuse et fixe, le 21 juin 1994, ses conditions fermes à un éventuel engagement, parmi lesquelles l'obtention d'un mandat de l'Onu, une date de retrait préalablement fixée — ce sera le 21 août —, et une non-intervention dans le territoire rwandais. Le ministre de la Défense François Léotard est lui aussi très réticent. Pour des raisons sans doute plus politiciennes — le désir de ne point déplaire au Premier ministre alors présenté comme le futur président de la République — qu'opérationnelles ou stratégiques, le chef d'état-major des armées, l'amiral Jacques Lanxade, est lui aussi opposé à l'intervention. C'est François Mitterrand personnellement, par l'intermédiaire de son chef d'état-major particulier, le général Christian Quesnot, qui convaincra le ministre des Affaires étrangères, Alain Juppé, de la nécessité pour la France de « faire quelque chose ».

Ce sera l'opération Turquoise, « tardive, ambiguë, confuse, risquée[2] » qui verra les Français intervenir sans autre but que celui d'empêcher le massacre des populations civiles fuyant le Rwanda. Rappelons au passage que les Américains, poussant la mesquinerie assez loin, refusèrent non seulement d'envisager de participer à cette opération militaire, mais aussi de prêter, et même de louer, des avions de transport lourds à long rayon d'action (de type C-141 Globemaster), et que les Français durent recourir à la location acrobatique d'avions russes, qui firent d'ailleurs l'affaire, malgré un très long délai de mise en place. Lorsque

1. Mission des Nations unies pour l'assistance au Rwanda, établie par la résolution 872 des Nations unies du 5 octobre 1993.
2. PHILIPPE LEYMARIE, « Litigieuse intervention française au Rwanda », *Le Monde diplomatique*, juillet 1994.

l'opération se termine, les forces françaises laissent la place aux troupes africaines composant la Minuar 2, qui révéleront rapidement leur incapacité à maîtriser la situation. Dans toute cette période, l'Onu aura démontré son impuissance — jusqu'à preuve du contraire — à intervenir en Afrique. De la même manière qu'elle avait échoué en 1992 à résoudre la crise somalienne, elle a laissé la France intervenir quasi seule (à l'exception de quelques centaines de soldats africains) au Rwanda, sous le feu roulant des critiques prononcées par ceux-là mêmes qui avaient réclamé une intervention[1].

Tribunal pénal international

C'est à la suite de l'affaire rwandaise et des guerres en ex-Yougoslavie, que la communauté internationale décida en 1998 de se doter d'un tribunal pénal international. Il fut très difficile aux diplomates de parvenir à un accord, mais cent vingt pays finirent par conclure, le 17 juillet à Rome, un accord sur le texte instituant la nouvelle cour, qui pourra se saisir des crimes relevant de sa compétence. Il s'agit des génocides, crimes contre l'humanité, et crimes constatés par le Conseil de sécurité de l'Onu. Cette cour pourrait être mise sur pied d'ici 2002, quand soixante Etats auront ratifié le traité. Concernant les crimes de guerre, une disposition particulière a été décidée à la demande de la France, qui prévoit un délai de sept années durant lequel un Etat, sur le territoire duquel le crime aura été perpétré, pourra choisir, ou pas, de reconnaître la compétence du tribunal. Selon les

---

1. Lire à propos du génocide rwandais : Linda Melvern, *The Ultimate Crime. Who Betrayed the UN and Why*, Allison and Brusby, Londres, 1995. Gérard Prunier, *Rwanda 1959-1996 histoire d'un génocide*, Dagorno, Paris, 1997. Colette Braeckman, *Rwanda, histoire d'un génocide*, Fayard, Paris, 1994. On lira également deux longues enquêtes de Patrick de Saint-Exupery (*Le Figaro*, à compter du 30 mars 1998), et de Rémy Ourdan (*Le Monde*, à compter du 31 mars. [http://www.lemonde.fr/dossiers/rwanda/index.html]

organisations humanitaires qui avaient appelé ce tribunal de leurs vœux, cette mesure enlève toute portée réelle au texte adopté. Pierre Sane, secrétaire général d'Amnesty International, a ainsi affirmé : « Ce statut fournit une base pour une amélioration de la protection des droits de l'homme, mais il faudra travailler encore pour rendre la cour vraiment efficace. » Et son organisation de noter que bien des chefs d'Etat criminels auraient échappé aux poursuites si le texte avait été en vigueur depuis plusieurs années : « Saddam Hussein, Pol Pot, Karadzic, Pinochet, Amin, Mobutu. Ce ne sont que quelques-uns des responsables des pires crimes commis sur la terre, dont le consentement préalable aurait été demandé avant qu'ils puissent être jugés. »

La France avait longtemps souhaité que le nouveau tribunal demeure dépendant du Conseil de sécurité. Si elle a finalement accepté que le tribunal puisse engager des poursuites de son propre chef, c'est avec cette restriction contestée par les organisations humanitaires. Elle a reçu l'appui de ses partenaires de l'Union européenne, mais pas celui des Etats-Unis. Washington, avec sept autres pays — dont la Chine et Israël —, a voté contre le texte. Les Etats-Unis auraient souhaité que la clause restrictive qui s'applique aux crimes de guerre puisse concerner également les génocides, dès lors que les Américains refusent qu'une cour internationale puisse éventuellement juger ses ressortissants. C'est pourtant ce qui pourra se produire, l'écrasante majorité des pays participants à la négociation ayant combattu cette position. Il ne s'agit que d'une affirmation de principe : pour qu'un ressortissant d'un Etat soit jugé d'autorité par la cour, il conviendra que celle-ci décide, avant de le faire comparaître, que la justice de l'Etat dont il est citoyen n'a pas les moyens d'agir selon les règles démocratiques. Ce qui ne concerne ni les Etats-Unis, ni aucun Etat membre de l'Union européenne. En commentant la signature de ce document, le ministre des Affaires étrangères Hubert Védrine s'est souvenu que les Français ont parfois été accusés d'avoir toléré le génocide au Rwanda. Il a justifié dans une déclaration au quotidien *Le Monde* la nécessité de garde-fous : « Ces opérations [de maintien de la paix] sont indispensables et de plus en plus difficiles. De moins en moins de pays veulent en assumer les risques. Il ne faut pas aggraver cette tendance. » Quant au secrétaire général des Nations unies Kofi Annan, il a estimé que « beaucoup d'entre nous auraient aimé une cour investie de pouvoirs encore plus importants, mais cela ne doit pas nous pousser à minimiser l'avancée capitale qui a été réalisée ».

Paradoxalement, ce sont sans doute les lords britanniques — plutôt connus jusqu'alors pour leur conservatisme — qui ont fait avancer le droit international de la manière la plus significative. En refusant le 25 novembre 1998 que le vieux dictateur chilien Augusto Pinochet puisse bénéficier en Grande-Bretagne de l'immunité diplomatique dont il se prévalait, les lords ouvraient la voie à une mesure d'extradition vers l'Espagne ; la justice de Madrid réclamait le tortionnaire pour le faire comparaître devant un tribunal, afin qu'il y réponde des crimes commis contre des citoyens espagnols durant les années noires du Chili, consécutives au renversement du président Salvador Allende. Autant les autres démocraties européennes — dont la France qui réclama à son tour l'extradition — s'engouffrèrent-elles dans la brèche ouverte par les Britanniques, autant les Etats-Unis se firent d'une discrétion tout à fait explicite : malgré ses grands discours sur la nécessité de voir les droits de l'homme gagner du terrain sur la planète, Washington observe une attitude sélective. Notamment lorsque, comme dans le cas d'Augusto Pinochet, les pires atteintes à la démocratie sont, ou ont été, commises avec l'aval et l'appui décisif de l'oncle Sam, et de ses services secrets.

LE DÉPART DE MOBUTU

Retour en Afrique. En mai 1996, les activités diplomatiques de plus en plus intenses engagées par les Etats-Unis dans la région des Grands Lacs (Burundi, Rwanda) ont eu le don d'agacer assez vivement la capitale française ;

Washington souhaite que la France mette sur pied une force militaire d'interposition entre les deux ethnies (hutue et tutsie) qui s'entre-déchirent et se massacrent de nouveau depuis 1995. Dans l'hypothèse d'une telle opération, les autorités américaines ne fourniraient qu'une aide logistique à un corps expéditionnaire multinational. Ce zèle américain est jugé « incorrect » à Paris, où l'on considère souvent, sans porter d'accusation précise, que les Américains sont justement responsables de la détérioration de la situation. L'un des conseillers du président Bill Clinton, Anthony Lake, est venu s'entretenir à Paris avec le conseiller diplomatique du président Jacques Chirac, Jean-David Levitte. Puis Richard Begovian, coordinateur spécial pour le Rwanda et le Burundi, et John Shattuck, secrétaire d'Etat adjoint pour la démocratie et les droits de l'homme, pour tenter de trouver une solution préventive à une nouvelle guerre. Mais il est très clair que Paris ne s'engagera au Burundi, si nécessaire, que pour en évacuer ses ressortissants.

La situation continue de se dégrader dans cette région de l'Afrique; cette fois-ci, c'est le Zaïre qui est touché : dans le Kivu, une province lointaine de cet Etat immense, un ancien opposant au dictateur Mobutu, Laurent-Désiré Kabila, prend opportunément les armes avec l'appui de Washington, et entame une conquête du pouvoir qui ne s'achèvera qu'en mai 1997 à Kinshasa. Après avoir placé Mobutu sur son trône trente ans plus tôt, par CIA interposée, les Américains ont cyniquement baissé le pouce le jour où ils ont senti que le vieux dictateur avait perdu toutes ses griffes, et surtout tout intérêt. Dans cette affaire, les responsabilités des Etats-Unis paraissent d'autant plus claires qu'elles ont été partiellement admises, y compris sous la forme d'entraînement de troupes rwandaises par les Forces spéciales américaines. En réalité, l'engagement des Américains s'est avéré nettement plus intense, notamment par l'envoi d'avions de transport de troupes et d'hélicoptères mis secrètement à la disposition de Laurent-Désiré Kabila. Mais Washington n'a pas cherché à pousser les Français à la faute : ces derniers y sont allés tout seuls comme des grands.

Sans aucun doute, comme le disent en privé des diplomates français, les capacités de renseignement mises en œuvre par les Etats-Unis ont-elles été meilleures, permettant une évaluation plus pertinente de la situation, et la mise en place de structures d'accompagnement adéquates. En clair : plus vite que tout le monde, les Américains ont senti le vent tourner, et en ont tiré les conséquences.

En novembre 1996, la France et les Etats-Unis étaient finalement parvenus à se mettre d'accord sur la nécessité d'envoyer sur place une nouvelle force des Nations unies pour protéger les populations de réfugiés massacrées au passage des troupes du futur vainqueur. Pourtant, arguant de la prétendue sûreté dans laquelle se seraient trouvés les réfugiés hutus rwandais au Zaïre, les Américains faisaient finalement capoter l'initiative. Tandis que, parallèlement, la France — militairement incapable d'intervenir seule sur un territoire aussi vaste — soutenait le dictateur sans une once de lucidité, Washington câlinait les leaders « progressistes » de la région, l'Ougandais Yoweri Museveni, et Paul Kagamé, avec la bénédiction de Nelson Mandela, le président sud-africain. C'est le moment que choisit Daniel H. Simpson, ambassadeur des Etats-Unis à Kinshasa, pour attaquer violemment la politique française dans la région : « La France n'est plus capable de s'imposer en Afrique. Le néocolonialisme n'est plus supportable, l'attitude française ne reflète plus la vérité des faits. » Et de préciser que Paris ne sait que soutenir des « régimes décadents », tandis que « les Etats-Unis sont intéressés par des pays où règnent l'ordre, la stabilité, la discipline[1] ». Quelques mois plus tard, le nouveau maître du Zaïre et protégé de l'ambassadeur américain s'opposait déjà de toutes ses forces, à l'envoi d'une mission de l'Onu chargée de faire la lumière sur les massacres de civils auxquels ses troupes se sont livrées lors de leur avancée sur Kinshasa.

Sans doute, les Américains et leurs alliés dans la zone n'ont-ils pas choisi de privilégier le rôle de l'ancienne puissance coloniale d'Afrique noire, quand il s'est agi de faire

1. *Le Monde*, 3 décembre 1996.

avancer l'Histoire. L'humiliation française a été sévère. Quand les négociateurs internationaux tentant de dénouer la crise zaïroise se sont réunis, en mai 1997, avec Mobutu et son rival Laurent-Désiré Kabila, sur le navire sud-africain *SAS Outeniqua* amarré à Pointe-Noire, le représentant de la France, l'ambassadeur à Brazzaville Raymond Césaire, a été prié de se poser sur un tabouret, au bar du navire, tandis que les choses sérieuses se déroulaient hors de sa présence. Dur... Mais Paris était encore, à cette époque, le dernier soutien de Mobutu, politiquement épaulé — à défaut de l'avoir été militairement, à tout le moins par les autorités gouvernementales — par un gouvernement français et un président de la République qui refusaient de voir quelles évolutions inéluctables étaient en cours. L'aveuglement était tel à Paris que le ministre des Affaires étrangères Hervé de Charette pouvait affirmer quelques jours avant la chute du dictateur zaïrois qu'il demeurait « la seule personnalité capable de contribuer à la solution »! Après le départ du chef déchu de l'Etat zaïrois, le 16 mai 1997, Laurent-Désiré Kabila, protégé par la garde rapprochée personnelle de Paul Kagamé [1], n'a eu besoin que de quelques heures pour faire entrer ses premières troupes, venues pour une large part du Rwanda, dans Kinshasa ouverte à son « libérateur ». La France, elle, s'est contentée d'évacuer ses ressortissants du Zaïre, lors de l'opération Pélican, parfaitement réussie au demeurant, et avec un professionnalisme rare, par les légionnaires et les troupes de marine. Ce fut d'ailleurs la première crise internationale que le nouveau gouvernement de Lionel Jospin, tout juste sorti victorieux des législatives, eut à affronter.

OPPORTUNISME ANGLO-SAXON

Quel intérêt avaient les Etats-Unis à soutenir l'avance de Kabila, dont le comportement, parfois incohérent, se révélera

---

1. STEPHEN SMITH, « L'ombre du Rwanda sur l'ex-Zaïre », *Libération*, 28 mai 1997.

rapidement aussi liberticide que celui de son prédécesseur, avec des tendances au délire politique que n'aurait pas récusées l'ancien dictateur ougandais Idi Amin Dada ? Un intérêt d'abord politique, certainement. Mais ce sont surtout les grandes sociétés minières qui portaient un intérêt économique majeur aux évolutions zaïroises. Dans la foulée de la conquête rapide du tombeur de Mobutu, il n'y eut pas longtemps de mystère sur leur rôle ; soit qu'elles aient été de longue date présentes au Zaïre, mais excédées à la fois par l'incapacité de l'Etat à leur assurer un environnement stable, et par la corruption, la gabegie et la déliquescence de toutes les structures politiques. Soit que, nouvelles venues, elles aient la ferme intention de participer à l'exploitation du sous-sol zaïrois, extraordinairement prolifique, singulièrement en manganèse, or, zinc, cuivre, étain, cobalt et diamants. Les milieux d'affaires n'aiment rien tant qu'un règne sans partage de la loi et de l'ordre. La descente aux Enfers du Zaïre avait bien pu conduire ses peuples vers une absolue détresse, d'autres indices épouvantaient les exploitants des richesses nationales : la production de cuivre, de 500 000 tonnes au début des années 80, avait chuté en 1996 à 30 000 tonnes. Celle de cobalt s'était effondrée de 17 000 tonnes à 3 000 dans cette même période, alors que les cours de ce précieux métal, utilisé dans les alliages spéciaux, passait de 12 à 50 dollars le kilo. Le Zaïre, saigné à blanc par la dictature de Mobutu, n'avait plus investi depuis des lustres dans ses productions minières. La Gécamines, le trust minier gouvernemental, qui avait assuré jusqu'à 70 % des revenus de l'Etat, était exsangue.

Tout comme la firme Tenke, appartenant au financier Adolph Lundin, la société American Mineral Fields s'est très rapidement organisée pour signer d'intéressants contrats d'exploitation minière avec le futur vainqueur, au fil de ses conquêtes. Dès le 16 avril, son patron Jean-Raymond Boule — dont Laurent-Désiré Kabila utilisait le jet privé — signe un contrat d'un milliard de dollars portant sur la construction d'une usine pouvant produire 200 000 tonnes de zinc par an à Kipushi et sur la mise en exploitation de 23 millions de tonnes de déchets de la mine de cuivre de Kolwezi. De quoi être en bonne position pour faire face à la pénurie mondiale de cuivre, que les spécialistes du marché des matières premières attendent pour le tournant du siècle. Quelques mois plus tard, la loi du marché avait commencé ses effets ravageurs, et les surenchères de ses concurrents minèrent les espoirs de Jean-Raymond Boule, qui n'avait signé en avril qu'un premier chèque d'un million de dollars. Début décembre 1997, la puissante firme AAC (Anglo-American Corporation of South Africa) de Johannesburg proposait des dollars en quantité plus importante pour renflouer les caisses anémiques de Kabila. Et en janvier, c'était chose pratiquement faite : l'AAC était entrée dans la place...

Encore quelques mois, et l'on apprenait que les nouveaux partenaires économiques de Kabila avaient rompu toute relation avec lui, qui avait tout bonnement remis en vigueur les « perceptions personnelles » de son prédécesseur. Durant l'été 1998, alors qu'il était devenu clair depuis plusieurs mois que la dictature zaïroise n'avait fait que changer de visage, sans rien renier des méthodes de feu Mobutu, Laurent-Désiré Kabila se trouvait à son tour menacé par une rébellion dirigée par ses anciens amis rwandais, et partant de l'est du Zaïre. L'intention affichée du régime de Kigali, dirigé par les Tutsis, consistait à se doter, en territoire zaïrois, d'une zone-tampon leur permettant de tenir à bout de gaffe les rebelles hutus qui s'y étaient réfugiés. Mais si l'on sait où commence de type d'opérations, personne ne sait comment elles se finissent. Il serait étonnant, dans ce cas précis, que cela soit en faveur de Laurent-Désiré Kabila, lâché par tous ses appuis dans la région, et désormais honni par les Américains. Le seul soutien militaire qu'il a reçu est venu de l'Angola voisin, tandis que la France, à l'automne 1998, commençait à renouer les fils avec lui. La politique africaine y possède souvent des aspects byzantins.

RETRAIT INÉLUCTABLE DE LA FRANCE

Mais en quoi tout cela gêne-t-il la France ? Notre pays n'a jamais jugé utile d'investir au Zaïre, dans tous les sens du terme, et le soutien au dictateur Mobutu, dont la seule vertu était d'être francophone, n'a jamais constitué un projet politique sérieux. Ce qui n'a pas empêché, alors que la crise des Grands Lacs battait son plein, que la France élève la voix et fasse entendre une position antiaméricaine affirmée. Aucun connaisseur français ou américain de la situation africaine ne prétend sérieusement que les Etats-Unis veuillent supplanter la France sur le continent, ou que Bill Clinton ait délibérément engagé une brutale stratégie d'éviction. Washington ne possède pas de plan secret pour remplacer la France en Afrique, et toute prétention contraire relève, jusqu'à plus ample informé, d'une évidente courte vue. Ce qui ne veut pas dire que les Américains ne regardent pas de très près ce qui se passe sur le continent noir, avec une attention beaucoup plus marquée qu'avant la chute du mur de Berlin. Attitude compréhensible : si, durant un demi-siècle, l'oncle Sam n'a pas jugé utile de porter ses regards dans cette direction, c'est qu'il avait d'autres centres d'intérêt, en l'espèce son conflit latent avec l'URSS.

Dès lors que l'Afrique ne constituait un champ d'action stratégique ni pour ses armées ni pour ses hommes d'affaires, Washington en a simplement fait, durant toute la guerre froide, un « espace de déni [1] », dont il était suffisant que l'URSS soit exclue, ou à tout le moins maintenue dans des limites acceptables. Washington a jugé plus conforme à ses intérêts de laisser les Français jouer leur rôle de relais antimarxiste dans leurs anciennes colonies, aussi bien au Maghreb que dans l'Afrique subsaharienne. Rien de plus conforme à cette vision des choses que l'acceptation du *modus vivendi* proposé par la France de l'après-guerre, consistant à extraire l'Afrique du grand affrontement Est-

---

1. ZAKI LAÏDI, *Les Contraintes d'une rivalité. Les superpuissances et l'Afrique, 1960-1985*, La Découverte, Paris, 1986, p. 204.

Ouest, à concilier les intérêts d'une chasse gardée aux commodités d'un sanctuaire. Deux des observateurs les plus au fait des évolutions africaines notent que cet accord tacite présentait un double avantage : « Officiellement, le loup à ne pas laisser entrer dans la bergerie était soviétique, mais, en réalité, on préservait également le pré carré de l'influence anglo-saxonne. Jacques Foccart régnait sur ce morceau d'empire moins par les structures classiques de pouvoir que par les hommes, à l'africaine[1]. »

Avec la France pour marraine, l'Afrique francophone ne pouvait, ne devait plus représenter une réelle inquiétude pour le monde « libre », dès lors que chaque tentative, sérieuse ou moins sérieuse, de faire passer un pays sous le contrôle de forces inféodées à Moscou, ou prétendues telles, voyait surgir les régiments d'élite de l'armée française. Lesquels, avec une poignée d'hommes, n'avaient guère de peine à contrôler les capitales et à consolider les roitelets du cru. La prime politique de cette fidélité aux despotes locaux, qui se succédaient de coup d'Etat en renversement, était régulièrement versée à New York ; lors des votes à l'Onu, la France pouvait toujours compter sur le bataillon de ses fidèles africains, qui pesaient lourd, numériquement parlant, à l'heure du dépouillement des bulletins de vote. Mais cet équilibre ne pouvait plus perdurer alors que la guerre froide touchait à sa fin. François Mitterrand fut sans doute l'un des derniers à le comprendre, sans jamais l'admettre. Dès son premier septennat, un universitaire africain regrettait déjà que l'arrivée du président socialiste aux affaires en 1981 n'ait pas amené d'innovation majeure : « Après une courte période d'hésitation[2], et malgré la permanence d'une rhétorique plus tiers-mondiste, le gouvernement socialiste reprit à son compte toutes les pratiques de ses prédéces-

---

1. Antoine Glaser et Stephen Smith, *L'Afrique sans Africains, le rêve blanc du continent noir*, Stock, Paris, 1994, p. 118.
2. Marquée en particulier par l'attribution du portefeuille de la Coopération à un anticolonialiste déclaré, Jean-Pierre Cot, « démissionné » le 8 décembre 1982.

seurs[1]. » Avec, en particulier, l'établissement de liens directs entre François Mitterrand — ancien ministre de la France d'outre-mer sous la VIe République — et ses homologues africains, par l'intermédiaire d'envoyés personnels, parmi lesquels Guy Penne, puis son propre fils, Jean-Christophe Mitterrand.

Cette attitude fut vilipendée par tous ceux qui avaient attendu de l'arrivée d'un président socialiste un changement de l'attitude française vis-à-vis de l'Afrique ; ils souhaitaient que Paris aide à la restauration de la démocratie, combatte la corruption, pourfende le népotisme et fasse entrer l'Afrique dans l'ère moderne. Hubert Védrine, qui fut l'un des plus proches collaborateurs de François Mitterrand durant ses deux septennats, note quant à lui que le président socialiste « exècre boutefeux et apprentis sorciers, mais s'agissant de l'Afrique sa conviction est encore plus profonde : le placage de schémas parisiens abstraits sur la complexité africaine ne donnerait que des catastrophes[2] ». Ce qu'un diplomate américain, vieux routier de l'Afrique, traduit, en français dans le texte, par la formule : « Plus ça change, plus c'est la même chose[3] ! »

Etrange situation que celle de la France en Afrique. Elle demeure un partenaire décisif du continent noir, mais n'a plus les moyens d'y jouer le rôle qui fut naguère le sien. La présence militaire en est un symbole, mais la quantité de soldats présents sur un sol étranger est-elle encore un bon moyen de jauger des ambitions ? De 1997 à 2002, les forces françaises prépositionnées auront diminué de 30 %, pour se situer entre 5 000 et 6 000 hommes. Et resteront encore sur place 600 coopérants militaires et 23 missions d'assistance. C'est moins qu'avant, mais c'est encore beaucoup, et la

---

1. ELIKIA M'BOKOLO, *L'Afrique au XXe siècle*, Le Seuil, Paris, 1985, p. 368.

2. HUBERT VÉDRINE, *Les Mondes de François Mitterrand*, Fayard, 1996, p. 341.

3. FRANCIS TERRY MCNAMARA, *France in Black Africa*, National Defense University Press, Washington, 1989.

France demeurera longtemps le pays disposant du dispositif militaire le plus fort et le plus crédible en Afrique. Sans que l'on sache très bien si l'une des motivations principales de ces prépositionnements multiples n'est pas l'attirance qu'ils sont en mesure d'exercer sur une armée devenue intégralement professionnelle, et pour laquelle les espaces exotiques constituent un puissant facteur de motivation. Comment garantir à chaque soldat qui s'engage, comme le font les recruteurs depuis le début de 1997, qu'il passera quatre mois « outre-mer » tous les quatre ans, si l'armée française doit déserter le sol africain ? Pour autant, depuis 1992, l'action politique de la France en Afrique semble entravée, comme si elle avait perdu le « savoir-faire » qui, souvent au prix d'un soutien à des régimes dictatoriaux, avait permis à un certain nombre d'équilibres de perdurer. Sans aucun doute, la fin de la guerre froide entre pour beaucoup dans cet état de fait. Sortie du grand antagonisme Occident/communisme, l'Afrique a retrouvé ses vieilles divisions, celles-là mêmes qui empêchent aujourd'hui les mécanismes internationaux de régulation de fonctionner.

A l'intérieur des frontières héritées de la colonisation, les déchirements fratricides, voire les crises les plus banales, échappent souvent aux modes de compréhension des acteurs extérieurs, accoutumés aux systèmes politiques plus classiques. La mort de Jacques Foccart a sonné le glas d'une certaine forme de relations personnelles, qui laisse penser que l'antique système des réseaux africains, dont le « Vieux » était justement l'incarnation, a du plomb dans l'aile. Complément, et parfois substitut, des filières diplomatiques habituelles, ce maillage a souvent servi de levier pour débloquer telle ou telle situation, qu'il s'agisse de tuer une rébellion dans l'œuf ou de museler des opposants. Cet affaiblissement apparent des canaux traditionnels de clientélisme et d'influence, lignes de force floues, indistinctes et parfois sulfureuses reliant Paris aux capitales africaines, a coïncidé avec la volonté du gouvernement de Lionel Jospin de remettre un peu d'ordre dans les relations franco-africaines. La tournée du Premier ministre en décembre 1997 ne fit que confirmer ce qui avait été dit depuis plusieurs mois par deux membres au moins de son gouvernement, Charles Josselin, secrétaire d'Etat à la Coopération, et Alain Richard, ministre de la Défense : la France ne peut plus jouer seule le rôle de gendarme de la partie francophone du continent.

MUTINERIES CENTRAFRICAINES

Bien des proches du président de la République élu en 1995, et singulièrement ceux qui comptent parmi les « Africains » du RPR, ont été surpris par le discours chiraquien tenu à partir de l'été 1997, quand il fut évident qu'il serait parfaitement conforme à celui de la nouvelle majorité parlementaire et du gouvernement de la « gauche plurielle », adepte du désengagement militaire rapide. Il aurait été vain d'espérer de Lionel Jospin, sérieusement préparé à son nouveau rôle, qu'il tienne un discours différent de celui qui avait été le sien dans l'opposition. Il avait balisé le terrain africain en une sinistre occasion, lors de la mort de deux soldats du 6ᵉ régiment parachutiste d'infanterie de marine, l'adjudant Gérard Giraldo et le capitaine René Devos, tous deux âgés de trente-quatre ans, tués le 4 janvier 1997 par des soldats rebelles centrafricains réclamant le départ du président Ange-Félix Patassé.

Dans une logique d'extrême fermeté, voire de représailles, le président français ordonne aux militaires de frapper très fort. Avec un hélicoptère Puma/canon de 20 millimètres, les EFAO (Éléments français d'assistance opérationnelle) attaquent un commissariat ainsi que le camp abritant les rebelles. Des troupes françaises s'en prennent également au terminal pétrolier, à l'émetteur de la radio nationale et à la brasserie locale. Une trentaine de mutins sont faits prisonniers et remis à la gendarmerie centrafricaine. Des renforts sont envoyés de France, faisant passer l'effectif normal des troupes françaises en Centrafrique de 1 600 à 2 300 hommes. Bref, une attitude relativement classique pour les forces françaises en Afrique.

Deux jours plus tard, le leader de l'opposition, Lionel Jospin déclare, indigné : « (...) Le problème est de savoir quelles missions notre gouvernement fixe à nos soldats. L'accord de défense avec la République centrafricaine, qui est invoqué, n'est pas un accord de police. L'armée française n'a pas à être transformée en force de sûreté intérieure ni en garde présidentielle pour le président Patassé. (...) Si l'on veut éviter de perpétuer un interventionnisme d'un autre temps et le risque d'un engrenage militaire, une issue politique doit être trouvée. (...) » Alain Lamassoure, porte-parole du gouvernement, rapportera le 8 janvier les propos de Jacques Chirac lors du Conseil des ministres : « Le président de la République a fait part de sa surprise de constater que certains dirigeants politiques proposaient que la France ne réagisse pas quand ses soldats sont assassinés froidement et publiquement. Qu'on ne compte pas sur la France pour ne pas agir quand on assassine ses soldats. »

Le 27 août, devant la conférence des ambassadeurs rassemblés à l'Elysée, le Président — désormais entré en cohabitation — tient un discours aux accents moins farouches et rappelle « deux règles de comportement auxquelles la France doit se tenir strictement, au risque d'être parfois mal comprise dans un premier temps. Première règle : s'interdire toute ingérence, de quelque nature qu'elle soit, politique, militaire ou autre. La France ne l'accepterait pas chez elle. Elle n'a pas à la pratiquer chez les autres. Deuxième règle : encourager nos partenaires africains, selon les modalités et le rythme de leur choix, à renforcer l'Etat de droit et la bonne gouvernance, éléments essentiels de la confiance, confiance intérieure des opinions ou extérieure des investisseurs, confiance essentielle pour le développement, condition même du développement ».

L'inflexion du discours est très nette. La France a désormais renoncé à intervenir seule, militairement, sur le terrain, en cas de conflit intérieur dans un pays africain. Le prototype de la nouvelle structure d'intervention est proposé par la MISAB[1] installée à Bangui (Centrafrique) en 1997 avec

1. Mission interafricaine de surveillance des accords de Bangui.

l'appui de plusieurs pays africains. Ceux-ci fournissent des contingents que la France équipe, transporte, nourrit et paye. Mais au moins, Paris n'est plus en première ligne, à tel point que le fantasque président Ange-Félix Patassé a prié les Français de quitter son pays aussi vite que possible. Très intéressés par cette affaire, qu'ils ne comprennent absolument pas tant ils tiennent en piètre estime la République centrafricaine et son président ardemment soutenu par la France, certains observateurs américains — qui oublient que leur ambassadrice dans ce pays a été tentée de chercher refuge à la représentation diplomatique française dès le premier tir de mortier des soldats mutins — en profitent pour afficher une attitude ironique, à l'instar de Tom Campbell, un républicain californien membre de la Chambre des représentants : « C'est parfois l'intérêt commercial de la France d'apporter son soutien au gouvernement en place, mais le bénéfice de la France n'est pas toujours moral[1]. » Toujours est-il que les soldats français quittent Bangui à la mi-avril 1998, ne laissant sur place que deux cents hommes assurant le soutien logistique de la nouvelle MINURCA (Mission d'interposition des Nations unies en République centrafricaine), force multinationale africaine chargée de conduire le pays jusqu'aux élections législatives prévues à la fin de l'année.

Le nouveau discours de Paris

Pour les conflits de plus lourde intensité, le gouvernement français a finalement compris qu'il lui faudra s'intégrer dans des dispositifs militaires multinationaux, dans lesquels les armées africaines joueront un rôle important. C'est ce qu'a convenu la conférence de Dakar, fin octobre 1997, lors de laquelle les Américains ont remis sur la table leur ancien projet d'Acri[2], qui avait suscité un enthousiasme très

1. Tom Campbell, *The Tocqueville Connection*, 14 février 1997.
2. African Crisis Response Initiative.

modéré lors de sa présentation en 1996. Il s'agissait en effet de laisser les Africains intervenir eux-mêmes lors d'un conflit, en laissant les organisations internationales, comme l'OUA ou l'Onu, hors du jeu. Les Français ne manquent pas de faire remarquer à cette occasion qu'ils prévoient d'allouer 180 millions de francs par an à cette initiative, soit le double du budget accordé par Washington à son propre projet. Très chatouilleux sur cette affaire, les Français ont opté pour la formule Recamp[1], qui n'exclut pas les acteurs internationaux, mais en donnant un rôle primordial aux Africains. En février 1998, les Français et les troupes africaines ont testé ce concept Recamp lors des manœuvres Guidimakha, qui se sont tenues à la frontière du Sénégal et de la Mauritanie. Pour accompagner leur Acri, les Américains pourraient profiter d'installations créées de toutes pièces au cœur de l'Afrique, comme cette étrange base aérienne construite à partir de 1991 par Spie-Batignolles, une entreprise bien française, à proximité de Gaborone, la capitale du Botswana. Disposant d'une piste de 3 300 mètres capable d'accueillir les plus gros avions-cargos, alors que l'armée de l'air du Botswana ne compte qu'une demi-douzaine de coucous cacochymes, cette base — connue sous le seul nom de « projet 15 » — pourrait bien abriter une station d'interception américaine[2].

L'idée au cœur de ces deux concepts, qui ont vocation à se rapprocher, consiste à aider les Africains à se doter des moyens militaires — matériels et humains — leur permettant de régler eux-mêmes les crises sur le continent. Mais les chances de succès sont bien minces, ainsi que l'a montré l'échec de la mission militaire interafricaine Ecomog (Ecowas Monitoring Group) déléguée au Liberia lors de la guerre civile de 1990, qui a constitué « une indication de l'incapacité des Etats africains à soutenir des opérations aussi complexes, bien qu'elles soient jugées nécessaires pour la restauration de l'ordre ou la prévention de désastres

1. Renforcement des capacités africaines de maintien de la paix.
2. *Foreign Report*, 5 février 1998.

humanitaires [1] »... Peut-être les choses auraient-elles été plus simples si les Etats-Unis, très impliqués au Liberia (entre autres, la firme de pneumatiques Firestone y exploite la plus grande plantation d'hévéas au monde), et la France, qui a agi en sous-main par Burkina-Faso et Côte-d'Ivoire interposés, n'avaient été de véritables acteurs du conflit [2].

---

1. FUNMI OLONISAKIN, « African homemade peacekeeping initiatives », *Armed Forces and Society*, vol. 23, n° 3, 1997.

2. Pour démêler les fils de ce conflit complexe, lire FABRICE WEISSMAN, « Liberia : derrière le chaos, crises et interventions internationales », *Relations internationales et stratégiques*, n° 23, octobre 1996.

6

Ambitions blanches et Afrique noire

PROJETS COMMERCIAUX

Que veulent les Etats-Unis sur le continent noir? Dans un mouvement de menton particulièrement malvenu, le ministre de la Coopération du gouvernement d'Alain Juppé, Jacques Godfrain, avait noté lors de la tournée du secrétaire d'Etat américain, Warren Christopher, en Afrique, en octobre 1996, qu'il était curieux que ce dernier se soit penché très tardivement sur l'Afrique noire, pour ne « s'y intéresser que trois semaines avant l'élection présidentielle » américaine. La saillie avait brutalement détérioré les relations franco-américaines et agacé Washington au plus haut point, la querelle ne revenant à des proportions plus raisonnables que quelques mois plus tard, lors de la visite que fit à Paris le nouveau secrétaire d'Etat américain, nommé par Bill Clinton après sa réélection. Il fut convenu à cette occasion avec le ministre français des Affaires étrangères, Hervé de Charette, lors du premier passage de Madeleine Albright, que les dirigeants des deux grandes nations devaient cesser « de se chamailler devant les enfants ». Dès lors, comme le note le journaliste Vincent Hugeux, que « les bourdes françaises dopent l'opportunisme américain [1] », il est clair que

1. VINCENT HUGEUX, « Afrique centrale : l'épouvantail américain », *Politique internationale*, n° 77, automne 1997.

ce qui ressemble fort à un jeu de dupes ne pouvait finalement servir les intérêts de personne. Ancien ministre de la Coopération dans le gouvernement d'Edouard Balladur, devenu depuis homme d'affaires, Michel Roussin est désormais président du comité Afrique-Caraïbes-Pacifique du CNPF (Conseil national du patronat français). Et s'il voit d'un œil torve l'implantation américaine en Afrique se consolider, il sait également que les *boys* sont loin d'avoir gagné la partie ; il invite donc l'Afrique à « accueillir tous les investissements et toutes les formes de coopération internationales. (...) Nous ne pouvons que souhaiter bonne chance aux Américains, qui vont enfin se colleter avec les dures réalités africaines, et avec la concurrence des conglomérats sud-africains, lesquels n'ont pas l'intention de se laisser évincer d'un marché prometteur[1] ».

Les Américains possèdent en propre un certain nombre de défauts qui vont en s'aggravant au fil de la consolidation de leur emprise mondiale. Mais ils ont aussi de grandes qualités, dont la franchise n'est pas la moindre. Concernant les intentions de l'Amérique en Afrique, une plongée dans les textes officiels ne laisse pas de place au doute : il s'agit bien, pour elle, de trouver des conditions optimales pour ouvrir de nouveaux espaces commerciaux — les bénéficiaires en seront l'industrie et les services — sans ambiguïté aucune, et sans que cette politique prenne la moindre précaution pour dissimuler ses objectifs. Quand George E. Moose, alors spécialiste des affaires africaines au gouvernement américain, prononce une déclaration officielle pour décrire les centres d'intérêt de son pays en Afrique, il est limpide : « Encourager les réformes favorables à l'économie de marché et développer les marchés en faveur du commerce américain et de l'investissement constitue également d'importantes priorités politiques. Avec 10 % de la population mondiale, et le quart de la surface continentale, le potentiel africain est important

---

1. MICHEL ROUSSIN, « De notre présence en Afrique », *Le Monde*, 28 juin 1997. L'auteur a détaillé son expérience de ministre de la Coopération dans son livre : *Afrique majeure*, France-Empire, Paris, 1997.

pour nous. La promotion de la démocratie, de la responsabilité et de la loi améliore l'environnement dont le secteur privé américain a besoin pour faire des affaires. Nous sommes également actifs dans la résolution des conflits et leur prévention. Des institutions démocratiques fortes permettent de résoudre pacifiquement les problèmes économiques et sociaux, et il est beaucoup plus avantageux de les soutenir que de payer la facture des dommages de guerre[1]. »

Quand elle s'apprête à lui succéder, Susan E. Rice est encore plus explicite : « Ces pays peuvent constituer d'excellents marchés pour les exportations américaines. Nous fournissons 7 % des importations africaines, et cent mille emplois en dépendent aux Etats-Unis. Si l'Afrique trouve le chemin de la croissance, et si nos parts de marché augmentent, les emplois pour les travailleurs américains augmenteront également[2]. » Ce discours américain sur l'Afrique est récurrent, et Lawrence H. Summers, secrétaire adjoint au Trésor, note avec une gourmandise non dissimulée que « concernant le développement en Afrique subsaharienne, il y a sans doute plus de place pour un optimisme raisonné que jamais en une génération[3] ». Le fait est qu'au plan économique, la situation de l'Afrique s'améliore, même si elle part de très bas. Lors du sommet du G8 qui s'est tenu à Denver (Colorado) en juin 1997, les participants se sont penchés sur un certain nombre d'indicateurs positifs. C'est ainsi que — en raison pour une part de la relative stabilité du cours des matières premières — le PIB africain a crû de 4,7 % en 1997 et 5 % en 1996, contre 2,9 % en 1995.

Le Département d'Etat, au service des entreprises privées nationales, ne cache pas son intention de promouvoir leurs

---

1. GEORGE E. MOOSE, discours à Indiana University, Bloomington (Indiana), 19 avril 1996.

2. SUSAN E. RICE, « Opening statement at Confirmation Hearing Senate Foreign Relations Committee », Washington, DC, 11 septembre 1997.

3. *Wall Street Journal*, 2 juin 1997.

intérêts par le biais d'une action diplomatique affirmée, et pour le moins volontariste : « Les Etats-Unis ont pour but d'améliorer les relations commerciales du secteur privé et sa présence en Afrique. Améliorer le climat en faveur de l'investissement, promouvoir un traitement non discriminatoire pour les entreprises américaines, améliorer l'aide au secteur privé et le suivi des services nécessaires pour aider le commerce constituent des priorités dans cette région. De manière agressive, le gouvernement américain recherche des opportunités d'investissement pour les firmes américaines, et un accès équitable au marché. Les programmes d'assistance américains promeuvent les exportations et le commerce[1]. » Ce que traduit fort bien la formule emblématique de l'Amérique quand elle veut soutenir les pays en voie de développement : « *Trade, not aid* » (le commerce, pas l'assistance).

Ces ambitions commerciales affirmées éclairent d'un jour cru les réelles ambitions américaines. Sur un continent noir où la France possède 21 % des parts de marché, contre 14 % pour les Etats-Unis, ce dernier pays ne veut pas rester les bras croisés. Retour d'Afrique où il avait accompagné le président Clinton lors de sa tournée du printemps 1998, le patron de l'Usaid (US Agency for International Development), J. Brian Atwood, explique que Paris doit admettre que les chefs d'Etat africains « peuvent désirer maintenir leurs liens avec la France, tout en développant des relations avec les pays voisins, qui peuvent être anglophones ou lusophones. Je sens que Paris est davantage convaincu, si ces pays se démocratisent, que nous sommes contraints de les aider. Ceci conduit à un consensus américano-français, que nous n'avons pas connu auparavant[2] ».

La paix et la prospérité en Afrique, si tant est que ces idéaux aient encore un sens dans un tel contexte, ne sont là, aux yeux des Américains, mais aussi, naturellement, des

1. *US Policy for a New Era in Sub-Saharian Africa*, Department of State, Bureau of African Affairs, 10 février 1996.
2. Entretien avec l'*International Herald Tribune*, 8 avril 1998.

Français, que pour favoriser le commerce. Que le sida y fasse des ravages de l'ampleur d'une plaie biblique, sans que les habitants puissent envisager d'accéder dans un avenir, même lointain, aux trithérapies qui permettent de prolonger la vie des malades des pays riches, n'entre pas en ligne de compte. Que ce continent soit le plus pauvre du monde, que ses besoins en éducation, en agriculture et en lutte contre la faim, en paix civile soient criants, ne pèse que peu de poids face aux ambitions des représentants de commerce, investisseurs et des banquiers, des marchands de tout poil : « La démocratie et le développement ne s'épanouiront pas sur d'hypothétiques clairières au milieu d'une brousse sauvage et envahissante. C'est toute l'ambivalence du "terrain aplani", du *level playing field*, réclamé avec des airs indignés par Washington : la doctrine du nivellement égalisateur, pour ne désavantager aucune nation commerçante, néglige le contexte africain, l'arriération générale, le hors-champ mercantile[1]. »

Bill Clinton, quant à lui, campe logiquement sur le point de vue qu'il défend à longueur de discours : « Nous aimerions voir davantage de prospérité et d'économies en bon état de marché, davantage de démocratie et une sécurité authentique [pour les Africains], dans leurs propres frontières. Nous aimerions un développement convenable, qui aille dans le sens de l'intérêt à long terme de notre cadre de vie commun, dans ce monde qui se réduit constamment. L'Afrique illustre également un défi central pour la sécurité dans l'après guerre froide ; non point tant les conflits transfrontières que ceux qui se déroulent à l'intérieur des frontières nationales, et qui débordent ensuite[2]. »

L'Amérique joue sur du velours. Ses recettes demeurent invariables, et elle sait attirer les meilleurs éléments issus des systèmes d'éducation locaux. Au fil des ans, et au gré de la fermeture des frontières françaises aux élites africaines, les programmes d'aide sous forme de bourses se sont multipliés, les universités ont ouvert toutes grandes leurs portes, et les

1. *L'Afrique sans Africains, op. cit.*, p. 194.
2. Discours à la Maison Blanche, 26 juin 1994.

visas sont moins chichement comptés que lorsqu'il s'agit pour des étudiants prometteurs de se rendre en France. Les traditions se perdent, et l'influence française se réduit. La faute à qui? Henri Konan Bédié, le président de la République de Côte-d'Ivoire, francophile affirmé, considère que le risque existe « qu'à terme, le territoire français rendu plus difficilement accessible, soit marginalisé au profit, par exemple, des Etats-Unis [1] ». Mais quand le Premier ministre Lionel Jospin s'est rendu en Afrique, ce ne fut pas pour faire entendre, sur la question des visas aux Africains, un discours très différent de celui de ses prédécesseurs.

Au bonheur des pétroliers

Pendant ce temps, loin des débats sans fin sur l'avenir du continent, les affaires continuent. L'Afrique n'est pas pauvre pour tout le monde — et surtout pas pour les pétroliers. Si les Etats-Unis assurent 15 % de leur consommation d'or noir grâce aux importations africaines, la France se trouve dans une dépendance encore plus étroite. Elf tire de ses exploitations offshore en Afrique 60 % de sa ressource pétrolière. Comme au bon vieux temps des conquêtes coloniales, le contrôle des accès aux matières premières stratégiques explique souvent les soubresauts et les guerres qui se déroulent sur le sol africain. Les considérables mannes financières générées par l'industrie de l'extraction pétrolière, mais également le rôle prêté à Elf dans le système français de corruption des élites — dont la presse n'est pas exclue — et de financement des partis politiques, ont contribué à placer cette activité au cœur de l'actualité française depuis le début des années 90. L'ancien P-DG d'Elf, Loïk Le Floch-Prigent, l'ancien président d'Elf-Gabon, André Tarallo, le financier Alfred Sirven, l'intermédiaire et homme d'affaires international André Guelfi sont depuis plusieurs années au cœur de l'un des plus invraisemblables feuilletons

---

1. Henri Konan Bédié, « France-Afrique : vrai et faux débat », *Les Échos*, 3 septembre 1997.

politico-financiers que la France ait connus dans l'après-guerre. Avec pour toile de fond, l'Afrique et son pétrole : indispensable et invisible, générateur de fonds apparemment inépuisables, aux frontières de l'affairisme, de la diplomatie boueuse, de l'action secrète inavouable et de la politique gangrenée. Venant après l'affaire du Carrefour du Développement, qui avait empoisonné le premier septennat de François Mitterrand, l'affaire Elf a contribué à environner les activités africaines de la France d'un sulfureux halo de mystère et de scandale, d'affairisme et de corruption. Etrange cocktail, où le parfum corrosif de l'or noir se mêle aux miasmes des bas-fonds de la politique, dans ce qu'elle peut avoir de plus sordide et de plus contraire aux principes de fonctionnement démocratique.

Le pétrole brut coule généreusement sous les profondeurs océanes, et les enjeux sont colossaux puisqu'il ne s'agit de rien de moins que d'assurer les ressources énergétiques du siècle prochain. La foire d'empoigne attire toutes les compagnies pétrolières mondiales, et de nouveaux partages se négocient. De ce point de vue, la compétition que se livrent les compagnies françaises et américaines, bonnes premières dans cette course, ne manque pas d'intérêt. Le 26 octobre 1997, quand l'ancien président congolais Denis Sassou N'Guesso reprend par les armes le pouvoir au président élu Pascal Lissouba, c'est sous le regard attentif des dirigeants de la grande firme française Elf, qui assure au pays l'essentiel de ses ressources, par l'intermédiaire des droits d'exploitation qu'elle doit lui verser[1]. Le coup de pouce victorieux est donné aux troupes de Denis Sassou N'Guesso par celles envoyées de l'Angola voisin par le président José Eduardo dos Santos ; cette démarche avait été entreprise en liaison avec son homologue gabonais Omar Bongo, gendre de Sassou N'Guesso, mais également avec les Américains, soucieux que les affrontements entre les

---

1. Elf Congo assure 75 % de l'extraction pétrolière congolaise, le reste étant exploité par la firme italienne Agip.

factions congolaises ne mettent en péril ni la base arrière pétrolière de Pointe-Noire, par contagion, ni les champs pétrolifères de l'enclave de Cabinda, où leurs firmes pétrolières possèdent de gros intérêts. Il est tentant de voir dans cette aide décisive une illustration de l'intérêt des compagnies pétrolières à retrouver rapidement un environnement politique stable, seul propice à une activité économique normale.

On ne laisse pas se détruire inexorablement le quatrième pays pétrolier d'Afrique (derrière le Nigeria, l'Angola et le Gabon)! Après la victoire de Denis Sassou N'Guesso, qui avait été chef de l'Etat congolais de mars 1979 jusqu'à l'élection présidentielle d'août 1992, on ne manquera pas de rappeler à Paris que les pétroliers, Elf au premier rang, n'avaient jamais eu d'atomes crochus avec son successeur Pascal Lissouba. Lequel avait eu l'inélégance, ou ressentie comme telle, de faire payer aux Français leur soutien actif à Denis Sassou N'Guesso, en faisant entrer les Américains dans l'exploitation du pactole pétrolier, par l'intermédiaire de la firme Oxy (Occidental Petroleum). Paris s'était fâché tout rouge, avant que les choses rentrent dans l'ordre.

Partout en Afrique noire, les intérêts pétroliers français et américains sont étroitement mêlés. Ce qui n'empêche pas les uns ou les autres de tirer leur épingle du jeu dès que l'occasion se présente. Avec d'autant plus d'énergie qu'à partir de 1997, de nouvelles techniques de forage en mer profonde ont permis de découvrir à un rythme soutenu de nouvelles et gigantesques ressources, essentiellement dans les eaux territoriales angolaises. Les prospecteurs d'Elf ont ainsi révélé l'existence dans le golfe de Guinée, dans les eaux territoriales de l'Angola, de trois énormes réservoirs à pétrole, dans une zone appelée le « bloc 17 ». Le premier gisement, celui de Girassol, a vu sa découverte en mai 1996 suivie par celle de Dalia quinze mois plus tard, puis de Dalia-2 en décembre 1997. D'autres encore furent découverts au début de l'année 1998. Les réserves de ces zones sont considérables, puisqu'elles peuvent assurer à elles seules plusieurs années de consommation d'hydrocarbures pour la France. Mais les grands acteurs du secteur se marquent à la culotte. Dans le consortium mis sur pied pour partager les énormes frais d'exploration, et ensuite les ressources extraites du sous-sol, Elf possède 35 % des parts, les Américains d'Exxon 20 %, et les Britanniques de BP 16,7 %.

Dans une autre partie de l'Afrique noire, cette fois-ci le Tchad, de nouvelles oppositions entre Français et Américains se sont fait jour. Initialement, la France ne s'était que peu intéressée à l'exploitation du sous-sol tchadien, et ce sont deux firmes anglo-américaines, Shell et Esso, qui avaient mis sur pied un consortium visant à exploiter les richesses découvertes dans la région de Doba, au sud du pays. Sur l'insistance de Paris auprès du président tchadien Idriss Déby, qui a pris le pouvoir en 1991 grâce à l'appui de la DGSE (Direction générale de la sécurité extérieure) française[1], et n'avait donc rien à refuser au gouvernement français, Elf obtint finalement 20 % des parts du consortium d'exploitation. Pour acheminer le pétrole jusqu'à la côte atlantique du Cameroun, un oléoduc de 1 100 kilomètres sera construit, d'ici l'an 2000 dans le meilleur des cas, pour un coût avoisinant les 20 milliards de francs. Sauf si les pétroliers jugent que ce pipeline doit passer par des terres moins convoitées, et moins sujettes aux protestations des organisations écologistes, auxquels cas l'or noir tchadien coulerait vers un port libyen, ou celui de Port-Soudan, au Soudan. Avec cette réserve que le pétrole extrait du sous-sol tchadien coûtera cher, et que les cours mondiaux devront être relativement élevés pour que son exploitation soit rentable. Naguère considéré comme un territoire de peu d'intérêt stratégique, stagnant à la queue du classement des pays les plus pauvres du monde, voici le Tchad élevé à son tour au rang de réserve stratégique. Dans les mois et les années qui viennent, la stabilité de ce pays constituera un enjeu de

1. Lire à ce propos CLAUDE SILBERZAHN (avec JEAN GUISNEL), *Au cœur du secret, 1 500 jours aux commandes de la DGSE, 1989/1993,* Fayard, Paris, 1995, p. 215-222.

première importance, d'autant plus difficile à maîtriser que les grands parrains du pays, la France et maintenant les Etats-Unis, seront tentés de jouer chacun leur propre partition. Et avec ces conditions aggravantes que le pétrole se trouve au sud du pays, alors que ce sont des ethnies nordistes fidèles au président Idriss Déby, installé en 1990 avec l'appui de la France, qui le dominent par la force. Au début de 1998, plusieurs massacres de villageois par l'armée nationale tchadienne, de même que des enlèvements de touristes, ont mis l'accent sur une nouvelle aggravation de l'instabilité endémique depuis vingt-cinq ans. Pour les firmes pétrolières, et les Etats qu'elles représentent, l'Afrique noire ne cessera pas de sitôt d'être un enjeu stratégique de première importance. Mais d'une complexité singulière. Car les enjeux pétroliers demeurent cruciaux en cette fin de siècle. Plus que jamais, l'énergie fossile nourrit les affrontements des puissances internationales. Au Moyen-Orient et en Afrique, mais aussi en Asie, les pétroliers français sont des acteurs de premier plan. Et partout, ce sont les Américains — puissance publique ou personnages privés — qu'ils trouvent face à eux.

7

George Soros défie Total

Un financier contre le Slorc

« Pour vivre heureux, montrons-nous ! » Telle pourrait être la devise de George Soros, tant cet homme paraît aimer la publicité, tout en dégageant une forte odeur de soufre. Quand rien ne va plus dans l'économie mondiale, quand une monnaie s'effondre ou un grand groupe international se voit attaqué sur les places financières, c'est la faute à qui? A George Soros, le président de Quantum Funds, l'un des plus connus des fonds d'investissement américains, les *hedge funds*. Ceux-ci ne gèrent pas moins de 10 000 milliards de dollars (plus de sept fois le PIB français — 8 448 milliards de francs en 1998) qui en font les acteurs principaux des bourses mondiales. Ces organismes sont la quintessence du capitalisme moderne, confiant à quelques génies de la finance les milliards qu'ils ont rassemblés auprès de leurs investisseurs. Leurs animateurs n'ont qu'un objectif, les faire fructifier; soit en les gérant prudemment, en bons pères de famille, soit en préférant prendre davantage de risques spéculatifs, générateurs de gros profits tant qu'un accident ne se produit pas. Ces masses considérables d'argent sont d'une grande mobilité, et peuvent se porter ici ou là, au gré des évolutions des marchés financiers, sur telle ou telle opportunité de l'instant. Les mouvements de bascule sont immédiats, les milliards transitent en un instant sur les réseaux informatisés et les Etats n'ont plus de moyen d'action dans une économie aussi mondialisée que libéralisée. Qu'il s'agisse de Quantum Funds, de Fidelity Investments, de Tampleton, de Bankers Trust ou autre Capital Group, les salles de commande de ces gestionnaires de capitaux sont situées aux Etats-Unis. Mais aucun responsable de ces firmes n'atteint le degré de célébrité du flamboyant George Soros; ses partisans aiment à souligner qu'un investisseur lui ayant confié 100 000 dollars en 1969, quand il lança son fonds de placement, serait aujourd'hui à la tête d'un pactole de 130 millions de dollars. Dans les exercices de haute voltige financière internationale, il passe pour un maître incontesté. Soros a d'ailleurs construit sa fortune personnelle (de 2,5 milliards à 5 milliards de dollars, selon les estimations) en reprenant à son propre bénéfice les recettes qu'il applique à la gestion des fonds qui lui sont confiés pour spéculer, particulièrement sur les monnaies internationales. La livre sterling en fit les frais en 1992, dans l'un de ses accès de faiblesse alors fréquents, et bien d'autres devises ont subi les assauts de ce hussard de la finance.

Soros a toutefois des convictions. Et l'une des mieux accrochées concerne les généraux birmans au pouvoir, rassemblés depuis 1988 et le coup d'Etat militaire du général Saw Maung à la tête d'une sinistre junte qui s'est elle-même baptisée Slorc (State Law and Order Restauration Council). Il les poursuit de sa vindicte depuis de longues années, mais son rôle n'est pas celui d'un banal militant des droits de l'homme. Il a de l'argent, beaucoup, et des relations, encore davantage. Et il a été l'un des plus actifs promoteurs de la ligne diplomatique suivie par les Etats-Unis depuis plusieurs années, et qui a culminé le 20 mai 1997. Ce jour-là, mettant fin à plusieurs années de débats assez vifs aux Etats-Unis, entre, d'une part, les tenants de la thèse selon laquelle les affaires peuvent s'accommoder de régimes liberticides, et d'autre part George Soros, avec ceux qui entendent privilégier le respect des droits de l'homme, le président Bill Clinton rendait public un *Executive Order*[1] sans ambiguïté. Il prônait le boycott de la Birmanie par les hommes d'affaires américains, comme le réclamaient le grand spéculateur et les organisations de défense des droits de l'homme.

Dans un rapport officiel du Département d'Etat publié en mars 1996 et repris en avril 1997 dans un document du département du Commerce, d'une sévérité extrême sur la situation politique en Birmanie, Washington estime que la production birmane d'opium a doublé dès 1989, l'année suivant la prise de pouvoir des militaires, pour atteindre 2 430 tonnes en 1995. De quoi produire annuellement 250 tonnes d'héroïne. Les Américains reprennent également largement les accusations de travail forcé portées contre la junte birmane : « Les militaires ont continué à forcer massivement des Birmans ordinaires (y compris des femmes et des enfants) à "contribuer" par leur travail, souvent dans des conditions cruelles, à divers projets de construction à travers le pays. Une directive ordonnant la cessation de certaines formes de travail forcé paraît n'avoir eu qu'un impact limité[2]. » D'aucuns, à Paris, singulièrement dans les milieux d'affaires et les services de renseignement qui les soutiennent activement, estiment que la position américaine doit assez peu à l'angélisme. Mais davantage au fait que les Américains, ayant eux-mêmes choisi de ne pas commercer avec la Birmanie, entendent interdire à leurs concurrents d'acquérir ou de conserver des positions commerciales pendant leur absence. Pourquoi la France serait-elle concernée au premier chef par cette affaire ? Parce que dans ce combat farouche, George Soros a pris une position très ardente contre la très forte présence en Birmanie de la firme française Total. L'affaire mérite qu'on s'y attarde.

C'est en 1991 que le pétrolier français mit les pieds en Birmanie, pour préparer la construction d'un gigantesque

---

1. *Executive Order Prohibiting New Investment in Burma*, La Maison Blanche, 20 mai 1997.
2. www.tradeport.org/ts/countries/burma/political.html

gazoduc destiné à relier le champ gazier offshore de Yadana, situé à 60 kilomètres au sud du delta de l'Irrawaddy, au territoire de la Thaïlande. Total savait, bien sûr, dans quel guêpier il mettait le doigt : en 1988, une « petite leçon » donnée à l'opposition avait fait 3 000 morts, et le pays vivait depuis cette année-là sous une loi martiale implacable. Quand il s'agit de faire comprendre à l'opposition démocratique, le NLD (National League for Democracy), qu'elle a tout à perdre en réclamant le retour de la démocratie, le Slorc n'enfile jamais ses gants. En mai 1990, un an avant l'arrivée de la firme française, les généraux avaient perdu les élections, sans abandonner le pouvoir pour si peu. Et quand Total entame ses négociations commerciales, 30 000 prisonniers politiques — battus, affamés, humiliés —, dont 20 députés démocratiquement élus, croupissent dans des geôles immondes. L'année même de son arrivée, le pétrolier français avait appris que le prix Nobel de la paix était attribué à l'opposante Aung San Suu Kyi, frêle mais intraitable leader de l'opposition, assignée à résidence depuis 1989. Mais, *business is business*, Total va de l'avant, et signe un contrat d'un milliard de dollars en 1992, prenant avec 31,24 % du capital la tête d'un consortium associant des firmes locales et la pétrolière californienne Unocal (28,26 %). Deux autres firmes pétrolières américaines, Texaco et Arco, sont engagées dans des recherches et d'éventuelles exploitations sur place, mais la tendance est à une plus grande prudence. Car non seulement la décision présidentielle américaine entend proscrire tout nouvel investissement, mais bien des firmes implantées en Birmanie, singulièrement si elles opèrent dans des secteurs économiques pour lesquels une bonne réputation est indispensable, ont préféré prendre le large, sous la menace de boycott lancée par les organisations de défense des droits de l'homme, très influentes aux Etats-Unis. Après Levi Strauss et Reebok, Ralph Lauren, et Pepsi-Cola, Motorola, puis Kodak — pour ne citer que les plus emblématiques — se sont retirées. Des Européens ont choisi la même attitude, dont Philips ou Carlsberg, entre autres. Et George Soros veut que Total fasse de même.

A ses yeux, les choses se présentent de manière assez claire. Maintenant que le rideau de fer a été englouti par l'Histoire, un nouveau front doit être ouvert contre les régimes dictatoriaux. Avec sélectivité. La Chine, par exemple, est épargnée : sans doute un peu trop énorme pour lui, et surtout considérée comme un partenaire économique acceptable par Washington. Mais la Birmanie lui semble un adversaire à sa portée. Et parmi les soutiens dont bénéficie le Slorc, il montre du doigt Total et ses associés, vilipendés sur son site Internet. Soros le moraliste n'est d'ailleurs pas pour rien dans le fait que le grand réseau informatique mondial se trouve au centre de l'opposition à la junte birmane. Nombre de sites[1] lui sont consacrés, tous les acteurs remuent leurs phalanges devant leurs écrans d'ordinateurs, et les affaires birmanes sont devenues l'un des grands enjeux politiques du réseau. Des groupes de discussion s'y consacrent, et le Slorc lui-même a décidé d'être présent sur le web. C'est sur l'Internet que se distribuent des nouvelles transmises par les partisans du boycott de la junte, et les rapports des organisations non gouvernementales les plus impliquées, parmi lesquelles Human Rights Watch ou Amnesty International. Après avoir longtemps choisi de traiter cette affaire par le mépris, Total a changé d'attitude au cours de l'année 1997, en particulier en ouvrant son propre site web. C'est donc là, en ligne comme ses adversaires, que la firme française se défend des attaques dont elle est l'objet, en démentant avec énergie avoir jamais eu recours au travail forcé et en affirmant au contraire que les travailleurs locaux recrutés sur place travaillent « bien évidemment dans des conditions de respect des droits de l'homme et du travail en tous points équivalentes à celles que Total applique partout dans le monde ». Elle réfute en bloc les critiques portant sur son implication dans le chemin de fer de Ye-Tavoy, qui a utilisé le travail forcé, dont elle souligne qu'il n'a pas de rapports avec le projet gazier. Rejetant enfin les accusations concernant les déplacements forcés de populations vivant sur le trajet du gazoduc, Total

---

1. www.freeburma.org présente une série de « liens » très complète.

explique qu'au contraire les terres cultivables expropriées sont « convenablement indemnisées ».

« HEDGE FUNDS » MAÎTRES DE LA PLANÈTE FINANCIÈRE

Ainsi George Soros, l'Américain, n'est pas seulement un spéculateur impitoyable. Poser en figure emblématique du capitalisme moderne n'étant pas son genre de beauté, il a choisi de longue date de jouer du paradoxe. Ce grand fauve de la finance s'est bâti une célébrité en utilisant ses ressources personnelles considérables pour créer, en 1979, une fondation, l'Open Society Fund[1], destinée dans un premier temps à aider les pays de l'Est à prendre le virage sur l'aile de la fin de la guerre froide. Les dissidents tchécoslovaques de la Charte 77, ou les Polonais de Solidarnosc ont bénéficié de ces appuis. D'origine hongroise, il est ainsi devenu l'un des premiers bailleurs de fonds permettant aux pays de l'Est de se familiariser avec les pratiques démocratiques et d'entrer dans la société de marché. Quand l'Europe occidentale regardait le mouvement des droits de l'homme avec étonnement, quand la France de François Mitterrand observait avec circonspection ses voisins de l'Est s'émanciper du joug soviétique, « Soros le franc-tireur » agissait, incontrôlable voltigeur de la société américaine et de son idéologie conquérante, amendée par ses propres réflexions. Quand les autres responsables de fonds d'investissements se contentent de naviguer le plus discrètement possible dans leurs jets privés d'un aéroport à l'autre, George Soros s'exhibe, donne son point de vue, inonde les médias internationaux de ses appréciations politiques tous azimuts, devenant le héraut de la « société ouverte ». Inspiré par son défunt mentor, Karl Popper, George Soros se veut

---

1. www.soros.org/. Gage indubitable de renommée, George Soros fait également l'objet d'un site « non officiel », qui lui est tout entier dédié : www.geocities.com/WallStreet/3880/

idéologue, et proclame que le capitalisme ne doit pas faire bon ménage avec le totalitarisme, même anticommuniste, et que l'économie de marché n'est pas une fin en soi : « Nous profitons d'une véritable économie de marché globale, dans laquelle les biens, les services, le capital et même les gens se déplacent assez librement ; mais nous ne prêtons pas une attention suffisante à la nécessité de soutenir les valeurs et les institutions d'une société ouverte[1]. » Il a ainsi investi des sommes colossales pour aider les pays européens de l'Est à se connecter aux autoroutes de l'information et au réseau Internet. Son grain de sel est parfois agaçant pour les tenants de l'ordre puritain tenant le haut du pavé aux Etats-Unis. Par exemple lorsqu'il demande la libéralisation de l'usage des drogues douces ou même dures (ces dernières sous contrôle médical) : « La société ouverte repose sur l'acceptation du fait que nous agissons de manière imparfaite, et que nos actions peuvent avoir des conséquences que nous ne souhaitons pas (...). Une société ouverte qui reconnaît le droit à l'erreur est une forme d'organisation sociale supérieure à celle d'une société fermée, qui prétend avoir trouvé toutes les réponses[2]. »

Tout exceptionnel qu'il est, George Soros n'est pas en contradiction avec les principes de l'Amérique conquérante, quand elle chante les vertus de la démocratie ou de l'économie de marché. Il arrive que le gouvernement américain n'ait plus besoin de commenter telle ou telle décision de politique intérieure d'un pays étranger, Soros s'en chargeant fort bien tout seul. Quand la perspective du passage de Hongkong sous la souveraineté chinoise s'est précisée, Pékin et les autorités locales se sont bien entendu empressées de rassurer les grandes capitales étrangères. Mais les diplomates ne sont pas tout, et c'est surtout Soros qu'il a fallu dissuader de vendre les dollars de Hongkong qu'il possédait, histoire de ne point faire sombrer la monnaie de

---

1. George Soros : « The capitaliste threat », *The Atlantic Monthly*, février 1997.
2. *Washington Post*, 2 février 1997.

l'une des premières places du monde. Et voilà le ministre des Finances de l'enclave britannique en Chine qui prend les dispositions nécessaires, un an avant la cession effective au régime de Pékin en juillet 1997, pour s'attirer les bonnes grâces des collaborateurs de Soros : ces derniers rassureront Donald Tsang, et ne spéculeront effectivement pas contre la monnaie locale. Non sans s'en réjouir, la très américano-phile *Far Eastern Economic Review*, bible de la communauté économique asiatique, explique à ses lecteurs : « L'in-certitude politique est d'abord signalée par les marchés financiers. Non que les *traders* ou les banquiers soient politiquement plus astucieux que nous, mais ils sont payés pour être les premiers à repérer tous les changements dans les comportements et les motivations des investisseurs, y compris tous les signes d'inquiétude des détenteurs de devises[1]. »

Quand la lenteur des progrès de la démocratie en Russie inquiète les chancelleries occidentales, c'est Soros qui donne les bons points; et ce qui vaut pour Hongkong est conve-nable pour Moscou. Le Kremlin nomme-t-il le très libéral gouverneur de Nijni-Novgorod, Boris Nemtsov, au poste de vice-Premier ministre? Voilà qui plaît à Soros, qui investit dans la foulée près d'un milliard de dollars dans la firme de télécommunications Svyazinvest, acquérant ainsi le quart de son capital. Les grands sentiments font bon ménage avec l'esprit d'entreprise, quand il s'agit de placer ses dollars dans la communication — le secteur économique aujourd'hui porteur des meilleurs espoirs de profit. Et le capitaliste flam-boyant d'expliquer, de sa résidence de Southampton, dans l'Etat de New York, qu'il a pris l'arrivée de Nemtsov « comme une indication qu'il y aurait de sérieuses tentatives pour passer du "capitalisme des voleurs" au capitalisme légi-time, où les droits des actionnaires sont protégés[2] ».

Les choses, en réalité, sont un peu moins simples. Et George Soros est vivement accusé, en Russie même, d'avoir pris des libertés avec les règles de bonne conduite qu'il

---

1. *Far Eastern Economic Review*, 12 septembre 1996.
2. *Financial Times*, 29 juillet 1997.

affirme observer, à savoir le respect intransigeant des lois et des règles en vigueur dans le pays où il intervient. Car les actions de Svyazinvest avaient d'abord été vendues à la société de communications italienne Stet, transaction finalement annulée par le Kremlin qui entendait conserver un contrôle national complet sur ce secteur stratégique. C'est le fonds d'investissement mené par un *tycoon* de trente-sept ans, Vladimir Potanine, que son jeune âge n'empêche pas d'avoir été un ancien apparatchik communiste de la plus belle eau, qui s'est porté acquéreur pour 1,89 milliard de dollars des actions mises sur le marché. Or Soros n'est autre que le principal bailleur de fonds de Potanine, apportant avec son milliard de dollars plus de la moitié de la somme nécessaire.

Soros contre « Dr M »

Quand, à l'été 1997, l'Amérique décide de mettre tout son poids dans la balance pour contrer les pratiques dictatoriales de la junte au pouvoir en Birmanie, George Soros se met à jouer explicitement le rôle d'un groupe de pression politique. L'Asean, qui regroupe plusieurs pays du Sud-Est asiatique, entend-elle accueillir en son sein la Birmanie ? George Soros se fâche tout rouge. Et de faire savoir aux gouvernements thaïlandais et malais, prééminents dans l'Asean, que lui, Soros, toute personne privée qu'il est, entendait bien faire en sorte de s'opposer à l'entrée de la Birmanie dans l'organisation régionale. Il menace implicitement les dirigeants malais de représailles en cas d'adhésion de la Birmanie à l'Asean, en prenant la défense d'Aung San Suu Kyi : « Seules les voix d'un monde vigilant peuvent arrêter ses oppresseurs et encourager ses partisans à persévérer. Tôt ou tard, y compris des dirigeants comme le Premier ministre Mahatir, de Malaisie, trouveront embarrassant de soutenir le Slorc[1]. » Le premier acte se termine

1. George Soros, « Charter 77 and Global Perspectives on Open Society », conférence à Prague, 10 janvier 1997.

sur cette prophétie sibylline. Début juillet 1997, juste avant une importante réunion de l'Asean, les monnaies des pays asiatiques qui s'apprêtent à accueillir la Birmanie sont soudain prises, comme par hasard, de violentes convulsions. Le baht thaïlandais chute de 17 % en quelques jours, et la Banque centrale doit engager près de 15 milliards de dollars pour enrayer son effondrement. Puis c'est le peso philippin qui donne des signes de si brutale faiblesse que le gouvernement de Manille doit le laisser « flotter ». En Birmanie, le kyat s'effondre, bientôt suivi par le ringitt malais et la roupie indonésienne, puis le dollar singapourien. C'est le point de départ de l'une des plus importantes crises économiques du siècle, qui faisait toujours sentir ses effets à la fin de 1998. Les causes structurelles du marasme sont abondamment commentées par les spécialistes internationaux, qui voient dans cet effondrement les conséquences d'un ralentissement économique et du soutien des banques de la région à des « canards boiteux » dévoreurs de capitaux improductifs. Quand une économie surchauffée prend soudainement un coup de froid, la congestion est proche. Mais les autorités régionales ont, elles, une autre explication. A leurs yeux, c'est bien l'implication indue de George Soros dans le dossier qui a provoqué la crise.

La polémique s'enflamme entre George Soros et le Premier ministre malais, Mohamad Mahatir, surtout connu sous son surnom de « Dr M », lorsque ce dernier décide de mettre les pieds dans le plat. Au plus fort de la crise, il désigne dans la presse de son pays le financier américain comme le responsable des troubles sur sa monnaie, pour ajouter : « Sommes-nous des nations souveraines ? Si nous l'étions, ne serions-nous pas capables de protéger ce qui nous appartient ? Au lieu de cela, on nous dit que nous devons accepter ces activités spéculatives, alors qu'elles font en sorte d'appauvrir les économies de nos pays. Si les spéculateurs veulent attaquer la livre sterling, qu'ils le fassent ! La Grande-Bretagne est riche ! Mais la Malaisie est un pays pauvre, et il n'est pas juste que ces personnages jouent et spéculent sur notre économie[1]. » Ainsi diabolisé, George Soros se défendra vigoureusement, d'abord en affirmant que ses avis personnels et ceux de sa fondation philanthropique n'engagent pas son fonds d'investissement, ensuite en démentant avoir spéculé contre le ringgit malais ou le baht thaïlandais. Le responsable des investissements stratégiques de son fonds, Stanley Druckenmiller, aura beau affirmer que « la seule chose que nous ayons faite durant cette crise, a consisté à acheter de cette devise et à amortir son déclin[2] », bien peu le croiront. Pour employer une formule consacrée, on ne prête qu'aux riches, et Soros en est un!

Les observateurs attentifs de la scène financière internationale doutent effectivement que le président de Quantum Funds ait joué, cette fois, contre les monnaies asiatiques. Non qu'ils l'en jugent incapable, mais parce que les signes d'une crise cataclysmique, qui s'est effectivement produite, étaient annoncés depuis longtemps déjà. Les croissances explosives des économies du Sud-Est asiatique, géantes aux pieds d'argile, reposent sur des bases éminemment dangereuses. Leurs taux de croissance échevelés, leurs besoins de financement considérables et les taux d'intérêt élevés qui y sont associés ont attiré de nombreux investisseurs. Mais la fragilité structurelle est le corollaire de telles données, et le moindre signe de faiblesse conduit aussitôt les investisseurs étrangers, au premier rang desquels les fonds américains, à s'en aller ailleurs rémunérer plus confortablement leurs capitaux. Faut-il pour autant croire George Soros sur parole? Rien n'est moins sûr. Car sa vindicte contre la junte birmane est suffisamment démontrée pour justifier tous les soupçons. Mais n'en déplaise à George Soros, les bourreaux du Slorc font bel et bien partie, aujourd'hui, des dirigeants de l'Asean.

Pour autant, Soros n'en n'a pas fini avec Total, et continue de vilipender le rôle de la firme française dans cette partie du monde. Celle-ci demeure fermement soutenue par

1. *Financial Times*, 13 août 1997.
2. *Wall Street Journal*, 5 septembre 1997.

le gouvernement français, que cela plaise ou non au capitaliste américain. Dans la nouvelle société mondialisée, la maîtrise de l'information par des capitalistes puissants, par ailleurs acteurs cruciaux de l'économie de marché, est une donnée nouvelle. Le militantisme sélectif — chevau-léger et éclaireur de la diplomatie américaine — fait, dans leur cas, bon ménage avec les affaires, et d'autres firmes françaises pourraient bien en faire les frais dans les années qui viennent.

8

Mâles accents antifrançais

LE SIÈCLE AMÉRICAIN

Quels que soient les auteurs, tous ressassent le nouveau truisme : l'Amérique triomphe, et cela durera aussi long-temps que l'Histoire. Le discours américain dominant ne souffre pas d'exception sur ce point, ou si peu... et quand des voix s'élèvent, par-delà l'Atlantique, c'est pour chanter le même refrain. Avec humour, un journaliste américain note que, lors d'une conversation avec son amie l'écrivain Betty Friedan, il n'a été évoqué qu'une seule possibilité pour que les Etats-Unis tombent de leur piédestal : un changement climatique brutal, qui les affecterait aussi forte-ment que le reste du monde[1]. Ce qui n'est d'ailleurs pas une hypothèse à prendre à la légère, si l'on s'en tient aux conséquences du gel historique qui s'est abattu sur le nord du pays et sur le Canada en janvier 1998, à celles des inon-dations en Chine et au Bangladesh à l'été, du cyclone « Mitch » qui a dévasté l'Amérique centrale en octobre suivant. Le climat planétaire est effectivement chamboulé en cette fin de siècle à la météorologie cataclysmique. *Just kidding*. Restons sérieux. Déjà convaincus de la supériorité de leur système politique et social qui avait su terrasser l'Allemagne, puis le

---

1. « American century, prolonged », *International Herald Tribune*, 12 août 1997.

Japon, durant la Seconde Guerre mondiale, au point d'avoir dès cette époque considéré le XXᵉ siècle comme le « siècle américain[1] », nos cousins d'outre-Atlantique se seraient contentés d'un événement moins significatif que le dénouement brutal de la guerre froide pour achever le gavage de leur orgueil national.

Pour autant, leur attitude triomphale, après la victoire par KO sur le communisme, a rendu le discours insupportable aux esprits qui ne passent pas l'Histoire par pertes et profits. Ils se souviennent que tous les empires, sans exception, ont sombré un jour ou l'autre. Egyptiens, Grecs, Romains, Mongols, Espagnols, Portugais, Britanniques, Français, Ottomans, et tant d'autres, ont fini un beau jour par mordre la poussière. Pourquoi donc faudrait-il exclure l'Amérique conquérante d'un sort semblable ? Quand cela se produira-t-il ? Personne n'en sait rien, et il est exact que rien ne permet, aujourd'hui, de le pronostiquer. Comment ? La question est encore plus difficile. S'il paraît, dans l'état actuel des choses, peu vraisemblable qu'un ennemi extérieur soit de taille à terrasser le colosse, il n'est toutefois pas inimaginable, par exemple, que des facteurs internes jouent le rôle du ver dans le fruit, ou du virus maléfique, pour le conduire à sa destruction. Sans doute, l'Amérique possède-t-elle une sorte de génie propre qui lui permet de transformer en atouts ce qui, partout ailleurs, vient aggraver les handicaps et générer des tensions sociales : l'arrivée des immigrants, qui ont bâti sa prospérité, aurait pu dériver vers des fractures insurmontables. Celles-ci existent, et fortement. Mais les minorités, aussi déchirées, paupérisées, marginalisées et exploitées soient-elles, ont joué un rôle considérable dans la capacité américaine à comprendre le monde, pour le contrôler. Au point qu'elle s'est donné « plusieurs longueurs d'avance dans la gestion de la globalisation des structures politiques et économiques de la planète (...) Et l'Amérique elle-même est perçue comme un lieu qui pourrait appartenir à tous, puisque tous y sont représentés[2] ».

1. La formule est de Henry Luce, fondateur du magazine *Life*.
2. ALFREDO VALLADAO, *Le XXIᵉ siècle sera américain*, La Découverte, Paris, 1993, p. 38.

Français diabolisés

Sans vouloir forcer le trait, admettons que, souvent, l'idéologie nationaliste de l'Américain moyen, à tout le moins celui qui n'ignore pas qu'il existe un monde au-delà des rives atlantique et pacifique de son pays, ressemble à celle que véhiculent les dessins animés de la Walt Disney Company. Dans cet univers réduit à une poignée d'acteurs sommaires aux rôles archétypiques dessinés à gros traits, coexistent simplement d'un côté les bons Américains et leurs fidèles écuyers, et, de l'autre, la masse indistincte des *villains*, tout à la fois fourbes, ambitieux, ingrats, voleurs, intrigants, passéistes et perfides. Il y a des nuances dans le rejet : pour les Etats-Unis, est ainsi admise comme une vérité d'Evangile la nécessité de rejeter de la communauté mondiale les pays présentés comme « terroristes », à écraser comme des scorpions s'ils lèvent le petit doigt. La France appartient à une autre catégorie, celles des pays qui regimbent et sont perçus avec une sorte d'effroi, chaque fois qu'ils donnent l'impression de prendre des distances avec le point de vue américain, juste par essence. Après la victoire des socialistes aux législatives de 1997, due pour une bonne part aux angoisses sociales provoquées par la mondialisation, l'*International Herald Tribune* titrera : « En avant vers le passé », en expliquant que ce vote traduit chez les Français « une résistance réitérée à entrer dans une économie de marché qu'ils n'ont pas décidée, à prendre des chemins impliquant des risques individuels — dans un pays où ceux-ci sont considérés comme la marque bizarre des cultures vulgaires —, à accepter de bouger[1]. »

Thomas Friedman, du *New York Times*, ne s'était pas remis, lui non plus, de la victoire des travaillistes britanniques, quelques mois plus tôt. Comment donc ? Les conservateurs avaient appliqué les recettes qui ont si bien

---

1. John Vinocur, « The political lesson : forward to the past », *International Herald Tribune*, 2 juin 1997.

marché aux Etats-Unis, et les électeurs les ont renvoyés, sensibles aux appels à une société moins brutale, et désireux en même temps de se tenir à distance de l'Europe dont ils craignent qu'elle les engloutissent? « A l'ère de la globalisation, le nationalisme représente toujours un réel problème, et va en constituer un pour les travaillistes comme pour la politique étrangère des Etats-Unis. Voilà ce que nous apprennent les élections britanniques : la révolution de Mme Thatcher (casser les syndicats, soutenir les privatisations et la modernisation technologique, tout en favorisant la Bourse) a fait des merveilles pour l'économie britannique. Mais cela a provoqué de graves tensions sociales et élargi l'éventail des revenus[1]. » Comprendre : les Anglais sont des mauvais joueurs, qui n'acceptent pas les règles de la mondialisation.

Mais les plus gravement vilipendés, ce sont les Français. Dans la presse américaine, ils sont rejetés dans une diabolisation qui s'embarrasse rarement de nuances, et voués aux gémonies avec entrain. L'affaire est ancienne, de la relation passionnée de l'Amérique et de la France. La première sait (trop) bien que sans la seconde, l'Union Jack flotterait encore sur ses terres. Et la seconde, sans doute, a du mal à se remettre de n'avoir pas su conserver le Nouveau Monde qu'elle avait conquis, puis d'avoir offert la démocratie et la liberté à de généreux ingrats, qui la moquent sans cesse, tout en envoyant ses fils à son secours, chaque fois que sa survie est en jeu. Vieille affaire de famille, en fait, qui remonte si loin... à l'arrivée des huguenots bannis arrivant en Floride, au début du XVIᵉ siècle : « La domination française est un souvenir du passé. Et quand nous évoquons ces ombres enfuies, elles sortent de leur tombe pour planer sur nous dans une étrange et romantique apparence », écrivait au siècle dernier l'historien Francis Parkman[2]. Aux Etats-Unis,

1. Thomas Friedman, « Britain hates Europe », *New York Times*, 8 mai 1997.
2. Francis Parkman, *France and England in North America*, 1865. Nouvelle édition : The Library of America, New York, 1983, volume 1, p. 15.

le Français voyageur a souvent du mal à comprendre pourquoi son pays est ainsi vilipendé, alors que le système politique, social et culturel dans lequel il évolue ne se différencie guère de celui qui prévaut outre-Atlantique. Mais qu'un président français ose élever le ton — à tort ou à raison, ce n'est pas ici le problème —, ou même émettre une opinion divergente, et le feu roulant des critiques se déclenche.

Heureusement, l'Amérique compte tout de même quelques points de faiblesse, et s'il en est un que les Français aiment railler, c'est bien celui du football. Ce sport planétaire n'est jamais parvenu à conquérir des lettres de noblesse en Amérique du Nord, et l'organisation de la Coupe du monde par la France, en 1998, a constitué une occasion pour la presse américaine de se distinguer, en accumulant sur notre pays clichés idiots et idées reçues. Il est vrai qu'il aurait été préférable que les pilotes d'Air France choisissent un autre moment que le début des festivités pour déclencher une grève corporatiste bien malvenue. Il est également exact que Paris n'offre pas son meilleur visage quand les soldats en armes patrouillent dans les gares et le métro pour dissuader les terroristes de s'en prendre à la foule. Et alors ? Cela constitue-t-il des raisons suffisantes pour prétendre, contre l'évidence, que la planète entière se gausse de nos difficultés ? « Face aux critiques de l'étranger, les Français se réfugient dans la défensive. Et plus ils s'y enfoncent, plus ils deviennent arrogants », avait affirmé l'édition européenne de *Newsweek*[1]. Répondant dans le numéro suivant au quotidien *Le Monde* qui avait jugé les critiques de son journal outrecuidantes et injustes, l'éditeur de l'hebdomadaire ne trouva rien de mieux que de prétendre que les Français seraient acceptables pour les Américains, à la condition qu'ils se comportent comme des... Hollandais ! « Personne à l'extérieur ne prend l'avis des Français, parce qu'il est en général présenté avec un sentiment excessif de supériorité naturelle. Si les Français pouvaient seulement apprendre à

1. Judith Warner et Christopher Dickey, « Perfectly natural », *Newsweek*, 15 juin 1998.

devenir un peu plus hollandais, le monde reconnaîtrait qu'ils disposent désormais d'un gouvernement très efficace[1]. » Cette petite polémique pourrait paraître anecdotique, si elle n'était fondée sur une sorte d'indisposition constante des journalistes et des politiciens américains vis-à-vis des Français. Chaque occasion, grande ou petite, est bonne pour dénoncer notre pays au front aussi haut que le verbe, qui a surtout le tort d'avoir des opinions propres, et de ne point obtempérer systématiquement aux instructions du voisin d'en face.

Cynisme amoral

En avril 1986, quand les forces aériennes US avaient bombardé la capitale libyenne, François Mitterrand et son Premier ministre, Jacques Chirac, avaient ensemble refusé que les appareils devant frapper Tripoli survolent le territoire français. Position qui s'expliquait par le fait que la France était alors victime d'un terrorisme arabe particulièrement virulent, que des Français étaient retenus comme otages au Liban, et que le soutien diplomatique discret à l'initiative américaine n'impliquait pas un engagement plus important. Ce qui n'empêcha pas la presse américaine de se déchaîner contre elle. Le président américain Ronald Reagan avait envoyé à Paris, pour tenter de fléchir François Mitterrand, le représentant des Etats-Unis aux Nations unies, le général Vernon Walters, sans doute le plus francophile de ses compatriotes. Un témoin de l'entretien entre les deux hommes, empreint de respect et de fermeté réciproques, en a donné une version qui ne fait état ni d'animosité ni de ressentiment[2].

Or, dans un de ces raccourcis que l'Histoire affectionne, il se trouve que ce même Vernon Walters était l'homme que le

1. Michael Elliot, « A letter to the French », *Newsweek*, 22 juin 1998.
2. Jacques Attali, *Verbatim*, tome 2, Fayard, Paris, 1995, p. 47-48.

président John F. Kennedy avait dépêché en 1962 auprès de son homologue français, Charles de Gaulle, lors de la crise des missiles de Cuba, afin de le convaincre de la nécessité d'épauler diplomatiquement Washington dans l'un des épisodes les plus tendus des relations Est-Ouest. Et le « Grand Charles » qui devait, quelques années plus tard, claquer la porte de l'Otan, n'en joua pas moins le rôle d'un parfait fidèle, au point que « de tous les alliés des Etats-Unis, c'est lui qui apport[a] l'appui le plus résolu[1] ». Un point d'histoire que les Américains n'ont jamais oublié, et dont ils se souviennent aujourd'hui comme de l'une de leurs grandes satisfactions de la guerre froide. Durant les vingt-huit années qui séparèrent la crise de Cuba de la guerre du Golfe, Paris ne ménagea jamais son soutien à Washington dans les circonstances les plus graves, au nom d'un principe simple énoncé par l'ancien chef de la France libre : « Si, matériellement parlant, la balance peut sembler égale entre les deux camps qui divisent l'univers, moralement, elle ne l'est pas. La France, pour sa part, a choisi ; elle a choisi d'être du côté des peuples libres, elle a choisi d'être avec vous[2]. »

Juste avant que ne se déclenche la guerre du Golfe, en janvier 1991, le président François Mitterrand avait posé des conditions très précises concernant l'engagement effectif des forces françaises, négociées pied à pied avec le secrétaire d'Etat américain, James Baker. Lorsque ce dernier eut arraché l'accord final du président français, il envoya un simple message à George Bush : « Les Français seront avec nous quand il le faudra[3]. » Râleurs, indociles, têtes de mule mais fidèles aux principes de base de leurs alliances, jamais les Français n'ont réellement transigé sur la solidarité, et si

---

1. Maurice Vaïsse, *La Grandeur. Politique étrangère du général de Gaulle, 1958-1969*, Fayard, Paris, 1998, p. 147.
2. 25 avril 1960 (in *Mémoires d'espoir*), cité par Jean Lacouture, *Le Souverain*, Le Seuil, Paris, 1986, p. 355.
3. James A. Baker III, *The Politics of Diplomacy. Revolution, War and Peace, 1989-1992*, G.P Putman's Sons, New York, 1995, p. 371.

des débats, parfois très vifs, sont intervenus, le résultat était le même à la fin : au moment décisif, Paris était là. Ce qui ne veut pas dire que tout doit être accepté.

Les Américains se plaisent à souligner que, pour ce qui concerne la conduite des affaires publiques, les Français se différencient d'eux par un cynisme amoral, qui ne tient aucun compte des règles couramment admises de la civilité internationale. Pour simplifier les choses, ils se sont même abstenus de traduire le terme *raison d'Etat*, qu'ils n'utilisent jamais qu'en français dans le texte. Sous-entendu : c'est une pratique que nous connaissons si peu que nous ne pouvons la qualifier dans notre langue. Assertion qui relève, au mieux, du pieux mensonge. Car non seulement les politiciens américains savent fort bien manier cette *raison d'Etat*, à laquelle leur appareil d'espionnage est voué tout entier, mais encore se sont-ils suffisamment tiré dans le pied pour que les limites de l'exercice leur soient parfaitement connues. Rappelons, pour mémoire, que c'est au nom de cette *raison d'Etat* que la CIA avait organisé deux des plus calamiteuses opérations clandestines de la guerre froide, qui n'en fut pourtant point avare : la première, l'Iran-Contra Affair, permit de financer les guérillas antisandinistes au Nicaragua avec des fonds récupérés sur la vente d'armes à l'Iran, ennemi juré de Washington. Seconde étonnante affaire : le soutien de la CIA aux rebelles afghans antisoviétiques, dont l'aujourd'hui fameux Oussama ben Laden, dotés d'armes performantes et entraînés sans restriction dans des camps financés par les Américains. Qu'advint-il quelques années plus tard ? C'est dans leurs rangs que le chef intégriste musulman Omar Abdel Ramane recruta les hommes de main qui exécutèrent l'un des premiers attentats terroristes commis sur le sol américain, celui du World Trade Center de New York, qui provoqua la mort de cinq personnes et en blessa mille autres.

L'antiaméricanisme est-il un humanisme ?

Les avis tranchés — voire simplificateurs — ne sont pas le monopole des analystes américains. De ce côté-ci aussi de l'Atlantique, de vigoureux points de vue s'en prennent à la manière dont les Américains entendent exercer leur suprématie. D'aucuns affirment, en France, dans la foulée de Jean-Pierre Chevènement, le porte-drapeau de l'antiaméricanisme respectable, que notre pays et les Etats-Unis n'auraient plus guère de valeurs communes, que le mode de relations qui prévaut entre eux n'est bâti que sur la dépendance de l'un vis-à-vis de l'autre. La France s'engloutit dans la mondialisation voulue par Washington ; comme Chevènement, certains néo-nationalistes français affirment : « Avons-nous, avec les Etats-Unis, une histoire et une géographie communes qui pourraient fonder des intérêts communs ? Quant aux "valeurs", nous partagions naguère avec ce grand et noble pays des valeurs communes : cela est de moins en moins vrai, et quiconque a vécu outre-Atlantique, s'il en garde certes des satisfactions intellectuelles et physiques, n'en a guère trouvé pour l'âme. Or, chacun se berce à l'idée d'intérêts communs, qui se résument de plus en plus à la commune appartenance à la race blanche. Cela ne fonde guère une communauté de valeurs[1]. »

Depuis la fin de la Seconde Guerre mondiale, et le début de la guerre froide, l'antiaméricanisme a été bien porté en France, bien que le plan Marshall eût pour une part contribué au redressement du pays. L'intelligentsia proche du parti communiste préférait porter ses regards vers Moscou plutôt que de l'autre côté, et il en a été ainsi jusqu'en 1956 et l'invasion de la Hongrie par les chars soviétiques. Le « Yankee Go Home » qui ornait bien des palissades n'en succomba pas pour autant, et le retrait de la France de l'Otan en mars 1966 ne fut guère contesté. Après la première explosion d'une arme nucléaire française en 1960, la stupéfiante reconnaissance, par le général de Gaulle, de la

---

1. Pierre-Marie Coûteaux, *L'Europe vers la guerre*, Michalon, Paris, 1997, p. 297.

Chine populaire en 1964, et les voyages ostentatoires du même président de la République sur les territoires privatifs américains en Amérique du Sud, au Québec ou au Cambodge, après que le gouvernement français eut pris ses distances avec l'engagement de Washington au Vietnam et engagé une politique de détente avec l'URSS, le torchon brûlait vraiment entre les deux pays. « La preuve était faite qu'une politique de résistance à l'hégémonie était possible, qu'elle pouvait être conduite avec rigueur et méthode, qu'elle n'entraînerait, pour le pays qui en a pris la tête et en a donné l'exemple, ni désastre politique, ni catastrophe économique, ni perte de prestige ou d'influence à l'extérieur[1]. »

En 1968, lorsque Jean-Jacques Servan-Schreiber a publié son best-seller historique, *Le Défi américain*, il faisait remarquer à ses compatriotes que « ce qui menace de nous écraser, ce n'est pas un torrent de richesses, mais une intelligence supérieure de l'emploi des compétences[2] ». Bien vu! Un auteur pourra réduire l'analyse du fondateur de *L'Express* à l'exigence, pour l'Europe, de « s'américaniser afin de ne pas finir par être dirigée par les Américains[3] ». Ce qui n'est pas tout à fait exact, et ne rend surtout pas compte de la prise de conscience que cet ouvrage a provoquée dans le pays, alors même que l'explosion sociale de mai 1968 allait survenir. Les intellectuels préféraient entendre un discours beaucoup plus critique à défaut d'être absolument antiaméricain, tenu jour après jour par le quotidien *Le Monde* et le chef de son service étranger, Claude Julien[4]. Après la présidence de Charles de Gaulle, celle de Georges Pompidou marqua une transition plus paisible, avant que la

---

1. Paul-Marie de la Gorce, *La France contre les empires*, Grasset, Paris, 1969, p. 89.

2. Jean-Jacques Servan-Schreiber, *Le Défi américain*, Denoël, Paris, 1967, p. 41.

3. Richard Kuisel, *Le Miroir américain. 50 ans de regard français sur l'Amérique*. J.-C. Lattès, Paris, 1996, p. 337.

4. Claude Julien, *L'Empire américain*, Grasset, Paris, 1969.

France de Valéry Giscard d'Estaing, entre 1974 et 1981, bascule dans l'atlantisme. C'est un auteur américain qui remarque, le mépris suintant au bout de la plume, qu'à cette époque « l'avance de l'Amérique devenait évidente devant l'arrivée de nombreuses multinationales basées aux Etats-Unis, rappelant aux Français que, malgré tous leurs efforts, ils ne pourraient jamais rattraper leur retard[1] ».

En succédant à Valéry Giscard d'Estaing, François Mitterrand, qui passait outre-Atlantique pour un dangereux boutefeu après avoir fait entrer des ministres communistes au gouvernement, s'empressa de donner des gages de sa fidélité au camp occidental. En annonçant, lors de sa première rencontre avec le président Reagan, que le service français de contre-espionnage, la DST, avait glané une moisson de renseignements décisifs sur l'appareil de collecte et d'espionnage technologique soviétique en Occident. Puis en gagnant, grâce à l'appui accordé aux Américains dans l'affaire des euromissiles, « la spectaculaire disparition de la méfiance conçue à Washington[2] » envers sa personne et sa politique. C'est alors, souligne son principal collaborateur en matière stratégique, qu'avec les Etats-Unis « nos relations achèvent de prendre leur tour actuel, souvent passionnel et exagéré, et de se teinter, du côté français, d'un mélange de gratitude, de rancœur et de nostalgie, à partir du moment où nous *dépendons* des Etats-Unis pour notre sécurité, cessant pour de bon d'être une "grande puissance", cette dernière se définissant classiquement par son aptitude à se défendre seule contre toute autre[3] ». Le très gaulliste Paul-Marie de la Gorce ne craint pas non plus d'affirmer, vacillant dans les cordes : « On l'a dit et maintenant chacun le reconnaît : il n'y a désormais qu'un Empire, l'Empire américain[4]. »

1. RICHARD KUISEL, *op. cit.*, p. 348.
2. HUBERT VÉDRINE, *op. cit.*, p. 131.
3. *Ibid.*, p. 167.
4. PAUL-MARIE DE LA GORCE, *Le Dernier Empire. Le XXIᵉ siècle sera-t-il américain?*, Grasset, Paris, 1996, p. 237.

Comme si toute velléité de résister à l'inexorable efficacité du rouleau compresseur avait disparu, ou se trouvait marquée dès sa conception du sceau infâme de l'échec programmé, les succès de l'Empire croissent et se multiplient sans rencontrer d'opposition sérieuse. Une sorte de désarroi sournois a saisi nombre de ceux qui ne veulent pas succomber à ce qu'ils perçoivent comme un nivellement par la médiocrité, ce qui leur fait craindre que les fondements mêmes de la nation française soient touchés. C'est sur ce terreau que prospère, pour une bonne part, ce cortège des haines et des peurs mal maîtrisées, qui jette tant de Français dans les bras de l'extrême droite. Il y a près d'un quart de siècle, le fin connaisseur de la France qu'est Stanley Hoffmann remarquait, dans une notation très actuelle, que « dans le cas de la France, le problème de la nation reste grave. La difficulté de définir un rôle, le fait que la tyrannie de l'extérieur prend une forme insidieuse (la pénétration économique) plutôt que brutale (menace militaire, allégeance criante de groupes internes à des idéologies extérieures), tout cela contribue à priver le nationalisme de sa vieille force d'intégration et de mobilisation : il n'unifie plus, il ne sert plus de guide[1] ». Pendant ce temps, l'Amérique jouit d'une confiance en elle-même qui constitue un des éléments primordiaux de sa puissance : « Par son idéologie du *common man*, par sa tradition de la première *new nation*, par son optimisme, par son ignorance du passé, sa confiance en l'avenir, la nation américaine se veut à l'avant-garde de l'histoire[2] », notait déjà Raymond Aron, alors que les Etats-Unis sortaient pourtant, la queue basse, de la guerre du Vietnam.

Faudra-t-il regretter éternellement que le symbole, assez sinistre, de la *world culture* américaine, le parc de loisirs Disneyland de Marne-la-Vallée, porté sur les fonts baptismaux

1. STANLEY HOFFMANN, *Essais sur la France. Déclin ou renouveau ?* Le Seuil, Paris, 1974, p. 483.

2. RAYMOND ARON, *République impériale. Les Etats-Unis dans le monde, 1945-1972*, Calmann-Lévy, 1973, p. 257.

par les Premiers ministres successifs Laurent Fabius et Jacques Chirac, soit venu abreuver nos sillons d'un Coca-Cola impur? Sans doute, cette fête aseptisée, labellisée et vénale est-elle assez éloignée de notre conception gauloise de la fête à Neu-Neu, de l'accordéon musette et des baraques à frites. Mais la vérité oblige à dire que ce concept « américain » n'est qu'une copie du parc Tivoli de Copenhague, propret et découpé au cordeau, qu'affectionnaient nos grands-parents scandinaves. Certes, Disney à Paris, c'est « la glorification de l'Amérique, la célébration de son histoire, de sa puissance, de son mode de vie, de ses institutions et de sa destinée[1] ». Mais Jean-François Revel remarquera avec malice que « si la culture française, voire européenne en général, pouvait être écrabouillée par Mickey, (...) c'est qu'elle serait d'une inquiétante fragilité. En outre, les contempteurs souffrent d'incohérence ou d'ignorance, puisqu'une grande partie des thèmes inspirateurs de Walt Disney sont d'origine européenne[2] ».

Lors de son ouverture en avril 1992, les Français ne se sont pas jetés sur Disneyland avec tout l'enthousiasme qu'aurait souhaité son promoteur, Michael Eisner; ce dernier avait oublié, entre autres bévues, qu'il était vain d'espérer attirer les foules françaises et européennes dans des restaurants ne servant ni vin ni bière. Nos compatriotes se sont néanmoins rendus en masse au royaume de Mickey dès que les alcools ont commencé à y couler, aussi bien qu'au parc Astérix dont les différences avec son concurrent américain ne sautent pas aux yeux au premier coup d'œil, ou au Futuroscope de Poitiers, dédié à l'image et aux nouvelles technologies. Bornons-nous à constater que les loisirs organisés de nos contemporains passent, parfois, par ce type de réalisation javellisée, tout comme l'eau des piscines des Center Parcs, aux capitaux non point tous américains mais

---

1. Yves Eudes, « La culture Disney à la conquête d'un parc-tremplin en Europe », *Le Monde diplomatique*, février 1988.
2. Jean-François Revel, « Ne craignons pas l'Amérique », *Le Point*, 21 mars 1992.

néerlandais ou français. Tout indique qu'en fait « l'esthé-
tique des parcs à thème, américains et européens, est inter-
changeable. Tous estompent les limites entre la réalité et le
mythe, l'art et la culture populaire[1] ». Après tout, nos
compatriotes continuent également d'apprécier des loisirs
plus dynamiques, randonnent par dizaines de milliers dans
les parcs naturels de l'Hexagone, fréquentent les festivals
culturels estivaux qui pullulent, et s'envolent plus que
jamais vers d'autres cieux, non point seulement pour faire
rougir leurs épidermes, mais aussi pour aller à la rencontre
d'autres sociétés.

L'antiaméricanisme a peut-être vécu, dans les formes
primitives qui prévalaient durant la guerre froide.
Aujourd'hui, il semble que l'irritation antifrançaise aux
Etats-Unis soit plus répandue que sa réciproque. S'il est de
plus en plus rare de trouver un Américain parlant un français convenable, les Français se sont, eux, mis massivement
à l'anglais. Sans renoncer bien entendu à leur langue mater-
nelle, ils le pratiquent au travail ou dans leurs loisirs, et la
connaissance du monde anglo-américain y a beaucoup
gagné. L'historien André Kaspi considère que l'antiaméricanisme n'est plus un facteur important dans la société française : « Ce fut en France l'une des choses les mieux partagées. Il prospérait à gauche et à droite de l'échiquier
idéologique. Il s'exprimait par de longs raisonnements ou
par des réactions instinctives. Il attaquait avec vigueur un
stéréotype de l'Américain, et retardait une initiation sérieuse
aux complexités de la société d'outre-Atlantique. Ce qui
n'empêchait pas nos antiaméricains de s'enthousiasmer
pour la commémoration du bicentenaire de l'Indépendance,
de porter des jeans, de manger des hamburgers, de
connaître par cœur les classiques du cinéma américain et
d'écouter dans l'extase les chanteurs de rock[2]. »

1. RICHARD PELLS, *Not like us. How Europeans Have Loved, Hated,
and Transformed American Culture since World War II*, Basic Books,
New York, 1997, p. 313.
2. ANDRÉ KASPI, « Le bulletin de santé de l'histoire des Etats-Unis en

ASSEOIR LA SUPRÉMATIE

Il s'agit d'un empire. A défaut d'un empereur qui aurait conquis le pouvoir par les armes ou l'aurait trouvé dans sa corbeille de naissance, le peuple américain dispose d'un président choisi par un électorat accoutumé à la démocratie depuis plus de deux siècles. Ce qui, *a priori*, constitue une garantie pour les nations sujettes à sa domination. Le discours américain n'en demeure pas moins assez saisissant, quand le mépris pour le reste du monde, caractérisant trop souvent les oracles émis par leurs penseurs, conduit à penser qu'ils n'envisagent plus la planète que comme un terrain de manœuvres, plus ou moins praticable, sur lequel ils peuvent à leur guise déplacer leurs dollars, ou leurs soldats de chair. Dans de très nombreuses circonstances, ils ne craignent pas de donner des leçons à la planète, sans pour autant les appliquer eux-mêmes. Ils ont ainsi laissé se voter sans eux un traité international sur le bannissement des mines antipersonnel, refusent de laisser la communauté internationale contrôler leurs stocks d'armes chimiques, ne se joignent pas aux efforts internationaux pour contrecarrer le réchauffement de la planète, etc. Pourquoi se gêner, puisque les moyens de pression sont inexistants, ou presque?

De ce point de vue, le discours de Zbigniew Brzezinski, l'ancien conseiller du président Jimmy Carter pour les affaires de sécurité nationale, est frappant; par exemple quand il assène, dans un article remarqué de *Foreign Affairs*, que « le statut de premier pouvoir mondial de l'Amérique ne sera vraisemblablement pas contesté par un challenger unique avant au moins une génération. Aucun Etat n'est en mesure de battre les Etats-Unis dans les quatre dimensions du pouvoir — militaire, économique, technologique et culturel — qui confère la puissance politique globale (...). La seule alternative au leadership américain, c'est l'anarchie internationale[1] ». Une manière pour le moins schématique

France », in *Regards européens sur le monde anglo-américain*, Presses de l'université de Paris-Sorbonne, Paris, 1992.

1. ZBIGNIEW BRZEZINSKI, « A geostrategy for Eurasia », *Foreign Affairs*, septembre 1997.

de voir les choses, tant les Etats-Unis ne cherchent à empêcher l'« anarchie internationale » que dans leurs zones d'intérêts. Dans l'Afrique des Grands Lacs, pour ne prendre que cet exemple, c'est bien, pour une part, le blocage des Américains face aux initiatives qui pouvaient y être prises, notamment par les Français, qui a laissé l'anarchie s'installer. Le rôle de leader autoproclamé est bien commode, quand il masque l'impuissance.

Dans son dernier livre, le même auteur suggère à ses compatriotes de ne s'intéresser qu'à l'Eurasie, qui lui paraît être le seul espace géostratégique au sein duquel pourraient éventuellement se développer les germes d'une contestation de la suprématie américaine. S'il ne discerne pas de réelle menace dans l'émergence d'une Europe forte, il n'en craint pas moins les effets de la déliquescence du « trou noir » russe. Du coup, le Vieux Continent possède à ses yeux une vertu essentielle, sinon unique : « Consolider, à travers un partenariat transatlantique plus authentique, la tête de pont américaine sur le continent eurasien, de telle sorte qu'une Europe élargie devienne un meilleur tremplin pour faire avancer l'ordre démocratique et coopératif international[1]. » « International », vraiment, ou américain, exclusivement ?

Seul obstacle, vers l'accomplissement du dessein de Brzezinski : les Français. Franchement, ils l'agacent; pourtant, bien que l'Amérique répugne parfois à se montrer indulgente pour cette amie indocile, elle « doit tenir compte occasionnellement des prétentions exagérées de la France à un statut particulier de leader[2] ». Le fait qu'elle ne lève pas l'index pour demander l'autorisation d'émettre un avis sur la marche du monde est considéré à Washington comme une insulte, marque de son « illusoire obsession[3] » de grandeur. Dans la rafale d'interviews dont il a gratifié les lecteurs français à la sortie de la traduction de son ouvrage[4], l'auteur

1. Zbigniew Brzezinski, *The Grand Chessboard. American Primacy and its Geostrategic Imperatives*, Basic Books, New York, 1997, p. 86.
2. *Ibid.*, p. 79.
3. *Ibid.*, p. 62.
4. *Le Grand Echiquier : l'Amérique et le reste du monde*, Bayard, Paris, 1998.

a enfoncé le clou : « Je trouve que la France souffre d'un complexe de supériorité (...) En plus, vous oubliez que vous êtes les seuls à trouver la prédominance américaine encombrante [1]. »

Un ancien secrétaire américain à la Défense peut écrire pour sa part une méchante fiction romanesque dans laquelle il ridiculise les Français, incapables de s'opposer à l'avancée des troupes russes qui conquièrent l'Europe peu après l'an 2000 [2]. Pour bien des Américains, aucune expression politique ou diplomatique digne de ce nom ne peut relever d'un autre objectif que l'incompréhensible refus d'une vassalisation pourtant bénéfique, si l'on s'en tient — comme ils l'exigent — à l'acceptation de leur impériale suprématie. Un aussi lucide ami de la France que Charles Cogan, qui fut longtemps le chef du poste de la CIA à Paris, sait bien que les Etats-Unis ont le don d'exaspérer les Français quand ils s'adressent à eux pour leur demander de contresigner un communiqué, sous couvert de prise de position « commune » : « Trop souvent dans le passé, l'Amérique a vu le dialogue avec la France comme un acte de ratification de ses désirs. Un dialogue nécessaire, mais qui ne remettra pas en cause, en fin de compte, la décision "collégiale" de l'empire, prise ailleurs [3]. » Dans le discours américain sur la France, on accordera la palme de la férocité au correspondant du *New York Times* à Paris, Roger Cohen, qui manie une plume particulièrement acide : « Avec son gouvernement socialiste tentant de créer des postes de fonctionnaires par centaines de milliers, son chômage record, ses diatribes contre la mondialisation, ses plans bizarres en faveur de la semaine de travail de trente-deux heures et sa défense d'un Etat-providence apparemment inaccessible, la France a

---

1. *L'Evénement du jeudi*, 8 janvier 1998.
2. Caspar Weinberger et Peter Schweizer, *The Next War*, Regnery Publishing, 1996, p. 299-302.
3. Charles Cogan, *Oldest Allies, Guarded Friends. The United States and France since 1940*, Praeger, Wesport, 1994, p. 213.

repris le rôle de la Grande-Bretagne, de l'archétype vague-
ment risible d'une économie européenne défaillante. Avec
son piano qui persiste à jouer, c'est le *Titanic* à la dérive sur
l'océan de la compétition globale[1]. »

PIQUES, POINTES ET NUANCES

Il se trouve, en cherchant bien, des points de vue moins
caricaturaux. Le fondateur et rédacteur en chef la très intellectuelle et très austère revue de Chicago *The Baffler*,
Thomas Franck, a publié en janvier 1998 un article à
contre-courant ; il y présente les remarques assassines de ses
compatriotes, et singulièrement du *New York Times*, contre
les Français, comme autant de marques de leur volonté de
n'accepter aucun contre-discours, aucune pratique politico-
diplomatico-culturelle qui ne soit pas alignée sur les philip-
piques dominantes : « Puisque nous vivons à une époque où
le libre-échange est synonyme de liberté, et les marchés
confondus avec la démocratie, les Américains considèrent
tout effort visant à se tenir hors du jeu comme une preuve
d'impardonnable prétention, un arrogant manque d'égards
envers la volonté populaire. Et dans une telle période, les
Français font un parfait ennemi. Non seulement leurs divers
gouvernements ont résisté aux exigences américaines de les
voir baisser les salaires, sabrer les prestations sociales et dis-
loquer leur système de santé. Non seulement les syndicats
français ont été capables de refuser les réformes américaines, clés de la compétitivité globale. Mais en outre, ils
ont de tout temps figuré dans l'imaginaire américain comme
des snobs de la plus belle eau[2]. »

1. ROGER COHEN, « France's allegiance : to things french, like hypo-
crisy », *New York Times,* 24 août 1997.
2. THOMAS FRANCK, « How France-bashing fuels the new world
order », *Newsday,* 4 janvier 1998. Traduction française, très augmentée :
« Cette impardonnable exception française », *Le Monde diplomatique,*
avril 1998.

Le monde intellectuel et universitaire américain se plaît à ridiculiser, sous la forme la plus cruelle qui soit, la France et ses formes de pensée. Dans une supercherie éditoriale digne des plus grands polémistes[1], l'universitaire et physicien américain Alan Sokal s'en prend à ces phares de la pensée moderne que sont Jacques Lacan, Gilles Deleuze et Félix Guattari, Luce Irigaray, Michel Serres ou Paul Virilio, en reprenant les formes les plus absconses de leurs discours pour tenter de démontrer qu'ils manient essentiellement des mots creux et du vent. Et surtout qu'ils ne maîtrisent pas les idées scientifiques qu'ils utilisent, dérapent sur des erreurs de fond, accumulent les bourdes au point d'en devenir risibles. Ce qui se révèle particulièrement gênant quand il s'agit d'auteurs universellement respectés, et étudiés par des milliers d'étudiants dans les universités américaines férues du « relativisme postmoderne » qui tient depuis des années le haut du pavé. Que ce pastiche, qui a provoqué l'une des plus étonnantes polémiques franco-américaines de la décennie[2], attaque des auteurs français, ne fait pas le moindre doute. Mais prétendre qu'il les viserait exclusivement revient à être atteint d'une forme avancée de gallo-centrisme, dès lors que les auteurs américains ridiculisés par Sokal sont plus nombreux que les Français. Sans doute, Julia Kristeva croit-elle pouvoir se plaindre d'une « entreprise intellectuelle antifrançaise[3] », et Bruno Latour fustiger ceux « qui se cherchent une nouvelle menace (...). Ce n'est plus la guerre contre les Soviétiques, mais celle contre les intellectuels postmodernes venus de l'étranger. La France, à leurs yeux, est devenue une autre Colombie, un pays de dealers qui produirait des drogues dures : le

1. ALAN D. SOKAL, « Transgressing the boundaries : towards a transformative hermeneutics of quantum gravity », *Social Text* n° 46/47, 1996.

2. Le lecteur intéressé fera un détour par le site : [http ://peccatte.rever.fr/SokalBricmont.html] et par le livre : ALAN SOKAL et JEAN BRICMONT, *Impostures intellectuelles*, Odile Jacob, Paris, 1997.

3. *Le Monde*, 30 septembre 1997.

derridium, le lacanium... auxquels les doctorants américains ne résistent pas plus qu'au crack[1]. » Alan Sokal tempère : « Si le charabia post-moderniste/post-structuraliste aujourd'hui hégémonique dans certains secteurs de l'université américaine est en partie d'inspiration française, il n'en est pas moins vrai que mes compatriotes lui ont depuis longtemps donné une saveur autochtone, qui reflète nos propres obsessions nationales. Les cibles de ma parodie sont donc d'éminents intellectuels français et américains, sans préférence nationale[2]. »

Les Français, comme le rappelle l'affaire Sokal, ont la tête près du bonnet, et la fierté nationale ombrageuse. Exemple flagrant : lors du sommet du G7 à Denver de juin 1997, qui a vu Bill Clinton inviter ses homologues à suivre l'exemple économique américain, n'est-ce pas Jacques Chirac qui a pris la tête de la fronde des chefs d'Etat et de gouvernement refusant d'enfiler des bottes, des chapeaux de cow-boys et des blue-jeans comme le leur demandait leur hôte, que le mauvais goût ne rebute pas ? Les tensions entre les deux pays, et leurs élites, seraient sans doute moins vives, si l'arrogance, de chaque côté de l'Atlantique, cédait le pas à des approches plus subtiles des différences de chacun. En des termes proches, c'est le discours que tient l'ambassadeur des Etats-Unis nommé en France en septembre 1997, Felix Rohatyn. Né en Autriche en 1928, ayant connu dans notre pays les vicissitudes et les traques de la guerre, émigré ensuite aux Etats-Unis où il a mené une grande carrière de banquier, c'est un adversaire des idées reçues et des schémas trop simples. « Il n'existe pas de modèle économique américain, a-t-il expliqué dès son arrivée à Paris. Notre économie n'est pas une construction rigide se conformant à une quelconque « pensée unique ». Elle est le résultat de notre géographie, de notre histoire et de notre évolution

---

1. Bruno Latour : « Y a-t-il une science après la guerre froide ? », *Le Monde*, 18 janvier 1997.

2. Alan D. Sokal : « Pourquoi j'ai écrit ma parodie », *Le Monde*, 31 janvier 1997.

économique (...). Ce que nous voyons en Amérique, c'est l'interaction croissante de l'activité intellectuelle, du capital de l'innovation et du risque en réaction à des forces globales qui concernent chacun d'entre nous et ne sont contrôlées par aucun groupe ou pays en particulier. Nous n'avons pas de monopole sur les idées. Et rien ne dit que nos apparents succès actuels, face à ces défis, signifient que ce sera encore le cas dans dix ou vingt ans. Ce que nous pouvons prédire, c'est que les changement seront de plus en plus rapides. La manière dont nous y ferons face déterminera celle dont nous nous comporterons, en tant que démocratie[1]. »

EN AVOIR, OU PAS

Une analyse assez méconnue mérite qu'on s'y arrête. Elle émane d'un certain nombre de chercheurs qui considèrent les relations internationales à l'aune d'un modèle machiste prépondérant, qui pourrait sous-tendre, davantage qu'on l'imagine, la manière dont les Américains conçoivent leurs relations avec le reste du monde. Dans une analyse brillante et originale des relations franco-américaines entre 1940 et 1958, et qui conserve sa pertinence, Franck Costigliola n'y va pas avec le dos de la cuiller : il estime que ses compatriotes ont toujours décrit la France « en des termes utilisés pour décrire une femme inconstante, aux faibles capacités : excessivement émotive, hypersensible, hystérique, frivole, peu réaliste, sans retenue, libertine, trop attirée par la nourriture, la boisson, le sexe et l'amour ». Parallèlement, les Américains, parlant d'eux-mêmes, se présentaient comme un modèle de « masculinité » : « dotés de raison, calmes, pragmatiques, efficaces et sages[2]. »

1. Discours à l'Ifri (Institut français des relations internationales), 6 octobre 1997.
2. FRANCK COSTIGLIOLA, « L'image de la France aux Etats-Unis », *Cahiers de l'Institut d'histoire du temps présent*, n° 28, juin 1994, p. 94.

Cette analyse est fondée sur la relation tumultueuse du pouvoir américain avec le général de Gaulle, rarement peint sous de tels traits « féminins », mais dont les rêves de grandeur ont paru insupportables outre-Atlantique, malgré le respect que le personnage inspirait. Mais elle représente toujours une excellente motivation pour s'en prendre aux avis de la France, quels qu'ils soient. Dans la représentation culturelle américaine, les comportements français demeurent souvent irrationnels, au point de ne pouvoir trouver qu'une explication : leur attitude de femelles rétives à une domination inscrite dans les gènes de l'Américain surpuissant, doté d'attributs virils à la mesure de ses ambitions. Selon ce portrait, les Français ne seraient guère plus que les artistes inclassables d'une troupe de french cancan, qui ne sait rien faire d'autre que lever haut la jambe. Avec les conséquences imaginables, quand on déplace ce modèle sur le terrain diplomatique : « Si, par exemple en politique étrangère, une option proposée est rejetée sous prétexte qu'elle est de nature "féminine" ou insuffisamment "masculine", il devient très difficile pour qui que ce soit de défendre ce choix et de le soutenir en dépit de sa légitimité et de son sérieux[1]. »

Que les Américains prennent leurs ennemis, mais aussi leurs plus banals concurrents, pour des êtres inférieurs, qu'il convient de traiter comme une greluche levée un samedi soir et entraînée sur la banquette arrière de la voiture, on peut le craindre. Mais que le modèle sombre, et que des va-nu-pieds les ramènent à une réalité moins conforme à leurs fantasmes, et c'est la débâcle. Les Etats-Unis se retrouvent beaucoup plus souvent qu'à leur tour dans des postures tactiques critiques, quand ils ne peuvent utiliser leurs marteaux-pilons militaires. A cet égard, leur incapacité à mener des opérations de maintien de la paix relativement légères, un domaine où les Français excellent, et qui constitue le pain quotidien des interventions militaires modernes, est flagrante : l'Amérique se prend facilement les pieds dans le tapis et se retrouve impuissante[2]. Lors de l'intervention

---

1. Franck Costigliola, « L'image de la France... », art. cit., p. 108.
2. Steven R. Drago, « Joint doctrine and post-cold war military intervention », *Joint Forces Quarterly*, hiver 1996.

américaine en Somalie, ridicule à force d'être médiatisée par les grands réseaux télévisés comme une superproduction hollywoodienne, une seule et terrible image de CNN a fait rentrer le corps expéditionnaire au pays : celle du cadavre d'un soldat, les parties génitales découvertes, et traîné comme un trophée de guerre derrière le pick-up d'Africains rebelles et rigolards[1]. Et CNN a oublié de montrer les images de ces manifestations dispersées à la mitrailleuse. Construite à coups de films conquérants et d'incessants discours dominateurs, l'idéologie américaine se fracasse dès que les difficultés surgissent. D'où le souci constant du Pentagone, aujourd'hui, de contrôler sévèrement les images prises sur le champ de bataille : lors de la guerre du Golfe, archétype des conflits tels que l'Empire les idéalise, pas une image n'a été diffusée montrant les corps de soldats américain blessés ou morts. Sur le terrain, les journalistes étaient sévèrement encadrés, empêchés de travailler avec la moindre parcelle d'autonomie, soumis à une censure absurde, tatillonne et omniprésente : « En mettant en pratique ses désirs au cours d'une guerre à grande échelle, ce que l'Amérique a produit et télévisé pour l'admiration du monde fut, ironiquement, une peinture parfaitement adéquate de la masculinité américaine esquissée dans la seconde moitié du XXe siècle : l'image de garçons espiègles, tuant pour le sport[2]. » Quand les vœux de l'Amérique se concrétisent, quand la réalité accepte de se conformer sans rechigner aux modèles préparés, le monde n'est plus qu'un terrain de jeu aux éclairages fignolés, où les bons sont bons, et les méchants, morts.

---

1. Sur cette affaire, le lecteur pourra se reporter à l'enquête étonnante de Mark BOWDEN pour le *Philadelphia Enquirer*, publiée en vingt-deux livraisons à compter du 16 novembre 1997. [http://www3.phillynews.com/packages/somalia/sitemap.asp]

2. LYNDA E. BOOSE, « Techno-muscularity and the "boy eternal" : from the Quagmire to the Gulf », in *Gendering War Talk*, Princeton University Press, Princeton, 1993, p. 100.

9

L'Internet, nouveau moteur du monde

L'INTERNET, MOTEUR DU MONDE

L'Internet est devenu l'un des moteurs du monde, sinon le moteur principal. Le réseau des réseaux, qui existe par lui-même et véhicule aujourd'hui des milliards d'informations par seconde, est surtout un emblème de la nouvelle société de l'information et des technologies qui la font fonctionner. Il est également devenu l'un des symboles de la compétition franco-américaine. Les retards français en la matière sont graves mais en voie de règlement partiel. Ils nécessitent pourtant que de grands efforts soient encore entrepris par notre pays dans ce domaine, pour rejoindre le peloton de tête, et la locomotive américaine. Après la Seconde Guerre mondiale, et alors que les Américains, puis les Russes et dans une moindre mesure les Britanniques s'étaient dotés de l'arme atomique, les Français avaient engagé un effort sans précédent pour les rejoindre, à coups de crédits publics, de travaux acharnés des scientifiques, de volonté politique farouche. A notre sens, l'effort — notamment financier — à entreprendre aujourd'hui est d'une ampleur similaire. Avec plusieurs différences majeures : tout d'abord, si la nature des progrès à accomplir est à n'en point douter d'une importance stratégique, au sens propre du terme, les nouvelles technologies de l'information et de la communication (NTIC) appartiennent par essence à la société civile. C'est elle qui les promeut et les utilise. Seconde différence de taille : les Etats-Unis ont pris dans ce domaine une avance considérable, et aucun pays n'a pour l'instant les moyens de les rattraper. Enfin, si les Etats ont un rôle à jouer dans cette affaire, il est évident que ce sont les entreprises et le secteur privé qui doivent être les moteurs de ce bouleversement.

Les hommes politiques français se sont intéressés tardivement à la question, le premier rapport d'envergure ayant été publié par le député Patrice Martin-Lalande en 1997[1], qui se caractérise par 127 propositions concrètes concernant tous les domaines de la société en réseau. Au Sénat, qui s'est montré plus actif sur ces thèmes que l'Assemblée nationale, Franck Sérusclat a rendu un rapport remarqué sur les NTIC[2], tandis que trois de ses collègues proposaient de lancer de nombreuses initiatives pour permettre à la France de se mobiliser pour la société de l'information[3]. Le 8 avril 1998, un document volumineux a été présenté par le sénateur du Rhône René Trégouët[4], qui réclame que la France saute vraiment le pas. Tous les auteurs regrettent que les moyens nécessaires n'y aient pas été consacrés, et proposent avec un bel ensemble que les pouvoirs publics lancent des initiatives rapides pour que les choses avancent.

Non qu'elles soient bloquées. De toute évidence, les gouvernements d'Alain Juppé et de Lionel Jospin ont eu la volonté de donner un vrai coup de pouce. Dans le gouvernement d'Alain Juppé, c'est le ministre des Technologies de l'information, de la Poste et de l'Espace, François Fillon, qui a donné l'impulsion d'un nouveau cadre réglementaire,

---

1. Patrice Martin-Lalande, *L'Internet : un vrai défi pour la France*, rapport au Premier ministre, 1997.

2. Franck Serusclat, *Rapport sur les techniques des apprentissages essentiels pour une bonne insertion dans la société de l'information*, Sénat, 1997.

3. Alain Joyandet, Pierre Hérisson et Alex Türk, *L'entrée dans la société de l'information*, Sénat 1997.

4. René Trégouët, *Des pyramides du pouvoir aux réseaux de savoirs*, Sénat, 8 avril 1998.

concrétisé par la loi sur les télécommunications de juillet 1996, laquelle débouchera sur la transformation de France Télécom et l'entrée de la France dans l'ère de la déréglementation. Parallèlement, le ministre décidait de lancer un groupe d'étude présidé par Antoine Beaussant, sur l'avenir de l'Internet en France, qui, après une très large consultation et un travail collectif d'une grande qualité, rendait public en avril 1997 son projet de charte de l'Internet[1], prônant l'autorégulation, c'est-à-dire une prise en main du réseau par ses utilisateurs et ses professionnels, hors de la mainmise de l'Etat. En août 1997, le Premier ministre Lionel Jospin annonçait une série de mesures pour faire franchir le pas de la société de l'information au pays[2]. Il prônait officiellement quelques mois plus tard, le 16 janvier 1998, une série d'initiatives concrètes devant permettre de faire entrer l'administration française sur le réseau des réseaux. Huit rapports étaient confiés par le gouvernement à des personnalités désireuses de voir progresser la France dans ce domaine : « International et francophonie » (Patrick Bloche), « Données personnelles et société de l'information » (Guy Braibant), « Commerce électronique » (Francis Lorentz), « Modernisation et fonctionnement de l'Etat » (Jean-Paul Baquiast), « Information économique des entreprises » (Patrick Lefas)[3], « Technologie et innovation » (Henri Guillaume), « Développement technique de l'Internet » (Jean-François Abramatic), « Internet et PME » (Jean-Yves Yolin)[4].

---

1. Commission Beaussant, *Proposition de charte de l'Internet, règles et usages des acteurs de l'Internet en France*, avril 1997. Sur le thème spécifique de l'autorégulation, on peut se reporter au document de l'association Geste, *Internet : l'autorégulation a-t-elle un avenir en France?*, 29 décembre 1997.

2. « Préparer l'entrée de la France dans la société de l'information », Documentation française, 1998.

3. Voir également le chapitre « Intelligence économique ».

4. L'ensemble des rapports, selon l'avancement des travaux, est disponible sur le site du Premier ministre : http ://www.premier-ministre.gou v.fr/DOSACTU/ELEMENTB.HTM.

Le retard français paraît en passe d'être comblé rapidement. Il ne s'agit pas d'un problème d'équipement informatique : en France, les entreprises ont consacré 330 milliards de francs à leur équipement informatique durant l'année 1996. Mais le budget informatique mondial a été cette même année quinze fois supérieur à cette somme : 5 000 milliards de francs. L'ensemble de ces systèmes, qui associent la micro-informatique, les grands ordinateurs, les télécommunications, est à la base de la société de l'information, et celle-ci se développe à une vitesse qui n'a sans doute jamais été atteinte dans l'histoire de l'humanité : pour les seules écoles américaines, on consacrera d'ici la fin du siècle 12 milliards de francs à leur connexion au réseau Internet. Dans tous les secteurs de l'activité humaine, les NTIC interviennent à plein. Elles jouent un rôle moteur en permettant à tous les acteurs de la société, dans leurs domaines spécifiques, de multiplier leur productivité, de communiquer davantage, de mieux partager les savoirs, de faire reposer la création de richesse sur l'échange et le partage : c'est l'émergence de la « logique de réseau », que représente si bien l'Internet. Dans un ouvrage remarquable, Manuel Castells explique comment les réseaux permettent la transformation complète des organisations et des institutions, toutes les organisations, toutes les institutions : « Ce qui caractérise la configuration du nouveau paradigme technologique, c'est sa capacité de réorganisation, aspect essentiel dans une société marquée par le changement constant et la fluidité organisationnelle[1]. »

Les méthodes de travail, l'emploi, le commerce, la presse, l'éducation, la guerre sont concernés par ces changements. L'information est devenue une matière première à l'importance aussi cruciale que l'énergie. Force est de constater que l'extraordinaire bouleversement ainsi généré a pour origine, dans la quasi-totalité des domaines concernés, le territoire américain. Actuellement, il draine une part notable des

---

1. Manuel Castells, *La Société en réseau, l'ère de l'information*, Fayard, 1997, p. 88.

cerveaux du monde qui se consacrent à cette activité. Les Français ne sont pas absents de cet extraordinaire bouillonnement, mais certains des plus créatifs d'entre eux quittent notre pays pour aller exercer leurs talents dans des environnements qu'ils estiment plus favorables. Quarante mille d'entre eux sont actuellement expatriés dans les régions de San Francisco et de la Silicon Valley. Ce n'est sans doute pas dramatique, à l'heure où la société de l'information se traduit par une mondialisation croissante du marché du travail, mais c'est un élément qu'il faut prendre en considération. Si les Français ne se donnent pas les moyens de changer rapidement leurs pratiques sociales, ils auront du mal à demeurer dans la course. Il faut bien voir qu'aujourd'hui, notre pays ne conçoit ni ne fabrique plus d'ordinateurs, et que les logiciels qui sortent de ses laboratoires sont souvent des outils très spécialisés, qui ne génèrent ni chiffres d'affaires, ni profits à la hauteur de ceux qui naissent aux Etats-Unis. Dans ce pays, en 1996, 4,5 millions d'emplois étaient liés aux technologies de l'information, ce qui en faisait le premier secteur de l'activité nationale, avec 250 000 emplois créés dans l'année. L'Europe, quant à elle, a créé dans ce même secteur 400 000 emplois au long des trois années de 1995 à 1997.

FAUSSES ET VRAIES BONNES IDÉES : PLAN CALCUL ET RÉSEAU CYCLADES

Dans l'histoire de l'informatique, les exemples de fausses bonnes idées abondent. Au milieu des années 60, le plan Calcul est lancé, pour que la France accède aux technologies de l'électronique de forte puissance et se dote, avec l'entreprise CII, grassement pourvue en fonds publics, de l'outil industriel correspondant ; la mission est simple : elle consiste à mettre en vente une gamme d'ordinateurs nationaux « originale et n'ayant rien à voir avec la technologie américaine ». En 1968, le premier rejeton né des amours de l'Etat et de l'industrie voit le jour : l'ordinateur français Iris 50 joliment surnommé le « pupille de la Nation[1] »·

1. JACQUES JUBLIN et JEAN-MICHEL QUATREPOINT, *French ordinateurs, de l'affaire Bull à l'assassinat du plan Calcul*, Alain Moreau, Paris, 1976, p. 34.

Mais la triste aventure du plan Calcul se termine moins d'une décennie plus tard, en 1976, par un fiasco économique et industriel. Quelques années encore, et le Minitel va naître, qui fera entrer la France dans le monde des écrans cathodiques domestiques, et va générer des profits fabuleux pour ses opérateurs sur le marché national. Il se révèle toutefois incapable de réaliser la moindre percée à l'exportation. Dans ces deux cas, le plan Calcul et le Minitel, la volonté de défendre l'identité nationale, face à une hégémonie américaine déjà bien assise, était revendiquée. La politique de succès à tout prix et de crédits publics illimités, qui avait si bien réussi aux ingénieurs de l'arme nucléaire conçue en France de manière indépendante, ou presque, ne pouvait pas en réalité être reconduite dans des domaines concurrentiels. Il s'agissait, dans le cas de l'informatique, de développer des technologies susceptibles de résister sérieusement à la concurrence, mais également de trouver des débouchés économiques intéressants. Pendant ce temps, d'autres choisissaient des voies pertinentes. En cette même année 1968 qui voyait naître le plan Calcul, les premières ébauches de l'Internet étaient crayonnées en Californie. En France, un autre réseau de transmission de données par « paquets indépendants » était mis sur pied, avec l'appui de la CII, qui sera baptisé Cyclades. On n'était plus là dans la fausse bonne idée, mais dans le vrai... Raison suffisante, sans doute pour que Cyclades, opérationnel en 1974, meure brutalement en 1978, faute du moindre intérêt de l'industrie française. C'est de ce projet que sont venus des protocoles techniques aussi fondamentaux que le TCP/IP, base du fonctionnement de l'Internet[1].

A cette époque, le gouvernement de Raymond Barre prend conscience qu'un véritable problème existe. Il confie

---

1. Sur le réseau Cyclades, on lira avec intérêt une interview de son créateur, Louis Pouzin, sur le web de l'ISOC-France [http ://www.isoc.asso.fr/AUTRANS98/lpouzin.htm].

à deux des plus beaux esprits de la République, Alain Minc, un tout jeune major de l'Ena, et Simon Nora, le soin de rédiger un rapport sur les conditions dans lesquelles la France pourrait combler ce fameux « retard ». Comme si aucune leçon n'avait été tirée de l'échec du plan Calcul, comme si rien, décidément, ne pouvait jamais être compris, les deux auteurs du rapport Nora-Minc[1] vont chercher les informations dont ils ont besoin à la source même de la plupart des erreurs françaises : la DGT (Direction générale des télécommunications), d'où procède alors en France tout ce qui touche de près ou de loin à ce secteur. Le résultat était prévisible : les auteurs réclament plus de moyens pour développer de gros ordinateurs, et ces petits génies, censés prévoir le futur, n'imaginent pas un instant qu'ils se trompent sur toute la ligne, et que l'avenir est à l'informatique personnelle. Valéry Giscard d'Estaing acceptera d'attribuer 100 milliards de francs — une somme énorme! — pour le développement de technologies qui s'en iront droit dans le mur tout en gonflant force poches au passage; et feront, en réalité, que la France ratera l'un des virages les plus essentiels du siècle.

Nous sommes alors au début des années 80. Le Minitel était lancé à grand renfort de crédits publics, avec un terminal gratuit (!) pour chaque abonné au téléphone, tandis que l'Internet entrait dans l'adolescence avec un appui discret de la puissance publique américaine. Bien malgré elle, l'industrie lourde de l'électronique, toujours américaine, prenait il y a vingt ans, de son propre chef et sous la pression de visionnaires volontaristes en prise avec leur époque, tels Steve Jobs, le créateur d'Apple, ou Bill Gates, le fondateur de Microsoft, le virage de la micro-informatique. Ce qui paraît aujourd'hui passionnant dans les développements explosifs de l'Internet, d'un point de vue français, c'est de constater à quel point notre pays a encore du mal à entrer de plain-pied dans la nouvelle société de l'information, et à

---

1. SIMON NORA et ALAIN MINC, *L'Informatisation de la société*, Paris, 1978.

percevoir combien les enjeux de celle-ci sont très précisément d'une importance stratégique. Nos élites, formées à une culture où la toute-puissance de l'Etat fait figure de dogme intangible, et qui naviguent durant leur carrière entre les cabinets ministériels, les postes de la haute administration et les industries publiques ou privées, mettent très longtemps à comprendre des évolutions profondes.

Qui décrira le rôle épouvantablement néfaste de France Télécom dans le retard pris par la France, quand l'opérateur public, debout sur les freins, sabrait le réseau mondial au motif qu'il était en réalité un cheval de Troie américain ? Sans méconnaître les risques réels induits par le réseau des réseaux, il eût été plus efficace d'accompagner le mouvement quand il était encore temps de grimper dans la locomotive, ce qui aurait évité de courir aujourd'hui derrière le wagon de queue ! En termes de sécurité nationale, on raisonne souvent à partir des technologies militaires. Les Français demeurent là, sans doute, dans le peloton de tête que mènent les Américains. Ils n'ignorent rien de la manière de construire et d'étudier les armes, de la balle de fusil à la bombe atomique, et savent également, pour l'instant, les commercialiser. Le prix que ces technologies coûtent n'entre pas en ligne de compte : assis devant leurs tiroirs-caisses, les industriels empochent subventions et crédits publics. Ces équipements sont-ils porteurs d'avenir, s'ils mobilisent des ressources qui ne sont pas réutilisées ailleurs, par exemple à mener la formation de masse aux technologies de l'information qui fait encore cruellement défaut ? Non. Cela veut-il dire que les Français possèdent moins d'atouts que leurs concurrents d'outre-Atlantique ? Non plus... Car l'un des paradoxes de l'époque, c'est que les Français ne se trouvent pas complètement démunis, face à certains des enjeux de sécurité mis au jour par le développement de l'Internet.

CRYPTER, OU NE PAS CRYPTER?

Pour un certain nombre de raisons, c'est-à-dire le risque réel d'interceptions de toutes les communications électroniques par les services de renseignement et les pirates informatiques, il est clair que la cryptologie a pris une dimension centrale. Rappelons qu'il s'agit de la possibilité offerte à tous les internautes — légalement ou pas, selon les pays — de chiffrer leurs communications pour les rendre illisibles par quiconque les aurait interceptées. Le principal argument des pouvoirs publics, qui souhaitent restreindre l'usage généralisé de moyens de cryptage puissants, réside dans leur volonté de pouvoir intercepter les communications de criminels ou d'organisations terroristes. Mais ils souhaitent également être en mesure de pouvoir intercepter les conversations de tout le monde, exactement comme dans le cas des écoutes téléphoniques. C'est aussi simple que cela. Les services secrets ont pour fonction de travailler en marge des lois de leur pays, sans parler de celles des autres. Il n'y a rien d'étonnant, dans ces conditions, à ce que l'ère des réseaux électroniques et de la société de l'information soit aussi celle des interceptions de masse et du flicage généralisé de la planète. Les citoyens doivent savoir que, s'ils ne cryptent pas leurs communications électroniques, ils courent le risque de se les voir accaparer, aussi bien par des Etats que par des pirates informatiques, qui savent pénétrer dans les réseaux de transmission, quels qu'ils soient[1]. Toutes les communications sont visées, aussi bien celles des téléphones fixes ou portables que des fax, utilisant des faisceaux hertziens, des câbles sous-marins ou des satellites, vingt-quatre heures sur vingt-quatre et tout au long de l'année. Pour communiquer de manière sûre et protégée sur l'Internet, qui voit désormais circuler une part croissante des communications mondiales, il faut crypter. Il est intéressant, là encore, de savoir à quel point.

1. Lire à ce propos notre précédent ouvrage : JEAN GUISNEL, *Guerres dans le cyberespace, services secrets et Internet*, La Découverte, Paris, 1995. Nouvelle édition : 1997.

Durant des années, la législation s'appliquant en France à la cryptologie a été celle des armes de guerre. Héritier de la culture de l'arme des transmissions, appartenant aux armées, et du service du chiffre, son pendant du Quai d'Orsay, le SCSSI (Service central de sécurité des systèmes d'information) a été créé en mars 1986. Ce service animé par des militaires et des ingénieurs de l'armement, fut d'abord attaché directement au cabinet du Premier ministre. En 1993, il passa sous la tutelle du SGG (Secrétariat général du gouvernement) avant d'être complètement intégré au SGDN (Secrétariat général de la Défense nationale); cette organisation avait déjà prévalu dans les premières années de ce service, et avait motivé la démission de son premier directeur, l'amiral Bernard Klotz, qui ne souhaitait pas dépendre de fonctionnaires liés à la Défense. Le SCSSI reçoit ses instructions « politiques » du « comité directeur », qui définit les grandes lignes de son action, laquelle consiste essentiellement à certifier les produits cryptologiques.

Dans le grand débat qui agite la communauté de l'Internet sur la cryptologie, la problématique américaine, qui prévaut sur le réseau, n'a guère de pertinence en France. Quand les internautes américains avancent le Premier amendement comme principal argument en faveur de la liberté de crypter sans limite, ils s'expriment dans un langage que les Français ne peuvent pas comprendre. Dans notre pays, les principes régissant le respect de la vie privée et de la liberté de communiquer ne sont pas de même type que ceux qui prévalent aux Etats-Unis. De toute éternité, il est acquis que les citoyens français se doivent d'être transparents à l'égard de l'administration. Il a fallu attendre juillet 1991, plus d'un siècle après l'invention du téléphone, pour que soit enfin publiée une loi concernant les interceptions téléphoniques pratiquées par l'administration et les services de renseignement, et que soit créé un organisme consultatif chargé de contrôler son application, la CNCIS[1].

1. Commission nationale de contrôle des interceptions de sécurité.

Ne surestimons pas le problème. En France, l'intégration dans les réseaux mondiaux a pris un retard considérable au cours des années 80 et 90. C'est seulement depuis 1997 que la véritable entrée dans la société de l'information paraît devoir prendre un tour inéluctable. Pour autant, la question de la sécurité des communications n'intéresse en France qu'une poignée de spécialistes, et ne réunit pas les conditions d'un débat constructif dans le pays. C'est dans ce contexte que des avancées importantes viennent de se produire. En février 1998 sont parus les premiers décrets d'application de la loi sur les télécommunications de juillet 1996, complétés le 15 mars par des arrêtés d'ordre réglementaire venant préciser ces textes. La France est désormais sortie de la préhistoire et la liberté de crypter, largement niée dans le passé, est en passe de devenir une réalité.

En simplifiant à outrance, on retiendra qu'il sera désormais possible de crypter librement ses communications avec des cryptosystèmes comptant des clés à 40 bits. Il convient de souligner ici qu'un débat vif oppose — dans le secret des cabinets — les tenants de cette cryptologie « moyenne » à la plupart des hommes politiques français et des industriels connaissant le dossier, et qui demandent que les clés soient autorisées jusqu'à 56 bits. C'est en particulier la position de Francis Lorentz, ancien P-DG de Bull, auteur d'un rapport sur le commerce électronique au ministre de l'Economie Dominique Strauss-Kahn. C'est également le point de vue du Premier ministre Lionel Jospin, qui s'est exprimé en ce sens en présentant les plans de son gouvernement pour favoriser l'entrée de la France dans la société de l'information.

Le plus important dans la récente évolution française concerne la mise en place annoncée des « Tierces parties de confiance » (TPC). Dans ce système de « key escrows » à la française, les acheteurs d'un cryptosystème de forte puissance (supérieure à 56 bits) devront en laisser les clés à la disposition du TPC qui le leur aura vendu. Avec un accès facile (on-line) accordé aux services de police et de renseignement, qui devront toutefois disposer, pour le mettre en œuvre, de mandats judiciaires ou d'autorisations administratives, comme c'est le cas actuellement pour les écoutes téléphoniques.

Cette position, fruit d'un difficile arbitrage entre les pouvoirs publics et l'administration, vaut à ses promoteurs d'être sévèrement critiqués par ceux qui prônent une liberté de crypter, à l'intérieur des frontières de la France, comparable à celle en vigueur aux Etats-Unis. C'est par exemple la position du « chapitre français » de l'Internet Society (ISOC), qui réclame « la libéralisation totale de l'utilisation de la cryptographie pour assurer la confidentialité des échanges[1] », de même que la liberté, pour les acteurs du réseau, de mettre en place une autorégulation, seule à même de permettre le développement de la sécurité d'un réseau mondial « dont les principes professionnels et déontologiques doivent procéder du marché[2] ». L'un des avocats qui défend les industriels dans ce dossier considère quant à lui que « la France est aujourd'hui un des pays avec lesquels il est le plus difficile de commercer par voie électronique, et la nouvelle réglementation n'atténuera que partiellement ce problème (...). On voit au demeurant mal pourquoi les entreprises fournisseurs de moyens et de prestations cryptologiques développeraient des systèmes plus complexes et moins faciles à utiliser, pour satisfaire aux demandes d'un Etat dont la place sur le marché du commerce et des communications électroniques est aujourd'hui relativement marginale[3] ».

Autant d'arguments vigoureusement combattus par le patron du SCSSI, le général Jean-Louis Desvignes. Il estime quant à lui que la « confusion » s'est installée dans le débat : « On parle du besoin de sécurité rapidement assimilé au besoin de confidentialité, alors que très souvent, il s'agit d'un besoin d'intégrité, d'authentification, de contrôle

---

1. Colloque Autrans'98, rapport de l'atelier « Cryptographie, tiers certificateurs et nouveaux métiers ».

2. *Ibid.*

3. OLIVIER DEBOUZY, « L'exception française et la cryptologie. Le chant du signe ? », *Expertises*, mars 1997.

d'accès ou de non-répudiation. Les tenants du libéralisme à tout crin réclament le "droit de cryptage", alors que cette solution seule ne leur apporterait aucune garantie quant à l'accès à leurs machines et à tous leurs fichiers, par exemple s'ils sont connectés à un réseau public et à Internet en particulier (...). La diffusion [de la cryptologie] à grande échelle pose aux Etats des problèmes extrêmement sérieux en matière de sécurité intérieure et extérieure, et même des problèmes de souveraineté[1]. »

Il est paradoxal de constater que le débat français prend cette tournure, alors même que les Etats-Unis paraissent avoir abandonné, provisoirement, leur désir d'imposer une nouvelle législation à leur marché intérieur. Mais quelle est la pertinence de cette évolution, quand on sait que, *volens nolens*, la plupart des fabricants de logiciels américains ne se cachent plus d'insérer des *key recovery systems* dans leurs programmes ? De la même manière, ils considèrent comme indécent le désir des autorités américaines de proposer aux Européens des solutions de cryptologie qui ne seraient fondées que sur des technologies venues d'outre-Atlantique, alors que l'Europe dispose de ses propres compétences pour mettre sur pied des systèmes indépendants.

NOMMAGE

Les Français considèrent également comme une nécessité cruciale le fait de disposer d'outils autonomes d'information élaborée, d'extraction « intelligente » d'informations dans les bases de données, et d'analyse en temps réel de masses considérables d'information numérisée. Ils développent des « moteurs » logiciels aptes à mener ces tâches décisives, en particulier dans les domaines de l'intelligence économique et de la recherche d'informations stratégiques. Mais il est regrettable, pour employer un euphémisme, qu'ils ne soient

---

1. JEAN-LOUIS DESVIGNES, « La sécurité des systèmes d'information », *Défense*, n° 71, mars 1996.

plus présents dans le domaine des logiciels de grande diffusion, tandis que leur absence dans celui de la navigation sur l'Internet est une tragique ineptie. Puisque la France est ainsi faite et que l'initiative privée a souvent besoin d'une aide des pouvoirs publics, pourquoi n'a-t-elle pas été donnée dans ce domaine? Si promptes à faire pleuvoir des milliards de francs de crédits de recherche et de développement sur des programmes d'armement qui ne pourront jamais trouver leur seuil de rentabilité économique sur le marché concurrentiel, les autorités françaises n'auraient-elles pas dû, plutôt, donner un coup de pouce à des initiatives permettant de faire surgir des laboratoires des outils adaptés à la société mondiale de l'information? Un navigateur performant pour l'Internet, comparable au Communicator de Netscape ou à l'Explorer de Microsoft, ne nécessiterait pas plus de 50 millions de francs pour être mis sur pied. Une bouchée de pain, comparée aux extraordinaires avantages concurrentiels que procure à l'Amérique le privilège d'offrir l'ensemble des véhicules logiciels permettant de naviguer sur l'Internet. Mais personne en France n'a jamais senti le besoin de réaliser ce programme élémentaire, entérinant ainsi l'abandon de l'électronique grand public — moteur de l'économie mondiale — à d'autres.

Entrés tardivement dans l'arène, les Français se battent aujourd'hui avec une énergie farouche pour tenter de sauver ce qui peut encore l'être, et essayer de préserver des modes d'organisation distincts de ceux qui prévalent dans l'orbite américaine. Prenons l'exemple du « nommage » de l'Internet. Sous ce terme, sont regroupés les problèmes que pose la multiplication géométrique du nombre des internautes et des sites web au cours des dernières années. Lorsque l'Internet naquit, seuls les Américains s'y intéressèrent. Ils créèrent donc ces « noms de domaine » (*.edu* pour les universités, *.com* pour les entreprises, *.org* pour les associations, *.gov* pour le gouvernement américain, etc.). Aujourd'hui, avec la véritable explosion du nombre des ordinateurs connectés, le système est devenu totalement ingérable. Il a fallu prendre la décision de créer de nouveaux noms de domaine, et de mettre sur pied une organisation spéciale. Initialement, il était acquis que les internautes géreraient eux-mêmes ce problème sous l'égide de l'Isoc et de l'Union internationale des télécommunications, basée à Genève. Sept nouveaux noms de domaine avaient été créés (*.web*, *.firm*, *.shop*, *.arts*, *.rec*, *.info*, *.nom*). Dans la tradition de l'Internet, il s'agissait d'un consensus international, impliquant qu'aucune structure ni aucun Etat en particulier n'était maître d'œuvre du projet.

Pourtant, le 30 janvier 1998, le conseiller de Bill Clinton pour les affaires relatives au commerce électronique et à l'Internet, Ira Magaziner, rendait public le *Green Paper*[1] qu'il venait de rédiger pour la Maison Blanche. Le son de cloche était tout autre, ce document officialisant la volonté de l'administration américaine de prendre cette affaire en main, et les propositions du Green Paper ont fait se dresser les cheveux sur la tête de nombre de partenaires du réseau. Dans ce texte, la Maison Blanche rappelle ce que tout le monde aurait voulu oublier, à savoir que l'organisation gérant jusqu'alors les noms de domaine, l'Iana (Internet Assigned Number Authority), fonctionne en réalité sous contrat de la Darpa (Defense Advanced Research Project Agency), donc du Pentagone. Et de préciser, au nom du principe « qui paye commande », que l'Iana pourrait être chargée de la gestion des nouveaux noms de domaine en étant intégrée dans une entreprise de droit américain — ce qui reviendrait à mettre directement, en cas de litige, l'ensemble de la gestion des adresses Internet sous la coupe directe des tribunaux et du gouvernement américains. Alors même que, et pas seulement sur le papier, la gestion technique de l'Internet n'étant pas subordonnée à une autorité politique particulière, mais régulée par des organismes internationaux informels, aucun Etat ni aucune entreprise ne pouvait prétendre à une quelconque autorité. Cette question du « nommage » de l'Internet pose un problème de grande importance aux pouvoirs publics français qui

1. http ://www.ntia.doc.gov/ntiahome/domainname/dnsdrft.htm

souhaiteraient que l'administration US se dessaisisse de cette question pour la transférer à une organisation internationale telle que l'Union internationale des télécommunications.

Pour le gouvernement français, abandonner l'organisation des noms de domaine aux Etats-Unis reviendrait à laisser tomber un pan entier de souveraineté, gage de la sécurité nationale à l'heure de la mondialisation. Imagine-t-on que les numéros de téléphone en France soient attribués par un organisme américain, la justice de ce pays étant seule à même de trancher les éventuels litiges? Non, bien sûr. C'est pourtant ce qui va se passer pour les noms de domaine! Dans la nouvelle compétition internationale, les Français ont le sentiment — fondé — que les Etats-Unis abusent de leur position dominante dans les technologies de l'information pour imposer leurs standards, avec l'appui d'une puissance publique tout entière au service des industriels, quand cela s'avère nécessaire à la réussite de leurs objectifs. Ces assertions sont fermement démenties aux Etats-Unis, mais dans pratiquement chaque domaine de ces nouvelles technologies de la communication, il est facile de vérifier leur bien-fondé.

10

Espionnage et concurrence économiques

Un conflit de notre temps

Il est aujourd'hui convenu de considérer que dans les domaines économique et diplomatique, et surtout dans celui, désormais tentaculaire, de la société de l'information, les Etats-Unis ont engagé contre la France et l'Europe une stratégie implacable, ne laissant aucun champ à l'écart, et devant se terminer par l'élimination, ou la soumission définitive, du concurrent européen. Nous serions donc « en guerre », au point que l'on ait pu voir naître récemment à Paris une « Ecole de guerre économique[1] » officialisant cette nouvelle idée reçue. En réalité, ce n'est pas à une guerre que l'on assiste. Il suffit de prendre un avion à destination de Sarajevo pour constater, après seulement quatre-vingt-dix minutes de vol, quels dégâts provoque, de nos jours, une vraie guerre : comme au Moyen Age, ça tue, ça étripe, ça viole et ça massacre, ça bombarde des villes, ça mutile et rend fous les enfants. Et quand le fracas des explosions s'arrête, même les oiseaux ne savent plus chanter. La concurrence franco-américaine n'est pas une guerre. C'est une opposition forte, un conflit dans lequel des moyens peu

---

1. Alors même que l'historique « Ecole de guerre » des armées a cédé la place, au début des années 90, au Collège interarmées de défense.

reluisants sont souvent utilisés mais qui, heureusement, n'ont pas tué grand monde à ce jour.

Dans ce conflit en temps de paix, dans cette guerre molle, tous les moyens non létaux sont bons, et d'abord les moyens illégaux que des gens bien élevés ne devraient pas employer, comme les interceptions électroniques et l'arsenal des services secrets. La seule loi des services secrets, c'est qu'ils n'en observent pas, ou très peu. Dans le monde de l'espionnage, surtout depuis la fin de la guerre froide, les amis deviennent des ennemis, et les relations internationales vues par les Etats-Unis ne se mesurent qu'au poids des décisions que l'on peut imposer aux alliés, pour le profit de l'empire.

Des outils très classiques sont les instruments de cette forte concurrence, telles les manœuvres diplomatiques, les opérations militaires, les missions d'assistance et de coopération scientifiques et techniques, culturelles ou humanitaires. Hollywood, les médias anglo-saxons et le réseau Internet sont utilisés comme de véritables armes pour discréditer l'adversaire. Sans doute. Mais si l'on se trouve bien là dans le domaine de l'information concurrentielle, pourquoi parler de guerre ? Serait-il question pour l'aigle américain, après avoir vendu la peau de l'ours soviétique, de plumer le coq gaulois ? Bien sûr que non. Comme le confiait peu après son arrivée en France l'ambassadeur américain Felix Rohatyn : « Nos deux pays sont des acteurs majeurs sur la planète, et nous devons travailler ensemble si nous voulons réussir. Cela ne veut pas dire que nous ne sommes pas en compétition, et en compétition vigoureuse, comme de nombreux autres pays. La compétition économique est parfaitement normale. Il ne s'agit pas d'une "guerre économique"[1]. » La France et les Etats-Unis partagent un même système politique démocratique, les mêmes idéaux de liberté, largement puisés aux mêmes sources de la Révolution française, la même foi dans la suprématie de l'économie de marché, même si, de ce côté-ci de l'Atlantique, on n'en accepte pas toujours les règles sauvages. Ce qui n'empêche pas l'ambas-

1. Discours à Lyon, 16 décembre 1997.

sade des Etats-Unis à Paris d'abriter un nid grouillant d'espions en tous genres, dont un poste de la CIA. Celle de la France à Washington se conduisant naturellement de la même manière. *Business as usual.*

Les Français sont plusieurs centaines de milliers à se rendre chaque année pour leurs affaires, leurs études ou leurs vacances sur le territoire américain. Et l'inverse est vrai, à tout le moins en ce qui concerne les Américains pour lesquels la France n'est pas seulement une étape de trois heures entre la tour de Londres et celle de Pise. Les modèles vestimentaires, « culinaires » s'échangent, de manière inégale si l'on s'en tient aux chiffres d'affaires respectifs des entreprises concernées. Si les Etats-Unis investissent lourdement en France, les entreprises françaises investissent également à grande échelle aux Etats-Unis, malgré les mesures protectionnistes qui rendent souvent les acquisitions difficiles. Les échanges seraient-ils aussi nombreux si Français et Américains étaient en état de guerre ? Non. Le terme « guerre de l'information », vu ici du point de vue économique, doit n'être utilisé que pour la commodité du propos, sans être dupe de la puissance de la formule, en sachant bien que dans ce conflit, nous ne serions des victimes, de ce côté-ci de l'Atlantique, que si nous n'avions aucun moyen d'action, ni la volonté de nous en servir. Ce qui n'est pas le cas.

L'un des éléments cruciaux du nouveau concept de « guerre de l'information » réside dans le fait que les moyens de cette confrontation ne sont plus l'apanage des Etats ou de leur bras armé, les militaires. Si l'on s'en tient à quelques éléments simples, comme l'intrusion informatique ou l'imagerie spatiale, on distingue que les technologies et le savoir-faire sont désormais répandus dans la société civile. Distribution d'électricité, d'eau et de gaz, gestion des transports en commun, téléphone filaire et radiotéléphone, contrôle aérien, météorologie, télévisions hertziennes, radios FM, systèmes de localisation, etc. Il serait étonnant qu'affirmant craindre un « Pearl Harbor électronique » contre leur sol, les Américains ne se préparent pas à en infliger un autre à un adversaire éventuel, si possible préventivement. De fait, le Pentagone a officialisé à la fin d'octobre 1998 la mise en place de systèmes informatiques offensifs, destinés à s'en prendre, au début d'un conflit, aux réseaux électroniques de son adversaire. Le plus inquiétant, c'est que le prix de telles capacités, qui permettraient de déclencher une vraie guerre si elles étaient mises en œuvre de manière agressive et coordonnée, est modeste au regard de leurs résultats potentiels. Quand, à la fin des années 80, une demi-douzaine de bricoleurs new-yorkais appartenant au groupe Masters of Deception sont parvenus à mettre hors service durant vingt-quatre heures le réseau ATT, ils ont fait passer un frisson d'effroi sur bien des échines. Qu'une entreprise, un groupe politique, des terroristes, un Etat utilisent de telles méthodes avec des moyens à peine plus puissants, et l'on imagine le mal qui pourrait être infligé. Petit exemple, qui n'est pas lié à une quelconque malveillance, survenu le 19 mai 1998. Ce jour-là, le satellite Galaxy 4, appartenant au réseau PanAm-Sat, une filiale de Hughes Electronics, a eu des vapeurs. Conséquences : 90 % des 45 millions de petits appareils *pagers* en service sur le sol américain, que les Français connaissent sous les formes commerciales Tatoo ou Tam-Tam, ont cessé de fonctionner, alors qu'ils sont devenus un accessoire indispensable de la vie quotidienne américaine. Aucun service hospitalier, pas plus que les pompiers ou la police, ne peut plus s'en passer. Bien d'autres services dépendent de ce satellite stationné au-dessus du territoire américain : la National Public Radio l'utilise pour envoyer ses programmes à ses retransmetteurs locaux, dont les émissions ont naturellement cessé, de même que celles de plusieurs chaînes de télévision, et les vendeurs d'essence dans les stations-service ne pouvaient plus vérifier en quelques secondes la solvabilité de leurs clients : tous ces services, et des dizaines d'autres, passaient par cet unique satellite. Voilà une « infrastructure critique » de belle taille, si vulnérable à une petite panne technique qu'on frémit à l'idée qu'elle puisse faire l'objet d'une attaque par des pirates informatiques.

Espionnage entre amis

Pour ne citer que les problèmes des infrastructures « critiques » de communication, dont le maintien en fonction
dans toutes les circonstances est vital et qui peuvent faire
l'objet d'attaques par des cyberterroristes, qu'ils soient
motivés par des idées pseudo-ludiques, ou manipulés par
des groupes politiques activistes ou des Etats développés, il
convient de placer la situation française dans son contexte.
Actrice de très nombreuses guerres au cours des derniers
siècles, victime de trois invasions de son territoire en
soixante ans, dont deux dans la première moitié de ce siècle,
elle s'est forgé une culture sécuritaire qui continue de
constituer aujourd'hui la base de l'organisation de son Etat.
Atteinte, en 1961, par un putsch militaire gravissime, puis,
sept ans plus tard, par la grève quasi insurrectionnelle de
mai 1968, elle a mis sur pied des infrastructures de
communication spécialisées qui la situent en pointe dans ce
domaine. Alors que les Américains n'ont jamais connu la
moindre invasion de leur sol, ni de blocage général de leur
société, les pouvoirs publics français ont tenu, eux, à disposer des moyens de communiquer de manière autonome avec
les principaux échelons décentralisés de l'administration.
Ces principes de base demeurent en vigueur. La gendarmerie nationale, dont la principale fonction consiste à mailler le
pays avec un réseau de renseignement de proximité particulièrement performant[1], a ainsi été l'une des premières
forces de police au monde à disposer de réseaux de
communications radio-numériques cryptés, avec ses systèmes Saphir, puis Rubis, version militaire du réseau GSM,
tandis que la police nationale dispose d'un réseau partiellement compatible et tout aussi moderne, Acropol.

Quand les militaires américains ont commencé de se
rendre en Europe, à la fin de 1997, pour visiter les autorités

---

1. Lire à ce sujet JEAN GUISNEL et BERNARD VIOLET, *Services secrets. Le
pouvoir et les services de renseignement sous François Mitterrand*, La Découverte, Paris, 1988, p. 76-94.

civiles et militaires afin de leur faire « prendre conscience » de la nécessité de protéger leurs « infrastructures critiques », dans la foulée des travaux de la PCCII (Presidential Commission on Critical Information Infrastructure) créée en 1996, ils ont mis en avant le fait que leurs propres communications militaires utilisent à plus de 90 % des réseaux civils non spécifiquement protégés. Et qu'elles se trouvent *ipso facto* dans une situation de grande vulnérabilité, comme l'ont démontré au début de 1998 les exploits du *hacker* israélien Ehud Tannenbaum (*Analyzer*), entré par effraction dans les ordinateurs du Pentagone. Mais les militaires français avaient depuis très longtemps pris conscience de ces besoins, en grande partie pour les raisons que nous évoquions plus haut. Ils ont terminé en 1998 la mise en place d'un réseau de communication C4I[1] sécurisé, appelé Socrate[2], dont la mise en place a commencé en 1989, pour un budget total de 6 milliards de francs. Ce réseau repose sur des relais hertziens durcis, et a parfois recours aux réseaux de fibres optiques du principal opérateur national de télécommunications, France Télécom. Il rassemble entre autres les réseaux de l'armée de terre (MTGT), de l'armée de l'air (MTBA), de la marine (RVDM) et de la gendarmerie. Ces communications, qui utilisent le protocole ATM (Asynchronous Transfer Mode), sont solidement cryptées, et, à ce jour, aucune attaque sérieuse contre des ordinateurs des armées françaises n'a jamais été rendue publique. Ce qui ne veut pas naturellement dire qu'elles n'aient pas eu lieu... En fait, les multiples secousses sociales sévères dont la société française est régulièrement victime ont rendu les autorités civiles sensibles à ces sujets. Elles veulent pouvoir communiquer librement dans toutes les circonstances, et elles disposent elles aussi, comme les militaires, de moyens de commmunication cryptés.

1. Command, Control, Communication, Computers, Intelligence.
2. Support opérationnel constitué des réseaux des armées pour les télécommunications.

Aujourd'hui, la sécurité nationale d'un pays comme la France repose moins sur le fameux « pouvoir égalisateur de l'atome », qui a prévalu durant près de cinquante ans, que sur la capacité des pouvoirs publics et des grandes entreprises à s'informer complètement, tout en préservant leur liberté de choix, et en empêchant leurs compétiteur de jouir de la leur. A se protéger, donc, contre les intrusions dans leur espace de communication, devenu le centre même de la prise de décision. De ce point de vue, on peut légitimement penser que la sécurité des communications entre les divers pouvoirs publics, mais aussi celles des entreprises entre elles ou avec leurs clients ou fournisseurs, est devenue un enjeu crucial de la sécurité nationale. Emblème de la société mondiale en réseau, l'Internet est très précisément devenu l'enjeu de batailles de pouvoir titanesques. La NSA s'est fait très tôt une spécialité du contrôle du trafic sur l'Internet et dispose, selon toute vraisemblance, de moyens de contrôle exhaustifs sur les plus grands routeurs situés sur le territoire des Etats-Unis — au moins — de même que sur les grandes portes d'entrées du réseau (Network Access Points) aux mains des principaux opérateurs de télécommunication du pays, liés par des accords secrets avec l'agence de renseignement technique. Tout comme, d'ailleurs, certains fournisseurs d'accès français le sont avec le contre-espionnage (DST) et la gendarmerie nationale. Il est assez remarquable de constater que, sur l'aspect technique de ces affaires, l'Internet lui-même est pratiquement vide. Seul le journaliste Wayne Madsen a publié sur le sujet un article documenté en 1995[1].

LE RÉSEAU UKUSA ET LE SYSTÈME ECHELON

Pour les Européens, il est inquiétant de savoir que trois services réunis au sein du consortium Canukus, à savoir la NSA (National Security Agency), en liaison avec le

---

1. WAYNE MADSEN : « Puzzle palace conducting Internet surveillance », *Computer Fraud & Security Bulletin*, juin 1995.

GCHQ (Government Communication Headquarters) britannique et le CSE (Canadian Communications Security Establishment) canadien ont mis en place, depuis le début des années 50, un réseau tentaculaire d'interception des communications, formalisé par le traité secret Ukusa, conclu en 1948. Un accord formel, dont l'existence n'est toujours pas confirmée officiellement à ce jour, lie les services secrets des trois pays. Ceux-ci disposent de moyens de plus en plus largement dimensionnés au gré de la croissance exponentielle du volume des communications numérisées[1]. Plus tard, le DSD (Defence Signals Directorate) australien, puis le GCSB (Government Communications Security Bureau) néo-zélandais ont rejoint l'accord Ukusa mais, à tout le moins pour ce qui concerne la partie néo-zélandaise du réseau, les spécialistes américains du renseignement affirment qu'elle doit encore améliorer ses capacités techniques.

Dans cette nouvelle bataille d'espions, les Américains sont beaucoup plus performants que les Français, singulièrement en matière de « grandes oreilles » spatiales, c'est-à-dire de satellites spécialisés dans l'interception des communications terrestres, et capables de changer d'orbite au gré des priorités du moment. Ils disposent en orbite de gigantesques antennes, en mesure d'écouter tout ce qui se passe sur la Terre. Les Français ne sont pas présents dans ce domaine des interceptions satellitaires, qui reposent à la fois sur les engins en orbite, le « segment spatial », et sur des stations de réception à terre, le « segment sol ». Ces systèmes sont exclusivement américains et russes, ces derniers étant peu connus. La première génération de satellites d'interception, les Ferret, a été lancée au début de 1962,

---

1. La littérature anglo-saxonne sur ce sujet est abondante, mais repose généralement sur des sources assez anciennes. On retiendra comme l'un des mieux informés sur les évolutions récentes de cette collaboration des services d'espionnage anglophones sous leadership américain : NICKY HAGER, *Secret Power, New Zealand's Role in the International Spy Network*, Craig Potton, Nelson (NZ), 1996. Voir également http://watserv1.uwaterloo.ca/~brobinso/cseukusa.html

suivie de satellites Sigint (Signal Intelligence) et Comint (Communication Intelligence) de deuxième génération, les Canyon et Rhyolite (ensuite appelés Aquacade) lancés à partir de 1968. La troisième génération comprend les satellites Chalet, Vortex, Magnum, Orion et Jumpseat. Et, aujourd'hui, la quatrième génération des grandes oreilles spatiales comprend les Vortex-2 et Trumpet, dont trois exemplaires sont actuellement en orbite, tous fabriqués par Hughes et mis en œuvre par l'agence américaine de renseignement spatial, le NRO (National Reconnaissance Office). Le premier a été lancé en mai 1994, et le dernier en novembre 1997. Ces engins, envoyés dans l'espace par des fusées Titan 4-Centaur, sont des monstres de près de 8 tonnes, disposent d'antennes stupéfiantes, d'un diamètre atteignant 150 mètres. Elles sont naturellement faites d'une structure très souple et légère, pliée au départ comme une toile de parapluie qui serait enroulée en spirale autour du manche. Aucune donnée technique officielle n'est disponible sur ces engins, et les seuls éléments dont on dispose sont ceux que recueillent des associations américaines comme la Fas (Federation of American Scientists), dont les analystes John Pike et Charles Vick font autorité en la matière ; ils ne travaillent qu'à partir de sources éparses, mais ouvertes. Ces satellites sont si gros que des observatoires astronomiques peuvent les distinguer, ce qui s'est révélé fort utile, en particulier pour calculer la taille des antennes.

Les données recueillies par ces constellations de satellites de renseignement électroniques sont ensuite transmises, en vue de leur exploitation, aux différents états-majors et aux services de renseignements, notamment la NSA. Les stations de réception sont nombreuses, les plus importantes se situant à Buckley (Colorado), Menwith Hill (Grande-Bretagne) et Pine Gap (Australie). En janvier dernier, les militaires américains ont placé en orbite un très gros satellite-relais de communication, destiné à retransmettre directement vers le sol des Etats-Unis les informations recueillies depuis l'espace. Les satellites d'interception orbitent en permanence au-dessus de la Terre et permettent — en fonction de leurs spécialités respectives — de recueillir tout ce qui est transmis. En particulier les fréquences de radar et celles des systèmes de guidage de missiles, et toutes les communications militaires. Bien sûr, les transmissions civiles sont elles aussi interceptées, y compris les liaisons hertziennes, par lesquelles transite une part notable du trafic téléphonique.

En principe, les faisceaux hertziens sont très directionnels et ne sont susceptibles de se diriger que vers le récepteur terrestre qui leur a été assigné. Ce sont ces réseaux hertziens qui parsèment la France de grandes tours-relais bardées d'antennes, toujours en vision directe l'une par rapport à l'autre, et rarement éloignées de plus d'une vingtaine de kilomètres. Or une partie des signaux transmis de la sorte s'égare dans l'éther. Les satellites d'interception peuvent recevoir ces signaux parasites d'une intensité très faible. Initialement, durant la guerre froide, ces engins avaient été conçus pour écouter les communications à l'intérieur des pays du pacte de Varsovie. Mais les Américains peuvent également procéder — et ils le font! — à des écoutes sur les réseaux téléphoniques intérieurs européens[1], notamment français et allemands.

Les Britanniques, éléments très actifs du réseau Ukusa, avaient un temps envisagé de lancer leur propre satellite d'écoute, baptisée Zircon. Ils y ont renoncé, pour des raisons de coûts, et disposent, contre rétribution mais seuls alliés dans ce cas, d'un droit d'accès prioritaire sur les engins américains. Leur intérêt pour la situation en Russie n'a pas faibli, et il est clair qu'ils s'intéressent également beaucoup à leurs partenaires européens, singulièrement à la France. Rien d'étonnant à cela : notre pays, qui a conservé des intérêts dans de nombreuses parties du monde et affiche

---

1. « An upraisal of technologies of political control », *European Parliament, Scientific Technological Options Assessment*, Luxembourg, 19 janvier 1998. Polycopié, p.18-22. Ce document est une compilation de textes publics, et n'apporte aucune d'information nouvelle sur le sujet.

une posture commerciale active, tout en souhaitant jouer un rôle diplomatique mondial, est particulièrement visé. De la même manière, les activités économiques et diplomatiques allemandes sont elles aussi étroitement surveillées par les « grandes oreilles » américaines, qui disposent de nombreuses bases dans le pays — les plus importantes stations d'écoute de la NSA se trouvant à Gablingen, à Bad Aibling et dans la région de Berlin —, et s'y sont montrées particulièrement actives durant la guerre froide. Selon des sources non confirmées, ce sont des interceptions de la NSA qui ont permis de confondre un transfuge de General Motors vers le groupe allemand Volkswagen, José Ignacio Lopez, qui avait quitté les Etats-Unis avec quatre-vingt-dix mille pages d'informations considérées comme confidentielles par son ancien employeur, concernant des plans de nouveaux modèles, des calculs de rentabilité, des catalogues divers. Le litige s'est finalement réglé à l'amiable entre les deux entreprises.

Il est bien évident que les attitudes agressives et parfaitement illégales des services de renseignements américains ont provoqué des ripostes et que les Français n'ont donc rien à envier à personne dans ce jeu, auquel la DGSE se livre depuis ses stations d'écoute spatiale implantées en France métropolitaine, en particulier sa station de Domme (Dordogne), mitoyenne de l'aérodrome de Sarlat, mais également dans des départements et territoires français d'outre-mer, notamment, depuis une date récente, en Nouvelle-Calédonie. Une station française d'interception satellitaire a également été construite sur le territoire des Emirats arabes unis, en vertu d'un accord bilatéral avec la fédération. La fonction de ces deux dernières stations consiste à intercepter les satellites de communication placés en orbite géostationnaire au-dessus de l'équateur et couvrant respectivement l'Asie et le Moyen-Orient. Les données numérisées y sont recueillies par de petites équipes d'une demi-douzaine de fonctionnaires et retransmises en bloc à Paris pour y être analysées. L'un des intérêts, pour la France, de disposer de Dom et de Tom harmonieusement répartis sur la planète consiste à pouvoir y disposer de telles stations d'interception.

C'est ainsi que l'une d'entre elles est secrètement installée sur la base spatiale de Kourou. Elle est spécialement mise à profit pour surveiller les communications satellitaires américaines et sud-américaines, ce dont *Le Point* a obtenu confirmation de plusieurs sources. Le plus étonnant dans cette affaire, c'est que cette station n'est pas spécifiquement française ; renonçant à son isolement en matière de renseignement, notre pays a invité les Allemands à participer à l'opération. Des accords ultrasecrets ont été signés entre la DGSE et son homologue d'outre-Rhin, le BND (Bundesnachrichtendienst). Ce qui explique en partie que, dans ce grand jeu de poker menteur, les Français ne protestent que mollement contre les atteintes de leurs alliés, et néanmoins espions, contre les systèmes de communication français. « La garantie de la pérennité du système, c'est que l'on ne connaisse jamais ses possibilités exactes », affirme ainsi un expert français de ces affaires. L'un des responsables de ces systèmes nous confiait qu'il serait naïf d'en vouloir aux Américains : « C'est le jeu de la guerre secrète ; à nous de faire comme eux et d'être aussi performants. C'est "je te tiens, tu me tiens par la barbichette" ! Il serait malvenu de s'en émouvoir ! » Parfois, les situations sont assez cocasses, comme lors de cet important sommet franco-britannique se tenant autour de John Major dans sa résidence de Checkers, durant lequel les deux délégations ont été symétriquement et assez complètement tenues au courant par leurs services de renseignements respectifs des évolutions prévisibles de leur partenaire. Commentaire d'un participant français à la réunion : « Nous avons eu ainsi la démonstration que nous ne sommes pas si mauvais. Les autres non plus, d'ailleurs ! »

Les Américains ne sont pas dupes de cet état de fait (voir Annexe page 331), et pour cause, et ne manquent pas d'avertir les hommes d'affaires des risques qu'ils courent en voyageant : « Les interceptions électroniques sont menées de plus en plus fréquemment contre les systèmes modernes de télécommunication. Les transporteurs aériens étrangers sont particulièrement dangereux, car la plupart sont contrôlés par le gouvernement. Les bureaux, les hôtels, les téléphones portables sont des cibles clés. Les fac-similés, les télex et les ordinateurs peuvent être interceptés électroniquement[1]. » Propos d'experts... Toutefois, dans cette compétition farouche autour de l'interception des communications, les Français ont les mains attachées dans le dos. S'ils parviennent à intercepter les communications spatiales à partir du sol ou à subtiliser des ordinateurs dans des chambres d'hôtel, ils ne disposent pas du vrai outil stratégique : les « grandes oreilles » spatiales. Une « cartouche » d'interception, baptisée Euracom, est bien embarquée à bord du satellite Hélios 1-A, mais ses capacités sont faibles. En même temps que ce satellite, un petit engin expérimental d'interception, Cerise, a été lancé en août 1995. Mais le projet de lourd satellite d'interception Zenon a dû être abandonné pour des raisons budgétaires. Un tel outil serait pourtant indispensable à la nouvelle Europe et pourrait faire l'objet d'une utile coopération. Il serait en tout cas intéressant de voir si les Britanniques s'associeraient à une telle initiative, ou s'ils préféreraient rester les zélés associés de l'Amérique impériale.

Officiellement, les pays alliés ne s'épient pas entre eux. Toute la subtilité de l'exercice consiste à fournir ses amis en renseignements sur des pays qu'ils connaissent mal. Une bourse internationale s'est ainsi mise en place, dont le principe est un peu celui de l'auberge espagnole : on ne reçoit des renseignements de qualité qu'en fonction de ce qu'on y apporte. Les Américains se sont distingués par une collecte électronique très copieuse autour du terrorisme basque, mais en y associant des analyses qualifiées de « désastreuses » par l'un de leurs lecteurs français : « C'est bien la preuve que le recueil d'informations techniques n'a aucun intérêt si on n'est pas capable de les comprendre. » Un problème sérieux auquel les Américains sont confrontés, et qui

---

1. *Foreign Threat to US Business Travellers*, National Counterintelligence Center, 1998. [http ://20.1.20.1/index.htm]

concerne également le flot démentiel d'informations qu'ils reçoivent. Les trier pour les rendre utilisables promet de beaux jours aux génies des logiciels d'information élaborée qui permettent justement d'extraire les données « pertinentes ». Une activité où les Français sont dans le peloton de tête mondial. Outre-Atlantique, la France est réputée « excellente » sur l'Afrique du Nord, notamment l'Algérie, dont elle surveille les communications radioélectriques depuis des pays voisins, mais aussi à partir des avions de renseignement électroniques Gabriel et Sarigue, et de navires en mer, dont le cacochyme *Berry*, qui sera bientôt remplacé par le *Bougainville*, retiré de Polynésie.

Tous les ans, une grande conférence Sigint réunit les chefs des services de renseignements occidentaux. Elle s'est tenue en 1997 dans un grand établissement hôtelier en plein cœur de Paris et s'est déroulée au printemps de 1998 au siège de la NSA, non loin de Washington, en présence de deux des maîtres espions français, le préfet Jacques Dewattre, patron de la DGSE, et l'amiral Yves de Kersauzon de Pennendreff, directeur de la DRM. Mais les espions ne s'y révèlent aucun de leurs petits secrets. En France, la DGSE livre régulièrement le fruit de ses interceptions à une soixantaine de destinataires triés sur le volet, dont de grandes entreprises nationales. Ces dernières peuvent ainsi disposer de sources de renseignement irremplaçables sur les marchés qu'elles convoitent et sur leurs concurrents. Car, naturellement, les règles en vigueur pour protéger la confidentialité des communications, et singulièrement la loi sur les interceptions téléphoniques que la CNCIS (Commission nationale de contrôle des interceptions de sécurité) est chargée de mettre en œuvre, ne s'appliquent pas aux interceptions se déroulant dans l'espace. Reste à trouver le moyen de s'en protéger. Il ne faut pas compter sur les autorités nationales, trop heureuses de pouvoir disposer, en Europe comme aux Etats-Unis, de moyens imparables et surtout incontrôlables d'espionner leurs administrés.

L'OCDE paraît tentée d'établir une législation internationale, à l'image de celle qu'elle vient de mettre sur pied pour lutter contre la corruption. Mais un expert français note malicieusement : « Si tel était le cas, il s'agirait d'une moralisation gratuite à laquelle il serait facile de se soustraire. » L'autre solution consiste à crypter solidement les communications téléphoniques, pour qu'elles ne soient pas compréhensibles par les grandes oreilles. Des logiciels très sûrs sont sur le marché, mais les opposants à leur diffusion ne sont autres que les services de renseignements, qui s'entendent comme larrons en foire pour imposer — ou tenter de le faire — des législations très restrictives. Après que l'auteur eut révélé dans l'hebdomadaire *Le Point* l'existence d'accords secrets d'interception entre la France et l'Allemagne[1], François Roussely, le directeur de cabinet du ministre français de la Défense, a explicitement confirmé ces faits. Il justifie, pour la première fois à un niveau aussi élevé, l'existence d'un réseau français d'interception et d'écoutes, « destinées au suivi des crises internationales dans leurs dimensions militaires, notamment dans les zones où les forces françaises peuvent être engagées ; à la surveillance du phénomène de prolifération des armes non conventionnelles ; à la lutte contre le terrorisme. Du fait du caractère transnational de ces menaces, le recueil d'informations nécessite parfois des moyens qui dépassent les possibilités propres de chaque Etat. Cela implique pour la France de rechercher avec ses partenaires les solutions, notamment techniques, aptes à la prémunir contre ces dangers[2] ».

L'AFFAIRE INSLAW/PROMIS

L'une des plus étonnantes affaires d'espionnage engagées par les Etats-Unis contre leurs alliés concerne l'affaire du logiciel Promis, de la firme Inslaw. Ce dossier n'a pas encore révélé tous ses secrets, mais a permis à nombre de

1. « Les Français aussi écoutent leurs alliés », *Le Point*, n° 1342, 6 juin 1998.
2. *Le Point*, n° 1344, 20 juin 1998.

services étrangers de considérer que leurs collègues américains se comportent comme des bandits de grand chemin. A la demande du ministère de la Justice américain, la société Inslaw crée le logiciel Promis, acronyme explicite pour Prosecutors Management Information Systems (systèmes de gestion de l'information pour les procureurs), à une époque où la fusion des données contenues dans des ordinateurs différents représentait un problème très complexe. Il devait permettre à la justice de compulser automatiquement des séries de bases de données, afin d'en extraire des informations utiles. Au début des années 70, à l'heure où l'extraction de données (*data mining*) balbutie encore, le logiciel Promis ouvre des perspectives extraordinaires aux enquêteurs de la justice.

Dix ans plus tard, les choses se sont gravement corsées. Au fil des mois, une série de révélations explosives apparaissent au cours des enquêtes, tant journalistiques[1] que parlementaires[2], marquées en particulier en août 1991 par la mort du journaliste Danny Casolaro, retrouvé « suicidé » dans sa salle de bains alors qu'il enquêtait sur l'affaire. Ces investigations ont révélé que le ministère de la Justice américain a illégalement fourni le logiciel à Israël et à plus de quatre-vingts autres pays. Destiné en principe à des fins exclusivement judiciaires, Promis a en réalité été utilisé par les services secrets, notamment israéliens, pour piéger les Palestiniens. Le procédé était relativement simple, dans son principe : Promis était fourni à des organismes qui avaient besoin de cet outil pour gérer des milliers de comptes (bancaires, électricité, eau, gaz, etc.), qui s'en servaient pour leur usage exclusif. Mais les services secrets américains avaient piégé le logiciel, de telle sorte qu'il puisse être

---

1. En particulier, dans le premier numéro de la revue phare des technos-branchés : RICHARD L. FRICKER, « The Inslaw Octopus », *Wired* 1.1 juin 1993. [http ://www.wired.com/wired/1.1/features/inslaw.html]

2. Le rapport de la commission d'enquête parlementaire de septembre 1992 est édifiant : http ://www.wbaifree.org/letemtalk/promis.html

interrogé à l'insu de ses utilisateurs. Une *backdoor*, c'est-à-dire un mouchard informatique, lui était associé : chaque fois qu'il opérait, une bretelle transmettait les informations recueillies, via un modem, à un destinataire clandestin. Auprès de banques, d'organisations internationales, de services de police étrangers, Promis était devenu la plus formidable machine d'interception jamais mise au point pour le plus grand profit, illégal naturellement, des grandes oreilles américaines, à savoir la CIA, la DIA et la NSA. En Russie, en Egypte, en France (où la BNP et le Crédit Lyonnais ont reçu le logiciel), au Canada, des entreprises ont subi sans le savoir des visites domiciliaires jusqu'au fond de leur intimité électronique par le « cheval de Troie » le plus énorme de l'histoire de l'informatique. Un viol massif et sans précédent, un hold-up informationnel gigantesque, organisé par les services d'un Etat n'obéissant plus à aucune règle, bafouant la loi et le droit international, et qui veut faire croire qu'il entend moraliser le fonctionnement de la planète[1]...

Les règles de l'action secrète sont intangibles : le pouvoir doit ignorer, ou feindre de le faire, les actions sordides que les services secrets mènent à son service. Tous les documents recueillis par les réseaux internationaux d'espionnage sont diffusés auprès des autorités habilités « à en connaître » sans mention de source. Celles-ci sont simplement qualifiées de « secrètes », sans davantage de précisions. Ce qui veut dire que les autorités politiques compétentes ne savent pas, ou peuvent affirmer qu'elles ignorent, dans quelles conditions les informations qui leur sont remises sont

---

1. Pour se documenter complètement, le lecteur se reportera à l'indispensable et excellente synthèse : FABRIZIO CALVI et THIERRY PFISTER, *L'Œil de Washington*, Albin Michel, Paris, 1997. Deux sites documentaires sur le web constituent une bonne voie d'accès aux sources américaines, très abondantes. Celui de la revue française *Le Monde du renseignement* : http://www.indigo-net.com/dossiers/439.htm — Voir aussi le site de l'EFF (Electronic Frontier Foundation), http://gopher.eff.org/pub/Legal/Cases/INSLAW/, qui propose une variété de liens hypertextes.

recueillies. David Lange, Premier ministre de Nouvelle-Zélande de 1984 à 1989, avouera dans une préface à l'ouvrage de Nicky Hager : « Jusqu'à ce que je lise ce livre, je n'avais pas la moindre idée du fait que nous étions intégrés dans un réseau électronique international[1]. » Si important qu'il ait été depuis le début de la guerre froide, l'espionnage entre amis a été complété par d'autres outils, présentant l'intérêt primordial de n'être plus illégaux — ce qui fait mauvais genre quand on les utilise entre alliés — et tout aussi efficace. Ces nouveaux moyens, qui se développent au rythme effréné de l'Internet, sont ceux de l'intelligence économique, ou de l'exploitation scientifique des « sources ouvertes », contenant des informations disponibles gratuitement ou contre rétribution.

Aujourd'hui, dans la société de l'information, plus encore qu'hier, les sources ouvertes sont devenues une mine inépuisable pour qui sait en extraire le minerai informationnel. Sources ouvertes et renseignement font mauvais ménage, en raison de la différence de nature — légale d'un côté, illégale de l'autre — des moyens employés. Dans ce domaine, l'enjeu des années à venir consistera, par un jeu éminemment subtil, à ce que les outils forgés dans le monde militaire et dans celui des services secrets soient utilisés dans la société civile, et vice versa. L'UEO (Union de l'Europe occidentale), seule instance européenne compétente en matière de défense, peut ainsi noter : « Le renseignement fut longtemps une technique à finalité essentiellement militaire, à partir d'informations [de source] humaines. De nos jours, c'est le moyen d'aide à la décision qui inclut naturellement le domaine militaire mais le déborde largement, compte tenu des nouvelles menaces et des confrontations économiques, politiques ou religieuses[2]. »

1. *Secret Power, op. cit.*
2. Jacques Baumel, *Une politique européenne de renseignement*, Assemblée de l'UEO, document 1517, Paris, 13 mai 1996, p. 11.

ASSURANCES TOUS RISQUES

Dans ce contexte qui, pour être ignoré du grand public, voire des dirigeants d'entreprise, n'en constitue pas moins une grave menace pour les sociétés démocratiques, ce n'est pas sans une certaine frayeur que certains responsables économiques français se sont récemment émus, au point de tirer la sonnette d'alarme auprès des autorités politiques, du fait que les plus grandes sociétés d'audit internationales, toutes américaines, se réorientent actuellement vers l'intelligence économique, non sans engager un très important mouvement de concentration et de restructuration. D'aucuns y voient une menace d'une ampleur inégalée, d'autant plus inquiétante que la perception du problème par les entreprises françaises n'a pas droit de cité. Déjà, depuis quelques années, quelques chefs d'entreprise attentifs à l'évolution du secteur de l'audit avaient sonné de la corne de brume, également embouchée par la DST (Direction de la surveillance du territoire) : le secteur dans son entier, ou presque, était passé entre des mains américaines, faisant courir des risques terribles à l'autonomie nationale en matière de contrôle des entreprises. De fait, les fameuses *Big Five*, les grands de l'audit et du contrôle financier[1], sont contrôlés par des intérêts américains. Faut-il, comme le prétendent certains des responsables français du contre-espionnage, estimer que les entreprises nationales qui donnent à contrôler leurs comptes par ces firmes, se sont mises sous la coupe de la CIA auxquelles leurs auditeurs se référeraient en permanence ? Non, bien sûr. Pour autant, il serait puéril de penser que les services de renseignements américains n'ont pas tissé de liens avec leur dirigeants... Discrets, mais sûrement efficaces. Exactement comme les

---

1. Jusqu'alors appelées les *Big Six*, les firmes américaines dominant le secteur ne seront plus que cinq, Coopers & Lybrandt et Price Waterhouse ayant fusionné en 1998. Les quatre autres sont Ernst & Young et KPMG-Peat Marwick (qui ont abandonné leur projet de fusion), Deloitte Touche Thomatsu et Arthur Andersen.

responsables de la DGSE française aiment à entretenir des relations avec des « honorables correspondants » de haut niveau, ou des chefs de grandes multinationales françaises, quand ils ne leur envoient pas d'anciens membres de leur personnel pour établir des ponts permanents. Histoire de faire bénéficier les entreprises des « tuyaux » recueillis par les services, et vice versa.

Les principes de base de l'action secrète et de l'interpénétration entre les services et les grandes entreprises sont universels. Avec pour fonction, non seulement de faire bénéficier le tissu économique de la protection des organismes pratiquant l'action clandestine, mais également des bienfaits générés par la collecte illégale de renseignements. Faut-il s'interdire de penser que les entreprises américaines, spécialistes de l'intelligence économique et de l'analyse des marchés — au demeurant activités au statut très honorable — utilisent les informations recueillies sur les firmes françaises lors de leur audit par des groupes à présidence et directions américaines ? Non, bien sûr. Ils peaufinent de la sorte une connaissance intime du tissu économique national, vues pour elles-mêmes ou comme une porte d'entrée sur les marchés européens, contribuant ainsi au développement de stratégies dont les bénéficiaires sont d'abord les actionnaires dissimulés derrière les fonds de pension américains et les grands comptes de Wall Street. La firme Alcatel, brutalement victime d'une désaffection coordonnée de ses investisseurs américains, a pu mesurer les effets de ces stratégies, en perdant en quelques jours de l'automne 1998 une part considérable de sa capitalisation boursière. C'est aussi cela, la mondialisation et l'économie sans frontières. Les Français font de même quand ils contrôlent des entreprises étrangères, et personne ne s'en offusque. Encore faut-il le savoir, et ne point pécher par trop de naïveté, ni accuser à tort et à travers les Américains de pratiquer des méthodes partagées par tous les acteurs internationaux, quand ils sont en position de le faire !

Le risque que comporte l'utilisation éventuellement frauduleuse d'informations recueillies par les sociétés d'audit n'est pas le seul élément mis en avant par les plus vigilants des défenseurs des entreprises françaises. Ceux-ci s'inquiètent également, voire davantage, de concentrations capitalistiques qui auront pour effet de fragiliser la concurrence et de placer les entreprises clientes en position de faiblesse par rapport aux grands compétiteurs. Tel expert français d'une firme américaine d'audit s'indigne, devant nous, des accusations de déloyauté portée contre ses dirigeants, et nous affirme que jamais des informations confidentielles ne sont transmises à qui que ce soit hors de l'entreprise. Croyons-le sur parole, mais n'oublions pas que la dépendance totale vis-à-vis d'une poignée de fournisseurs, tous américains, ne peut guère contribuer à faire baisser les prix. La dépendance économique n'est pas un facteur qui facilite les relations, comme peuvent chaque jour en juger les firmes utilisant des logiciels de tous types, dont les prix font la culbute dès que leur utilisation est devenue indispensable.

La dernière en date des alarmes tirées par les protecteurs patentés du patrimoine français, la DST, concerne le secteur de l'assurance. Les plus grands groupes d'assurances (UAP et AXA[1], CNP, AGF) totalisaient en 1996 un chiffre d'affaires consolidé de 461 milliards de francs, qui leur est amené par des société de courtage, en quelque sorte des détaillants, qui vont au contact des clients pour leur vendre des contrats. Pour commercialiser correctement ces produits et leur affecter des primes adéquates, les courtiers doivent connaître intimement chacune des entreprises qu'ils assurent. Leurs ·points de vulnérabilité, leurs projets, leurs atouts du moment dans un marché concurrentiel, leurs lignes de produits et leur outil de production. Bref, tout. Si une société d'audit est en quelque sorte le conseiller économique de l'entreprise, qui lui signale les embûches à éviter comme le ferait un notaire avec un foyer, le courtier en assurance ressemble au médecin de famille : il connaît les rejetons, n'ignore aucune maladie, sait pratiquement tout

---

1. En voie d'achever leur fusion.

des forces et des faiblesses de chacun, et soigne les bobos quand ils surviennent. Or d'aucuns se sont inquiétés que, ces dernières années, plusieurs des plus importants courtiers d'assurances français ont changé de mains, pour se retrouver le plus souvent propriété de sociétés américaines.

A la demande du contre-espionnage, assez crispé sur ce dossier — à tel point que sa direction chargée de la « protection du patrimoine » est parfois taxée de « paranoïa » —, une étude a été menée par un groupe de travail de l'IHESI (Institut des hautes études de la sécurité intérieure), qui souligne, pour s'en alarmer « une concentration très rapide des cabinets de courtage avec une prise de contrôle des cabinets anglo-saxons sur ceux qui étaient notamment considérés comme les fleurons du courtage français ». Le rapport évoque la vulnérabilité, « inhérente à la prestation », des entreprises face à leurs assureurs, qui se doivent de garantir « la confidentialité des informations qui relèvent du champ de l'intelligence économique, voire de l'espionnage industriel (...). Le monde de l'assurance est un carrefour d'informations plus complet que ceux du conseil et de l'audit. Il cumule en effet ces derniers métiers avec ceux d'expert et de confesseur ; rien n'échappe au regard de tel ou tel intervenant : zoom financier, procédés non brevetés, savoir-faire, faiblesses techniques, fichier des personnels, dispositif de protection et failles éventuelles, soucis en matière de responsabilité civile (...), problèmes personnels des dirigeants, voire petits secrets du président, etc. La tentation est forte d'exploiter un tel gisement. De plus, un intervenant malintentionné peut aisément profiter de ses visites pour collecter de l'information sans rapport direct avec sa mission. Par ailleurs, de nombreux experts sont d'anciens membres des services spéciaux[1] ». Une accusation visant quasi explicitement la CIA, et souvent reprise dans les milieux français de l'assurance[2].

1. *Assurance et intelligence économique*, IHESI, Paris, mars 1998. Non publié.

2. JEAN-FRANÇOIS JACQUIER, « Les risques du contrôle américain », *Le Point*, 2 août 1997.

Mais là encore, faut-il s'en indigner? Les Français font exactement la même chose, et la firme d'intelligence économique Cognos-Intelynx, fondée en mai 1997 par deux ex-membres du bureau parisien de la fameuse agence Kroll Associates, ne compte pas moins de deux anciens responsables de la DST parmi ses cadres dirigeants : Yves Bauemlin et le préfet Bernard Gérard, directeur de la DST de 1986 à 1990, initiateur d'un programme d'intelligence économique auprès de mille petites et moyennes entreprises de la région Centre lorsque qu'il en était le préfet. Il estime que son engagement dans ce domaine se justifie sans difficulté : « Face aux agressions de tous types, la survie des entreprises dépend de leur capacité à se défendre de toute menace présente et future sur leur patrimoine, leur savoir-faire, leur notoriété, leur avance technologique et leurs avantages concurrentiels [1]. »

L'enthousiasme de ses anciens subordonnés est moins grand, qui regrettent la prolifération de société privées de renseignement économique, et s'en plaignent publiquement, comme le précise un commissaire de la DST : « Nous assistons depuis plusieurs années à une privatisation de la recherche du renseignement, dont l'Etat détenait le monopole par ses services jusqu'à un passé récent, et plus singulièrement dans le monde économique où les intérêts sont considérables. Dans ce milieu où se côtoient cabinets français et filiales de sociétés étrangères, amateurs ou professionnels, à la déontologie et aux méthodes parfois douteuses [2]. »

L'une des premières firmes mondiales de courtage, M&M (Marsh & McLennan), a acheté les français Faugère et Juteau en 1992, et Cecar en 1997, prenant ainsi la première place sur le marché français. Cette stratégie ne vise pas seulement la France, toute l'Europe est concernée :

1. *Le Monde du renseignement*, n° 321, 23 octobre 1997.
2. Eric Bellemin-Comte, « La protection du patrimoine économique, technologique et scientifique français : volet défensif de l'intelligence économique », *L'Armement*, janvier 1998.

M&M avait déjà acquis quelques monstres du secteur, pour mettre le courtage européen dans sa poche. En Grande-Bretagne, CT Browning avait été acheté en 1980 ; Henrijean, en Belgique, en 1984 ; Gradmann & Holler, en Allemagne, en 1990. A l'assemblée générale des actionnaires de M&M, le 21 mai 1997, le P-DG A.J.C. Smith a expliqué ce qui le motive : « Dans notre secteur de l'assurance et du risque, nous avons suivi une stratégie très claire tout au long des dernières années. Depuis le début des années 60, nous avons construit notre affaire aux Etats-Unis, par croissance interne et acquisitions. Quand nous avons été satisfaits de nos opérations, nous nous sommes dirigés vers l'Europe. » Et voilà ! En France, un autre géant américain du secteur, Aon, a acheté la firme SGCA (Société générale de courtage d'assurance), avant de prendre le contrôle du premier courtier en réassurance en Europe, Le Blanc & Nicolaÿ.

Nouvelles stratégies offensives

Dans l'Europe en cours de mise en place, il deviendra de plus en plus malaisé de distinguer ce qui différencie une entreprise française d'une autre. L'implantation de son siège social ? La nationalité de ses dirigeants ? Celle de ses actionnaires ? Le pays où elle réalise la meilleure part de son chiffre d'affaires ? Celui où sont implantées la majeure partie de ses usines ? Sa place de cotation boursière ? Pas si simple. De même, il n'est pas aisé de définir la nature du patrimoine économique national : environ le tiers de la capitalisation boursière de la place de Paris est détenu par des intérêts ou des citoyens américains, par l'intermédiaire, pour l'essentiel, des fonds de pension gérés à partir des Etats-Unis. La firme pétrolière Elf, l'un des bijoux de famille de la France, ne laisse pas courir de doute sur sa fidélité au pays, bien que 50 % de son capital soit détenu par des intérêts étrangers. S'agit-il des technologies sensibles mettant en jeu les capacités stratégiques du pays ? Le nucléaire militaire ? Bien que pour les nouvelles méthodes d'essais, qui font appel à des puissances phénoménales de calcul, la dépendance vis-à-vis des supercalculateurs US, et des lasers de puissance développés outre-Atlantique, soit plus forte que jamais! C'est encore plus compliqué dans le domaine des armements classiques : pratiquement plus aucun programme n'est purement national. L'espace, alors? Sans doute, bien que là encore la coopération internationale soit la règle.

Mais qu'en est-il du savoir-faire du TGV, dont tous les documents techniques ont été siphonnés par les Coréens lors de leurs appels d'offres sous prétexte d'études? Qu'en est-il de l'Airbus, dessiné et conçu en France, mais pour lequel huit cents entreprises américaines fournissent des pièces, dont certaines essentielles? Quant aux technologies de l'information, elles naissent indifféremment dans la Silicon Valley, en France ou n'importe où, sont aussitôt vendues sous licence, font travailler du monde partout et rapportent des dividendes à des actionnaires anonymes disséminés sur la planète. S'agit-il des savoir-faire, des « études amont » dans les grands laboratoires ou les PME, des secrets commerciaux et de fabrique? Ou d'un peu tout à la fois? S'agit-il des entreprises qui embauchent le plus de policiers, de militaires ou de hauts fonctionnaires partis en retraite? Bref, en matière économique et technologique, celle qui intéresse les espions au point de constituer, selon les sources et les pays, entre 60 % et 90 % de l'activité des services secrets, le « patrimoine national » n'est pas une notion simple à définir, et la tâche de ceux qui sont censés le protéger n'est pas des plus aisée.

Quand il s'agit de poursuivre des espions qui volent des informations gouvernementales, ou qui pillent les secrets des entreprises de manière explicite, les législations classiques demeurent valables. En France ou aux Etats-Unis, quelques affaires viennent régulièrement le rappeler. Mais dans un monde où la plupart des progrès techniques sont nés dans des laboratoires, dont les trouvailles font rapidement l'objet de communications entre chercheurs, où la presse scientifique et technique croule sous les publications d'articles vantant les mérites de telle nouvelle recherche, où un inventeur ne trouve rien de plus urgent à faire que de dévoiler ses secrets dans le dépôt de brevet qu'il est contraint d'effectuer, il a fallu que les protecteurs du patrimoine trouvent des idées neuves pour sanctionner des pratiques originales venant fausser — parfois gravement — le jeu de la concurrence. L'entrisme des services de renseignements au sein des entreprises est une pratique courante, et même une spécialité française.

Au début des années 80, la DGSE avait entrepris d'incruster plusieurs de ses agents au cœur de grandes entreprises américaines, qui y furent repérés, sans doute sur dénonciation[1]. Dans le monde de l'ombre, surtout quand les affaires concernent des pays amis, on s'arrange en général pour que la publicité soit minimale. Ce qui fut le cas lors de cette affaire américaine. Quelques années plus tard pourtant, le ministre de l'Intérieur, Charles Pasqua, rendait publique une affaire d'espionnage impliquant les représentants de la CIA à Paris, rompant avec une tradition bien établie. Il est vrai que la ficelle était un peu grosse, et que les agents américains s'y étaient pris avec une particulière grossièreté pour tenter de corrompre et de détourner de leur devoir plusieurs hauts fonctionnaires. Certains d'entre eux avaient immédiatement pris contact avec la DST, qui leur avait fait jouer le classique rôle de « chèvre », avant de prendre les « cousins » américains la main dans le sac. Rien que de très classique. Mais aux Etats-Unis, il est devenu courant que la presse rapporte des propos tenus par des responsables du contre-espionnage, qui désignent ouvertement les Français parmi les « pires[2] » des voleurs d'informations

1. Sur cette affaire, les deux essais de référence — à tonalité antifrançaise affirmée — sont : PETER SCHWEIZER, *Friendly Spies*, The Atlantic Monthly, New York, 1993. Traduction en français, *Les Nouveaux Espions. Le pillage technologique des USA par leurs alliés*, Grasset, Paris, 1993. Lire également : JOHN J. FIALKA, *War by Other Means. Economic Espionage in America*, W.W. Norton & Company, New York, 1997. On peut en outre se reporter à un roman féroce, très illustratif des points de vue de la communauté américaine du renseignement : DAVID IGNATIUS, *A Firing Offense*, Random House, New York, 1997.

2. *New York Times*, 12 janvier 1998.

technologiques et économiques. Certaines évaluations du FBI font état de trois cents milliards de pertes annuelles dues à l'espionnage, sans détailler les méthodes d'évaluation qui conduisent à de tels chiffres. L'Oncle Sam détroussé au coin du bois par ses maléfiques compagnons de route, en quelque sorte.

Les choses se corsent quand les entreprises désireuses d'acquérir de la technologie sans bourse délier, ni pratiquer les méthodes d'espionnage illégales, se contentent d'utiliser les outils de l'intelligence économique. Par ce moyen, en principe licite, elles recueillent par leurs propres méthodes des informations qu'elles font passer dans des moulinettes informatiques. Elles les triturent, les malaxent pour extraire une substantifique moelle nettement moins chère, et souvent plus utile, que celle acquise par les services de renseignements. Cette utilisation des « sources ouvertes » connaît un grand succès depuis quelques années, à l'initiative des grands services de renseignements. Car les mêmes outils qui permettent de gérer des flux énormes d'information de sources secrètes, et que les ingénieurs ont développés, en particulier pour la CIA, sont adaptés aux sources ouvertes. Cette récupération légale d'informations, mises bout à bout, permet de découvrir des secrets que leurs détenteurs légitimes croient strictement protégés, et constitue un nouveau défi pour le contre-espionnage. Les Américains placent, à côté des Japonais et des Allemands, les Français au premier rang des experts en la matière : « Alors que la plupart des associations industrielles avec des entités étrangères se révèlent économiquement avantageuses pour les Etats-Unis, des contacts suspects, rapportés par les industriels de la défense, indiquent que des étrangers emploient une variété de méthodes légales de collecte, pour tenter de récupérer des informations économiques appartenant aux Etats-Unis. En dépit de la nature légale de ces pratiques, elles peuvent constituer des éléments importants d'une collecte plus large dirigée par les services de renseignements. Finalement, cette collecte légale d'informations économiques, complétant les méthodes clandestines de l'espionnage industriel, dépeint le large éventail d'un programme de collecte économique dirigée par les services de renseignements[1]. » Démentir serait vain...

Pour tenter de donner des armes nouvelles à ses services spécialisés, le gouvernement américain a fait voter en janvier 1996 son *Economic Espionage Act*, signé le 11 octobre suivant par le président Bill Clinton, qui prévoit explicitement des sanctions contre les agents étrangers qui se livreraient à des activités coupables contre les intérêts nationaux en la matière. Quelques mois plus tôt, à la faveur du vote du nouveau Code pénal français, les députés avaient, eux aussi, réactualisé les textes français.

UNE PUISSANCE PUBLIQUE LARGEMENT IMPLIQUÉE

Le libéralisme a ses limites. Quand les dirigeants américains fustigent les aides publiques que les gouvernements européens accordent à leurs industriels, l'admonestation est purement incantatoire. Car, dans les affaires économiques, les subsides et les concours apportés aux entreprises privées par la puissance publique américaine sont considérables. Mais cet apport, sans doute nécessaire, n'est pas suffisant. Les entreprises américaines ont su faire des choix particulièrement judicieux, et prendre position sur des marchés essentiels, à partir d'intuitions véritablement géniales, en prise sur leur époque, anticipant la naissance, puis les évolutions de la révolution de l'information. Quand Apple invente le micro-ordinateur, quand Microsoft imagine un système d'exploitation pour les *personal computers*, quand Intel conçoit le microprocesseur, quand Netscape repère les étudiants visionnaires qui ont su forger un outil de navigation sur l'Internet, l'Etat américain n'y est pour rien. Ces firmes sont aujourd'hui maîtresses de la société de l'information, et la puissance fédérale a commencé à prendre

1. *Annual Report to Congress on Foreign Economic Collection and Industrial Espionage*, Nacic (National Counterintelligence Center), mai 1997.

peur, au point de déclencher des poursuites contre certaines d'entre elles, notamment Microsoft et son fondateur Bill Gates, accusées de fausser le jeu de la concurrence.

Il ne s'agit pas seulement de démarches technologiques. Quand l'Américain Tim Berners-Lee, dans son laboratoire du Cern à Genève, imagine le langage HTML (*Hypertext Markup Language*) qui va révolutionner l'Internet, sa démarche s'inscrit dans une lignée de recherches intellectuelles qui, dans la foulée des grands encyclopédistes, a permis à l'humanité d'organiser la masse de ses connaissances et de ses acquisitions de savoir. Sans doute, durant les décennies de la guerre froide et encore aujourd'hui, les fonds nécessaires à la recherche et au développement de technologies nouvelles ont-ils été largement dispensés par la puissance publique, notamment via les crédits du Pentagone ou de la Nasa. Mais parallèlement, les Etats-Unis ont su permettre à leurs citoyens, et à tous ceux qui veulent venir y travailler, de développer des initiatives, et de donner aux meilleures d'entre elles les moyens d'émerger. L'énormité de la ressource ne permet pas d'envisager dans un avenir prévisible un renversement des hiérarchies : même si la France donne un jour à ses propres inventeurs et visionnaires les cadres économique et réglementaire leur permettant de tirer leur épingle du jeu, l'échelle ne pourra pas être identique.

C'est devenu un truisme, dans les milieux français qui s'intéressent à la question, de fustiger le « fossé technologique » qui sépare aujourd'hui la France des Etats-Unis. Mais dans ce dernier pays, pouvoirs publics et industrie ont développé une politique massive de recherche, qui a culminé dans les années 80 avec les centaines de millions de dollars consacrés à la guerre des Etoiles. Les outils destinés à constituer un bouclier spatial n'ont pas vu le jour, mais les effets de cette politique ont été considérables : l'URSS a été contrainte de s'engager dans une course qu'elle n'a pas pu mener à son terme, et certaines technologies, aujourd'hui au cœur de la société de l'information — comme les constellations de petits satellites, entre autres —, en sont directement issues. Au pays du libéralisme, la puissance publique s'est engagée massivement, au point que dès 1989, l'Etat américain subventionnait plus de la moitié des dépenses mondiales de recherche. Dans le même temps, les entreprises finançaient la moitié de la recherche industrielle : « Les dépenses de recherche et de développement de l'ensemble de l'industrie française ou anglaise sont équivalentes à celles des trois premières entreprises américaine (General Motors, IBM et AT&T) (...). Le total des dépenses de pays comme la France ou le Royaume-Uni, tout compris, quelles que soient l'origine et la destination du financement, est équivalent à celui des huit premières entreprises américaines[1] ! » Une telle politique porte nécessairement ses fruits, et depuis des dizaines d'années, ce sont les chercheurs américains, dans tous les domaines, qui trustent les prix Nobel.

En outre, les Etats-Unis attirent les cerveaux mondiaux avec une constance qui ne se dément pas, et drainent dans toutes les universités du monde les meilleurs des étudiants, qu'ils se donnent les moyens d'attirer. C'est la politique menée à grande échelle à l'égard de la Chine, du Japon, de l'Inde, de l'Europe, de l'Afrique. Une des raisons les plus claires du déclin de la France en Afrique, comme nous l'avons déjà souligné, réside dans la suppression des bourses françaises aux étudiants des pays d'Afrique francophone, qui vient s'ajouter aux terribles difficultés dans lesquelles ils se trouvent pour obtenir un visa : où se dirigent-ils désormais ? Vers les universités américaines. Ces dernières n'ont peur ni de la couleur de leur peau, ni des réactions xénophobes de la part de la frange la plus extrémiste de leur population. L'intérêt national commande que ces élites viennent aux USA ? On leur en donne les moyens... Les entreprises sont mises à contribution, et les innombrables laboratoires universitaires sont largement dotés en financements par des entreprises, d'ailleurs pas nécessairement américaines.

1. Philippe Delmas, *Le Maître des horloges*, Odile Jacob, 1991. Seconde édition : Odile Jacob / Le Seuil, 1992, p. 279.

Ce sont également elles qui accordent des bourses et des stages, repérant de cette manière les meilleurs travaux et les meilleurs éléments, immédiatement recrutés à la fin de leurs études, voire incités à créer des *start-up*, ces petites entreprises innovantes. Leur manière de procéder est souvent la même : elles développent une idée, un procédé ou une technologie grâce à des fonds de capital-risque, et se revendent lorsqu'elles sont au point. Si elles échouent dans leur tentative, les responsables ne seront pas pénalisés par les investisseurs ou la puissance publique, mais incités, s'ils sont de bon niveau, à recommencer. En France, le capital-risque ne sait pas investir de cette façon, et personne n'ignore quelles sont les conséquences pour un chef d'entreprise d'un échec commercial ou industriel, ou d'un dépôt de bilan. Marqué au fer rouge, il n'aura guère la possibilité de disposer d'une seconde chance, à moins qu'il ne parte... aux Etats-Unis. Exactement comme le remarquait Jean-Jacques Servan-Schreiber dans *Le Défi américain*, il y a trente ans, c'est la capacité de ce pays à donner ses chances à l'intelligence des hommes qui le rend si puissant. La technologie ne vient que secondairement épauler ces efforts, et son développement spectaculaire n'est qu'une conséquence de cet état d'esprit !

11

Errances spatiales

IMAGERIE SPATIALE

16 janvier 1991. Demain, la guerre du Golfe va commencer et les bombes de l'opération *Desert Storm*, qui succède à l'opération *Desert Shield* engagée depuis le mois d'août précédent, sont déjà fixées sous les avions. Les troupes de la coalition menée par les Etats-Unis sont fin prêtes à lancer l'offensive. De l'espace, deux satellites d'observation photographique Keyhole 11[1] et un satellite radar Lacrosse ont fait parvenir au Pentagone, des images détaillées des objectifs que l'US Air Force, l'US Army et l'US Navy ont choisi pour leurs avions de bombardement et leurs hélicoptères d'attaque, de même que ceux de leurs alliés. Quelques heures avant que les bombes, d'une précision jusqu'alors inégalée, commencent à être larguées sur leurs objectifs, et tandis qu'il faut prévenir les grands pays alliés de la nature des frappes qui vont survenir — et que l'armée américaine a choisies seule —, un homme discret

---

1. Selon les informations disponibles, trois exemplaires de la dernière génération de satellite Keyhole, le KH 12 Improved Crystal, ont été lancés de 1995 à 1996. Ces engins transmettent leurs images en temps réel via des satellites-relais de communication, et possèdent de grosses réserves de carburant (sept tonnes) pour évoluer en orbite. Ils disposent de capacités de prises de vues infrarouge.

franchit le portail de l'Elysée. Il est américain, amiral, officiellement chef des attachés militaires de l'ambassade des Etats-Unis dans la capitale française, et porte un carton sous le bras. En réalité, Philip Dur est surtout le chef des services de renseignements de l'armée américaine, la DIA (Defense Intelligence Agency) en France. Sans attendre, les huissiers le font passer au premier étage, directement dans le bureau de François Mitterrand. Le militaire est venu, de la part du président George Bush en personne, présenter au chef de l'Etat français les images des cibles prioritaires des frappes aériennes. Les photos sont précises, claires, aucun détail n'y manque. Ce sont des images secrètes, affectées du plus haut degré de classification. En principe, puisqu'il s'agit de documents « US only », des étrangers ne sont pas autorisées à les examiner, et François Mitterrand apprécie le geste.

A l'issue de l'entretien, il désigne à l'amiral l'endroit où déposer les images. Afin que le Président·puisse les faire passer aux services de renseignements de son pays, qui apprécieront l'aubaine. Dur se raidit. Et annonce à son interlocuteur que, dès lors que ces images intéressent la sécurité nationale des Etats-Unis, il repartira de l'Elysée en les emportant sous son bras. L'humiliation n'est pas le genre de sentiment que les chefs d'Etat goûtent particulièrement, et François Mitterrand moins que quiconque. Le Président n'ignore pas qu'un programme français d'observation spatiale militaire, Hélios, se trouve dans les cartons de la DGA (Délégation générale pour l'armement). Un projet très avancé, après avoir survécu à bien des tergiversations et surmonté les difficultés budgétaires sous sa première appellation, Samro (Satellite militaire de reconnaissance optique). Mais la décision formelle de lancement n'est pas encore prise. Le Président doit dire son mot, débloquer les crédits.

Les Français ne sont pas des novices en matière spatiale, loin de là. Depuis le début des années 60, ils travaillent en particulier sur la question difficile des lanceurs. En réalité, ils ont concentré leurs efforts sur une famille d'engins bien particulière : les missiles balistiques, capables de lancer des armes nucléaires à partir de sous-marins stratégiques, ou d'autres modèles — des missiles dits sol-sol — qui pourront lancer leurs armes depuis le site provençal du plateau d'Albion. Ils ont acquis cette compétence au fil des années, sans lésiner sur les moyens financiers consacrés à cette aventure technologique, et se sont rapidement trouvés les seuls Européens maîtrisant les lancements de fusées. Les seuls qui auraient pu les accompagner sur une telle voie, les Britanniques, ont choisi la sujétion à la technologie américaine, et achètent leurs missiles stratégiques aux Etats-Unis. C'est parce qu'ils avaient acquis cette compétence que les Français ont pu être les promoteurs d'un des plus formidables succès industriels français : le lanceur spatial Ariane. Disposant d'une base spatiale proche de l'équateur, Kourou, qui leur permet de placer facilement les satellites en orbite, sans qu'ils usent de trop grosses quantités de leur précieux carburant, les Français, qui ont associé les Européens à leur programme, vont conquérir une part considérable du marché des lanceurs civils. Avant que les Américains et les Russes aient compris ce qui s'était passé, les Français et leurs partenaires européens, réunis dans Arianespace, avaient conquis 60 % du marché mondial de lancement de satellites ! Ce qui est bien. Mais pour ce qui concerne les « charges utiles » militaires, c'était plus problématique. Les Français savaient lancer des bombes très loin mais n'avaient jamais jugé utile de mettre en orbite des satellites espions. Il n'est jamais trop tard pour bien faire...

L'amiral Dur et ses réticences à laisser quelques images à ses alliés français permettront de franchir le pas. Le 6 mai 1991, le ministre de la Défense, Pierre Joxe, annonce officiellement que la France va entrer rapidement dans le club très fermé des puissances disposant de satellites de renseignement optique. Ses arguments sont nets, et la relation avec la défense des intérêts stratégiques français explicite : « Les mêmes raisons qui ont conduit la France à se doter d'un outil autonome de dissuasion nucléaire doivent nous conduire à développer une capacité autonome d'observation spatiale. » Quatre ans plus tard, ce sera chose faite, et le satellite Hélios s'envolera pour le cosmos de la base de Kourou, en août 1995. Une nouvelle ère s'ouvre pour le gouvernement français, qui disposera désormais d'un outil indépendant d'évaluation.

Au début de février 1998, stupéfiante nouveauté. Dans une démarche d'ouverture inédite depuis près de quarante ans, et la mise en orbite de leur premier satellite du programme Corona, en juin 1959 [1], les pouvoirs publics américains décident de donner au monde une idée des capacités de leurs moyens de reconnaissance spatiale. Ils choisissent pour ce faire la chaîne de télévision CBS, pour laquelle ils acceptent d'ouvrir la plus secrète de leurs agences de renseignements, dont l'existence même fut cachée jusqu'en 1992, le NRO (National Reconnaissance Office), et de montrer quelques-unes des images que les satellites envoient en permanence aux stations de réception terrestre.

Durant toute la guerre froide, les Etats-Unis, bientôt rejoints par l'URSS, furent les seuls à pouvoir entreprendre de l'espionnage à partir de l'espace. Tous les outils de l'espionnage technique (Techint, pour Technical Intelligence) furent successivement développés et satellisés, capables de faire de l'imagerie (Imint, pour Image Intelligence), de l'interception de communications (Comint, pour Communication Intelligence), de la surveillance radio-électrique (Sigint, pour Signal Intelligence), du contrôle de lancement de missiles, de la vigie océanique, etc. Les performances des engins satellisés par les superpuissances ont toujours été très étonnantes, les informations ainsi recueillies étant couvertes dans chacun des deux pays par le plus haut niveau de secret. Aux Etats-Unis, durant la guerre froide, seul le Conseil national de sécurité, parfois le Président en personne, à l'exclusion de quiconque autre que lui, voyait

1. Ce satellite transmettait des cartouches photographiques, éjectées de l'espace, entrant dans l'atmosphère au bout d'un parachute, et recueillies en vol par un avion Fairchild C-119 Flying Boxcar. Le premier recueil d'une cartouche Corona eut lieu en août 1960.

les documents les plus secrets transmis par les systèmes d'imagerie. Les technologies en œuvre à la fin du XXe siècle autorisent une précision étonnante, puisque les satellites de reconnaissance optique, c'est-à-dire ceux qui fonctionnent comme une grosse caméra vidéo installée dans l'espace, permettent de distinguer sur la Terre des détails de quinze centimètres[1] !

La démarche d'ouverture du NRO aux reporters de CBS constitue une innovation de taille et la presse ne s'y trompe pas : elle salue l'événement à sa juste valeur. Comme toujours, quand les services de renseignements décident d'aller au-devant des journalistes, le NRO et la Maison Blanche avaient une idée derrière la tête : il s'agissait de montrer au dictateur irakien, Saddam Hussein, alors en plein bras de fer avec les Etats-Unis, qu'aucune de ses initiatives ne pourrait être cachée aux optiques des caméras spatiales, et que le moindre de ses mouvements serait immédiatement décelé. Ce qui n'est pas tout à fait exact : les données recueillies avec des systèmes aussi puissants représentent une telle quantité d'informations qu'il faut encore, malgré les systèmes d'analyse très perfectionnés disponibles, beaucoup de temps pour en tirer des renseignements exploitables. Selon le directeur du NRO lui-même, les systèmes permettant de transmettre, depuis les stations de traitement au sol jusqu'au cockpit d'un bombardier en vol, les derniers éléments tactiques sur la cible qu'il doit atteindre, recueillis par des drones, des avions ou des satellites espions, font pourtant partie en 1998, des expérimentations non opérationnelles[2]. Pour autant, les satellites d'observation de la Terre ne sont pas une panacée. Malgré l'énormité de son appareil technique, la communauté américaine du renseignement a

1. On peut ainsi lire, de l'espace, les plaques minéralogiques d'une automobile. Pour constater les différences entre une image spatiale de quatre mètres de définition, et une autre d'un mètre, voir http ://www.fas.org/irp/overhead/nrochant.htm

2. KEITH HALL, « Remarks to the national network of electro-optical manufacturing technologies conference », 9 février 1998.

subi l'une de ses plus sévères humiliations quand elle s'est révélée incapable de prévoir l'explosion d'une série de bombes nucléaires en Inde, en mai 1998. George Tenet, patron de la CIA et chef de la communauté américaine du renseignement, confia à l'amiral David Jeremiah le soin de déterminer les causes d'une déficience aussi catastrophique. Ce dernier expliqua quelques jours plus tard que celles-ci sont à chercher dans l'incapacité des services à faire surgir l'information pertinente de la masse de celles qui lui parviennent : « Nous connaissons un déséquilibre entre la compétence des hommes qui interprètent les photographies, lisent les rapports, comprennent ce qui se passe dans une nation, et la capacité à collecter techniquement cette information. En langage de tous les jours, cela signifie qu'à la fin de la journée, il reste un horrible tas de trucs que nous n'avons pas vus. »

Pendant la guerre froide, les Français, qui avaient mobilisé la plupart de leurs ressources sur l'arme nucléaire, furent incapables d'entrer dans la compétition de l'imagerie spatiale militaire — « militaire » voulant ici dire « de haute définition », c'est-à-dire permettant de voir de l'espace des détails inférieurs à un mètre. Ils ne demeurèrent cependant pas absents du secteur, car ils mirent sur orbite une série de satellites civils Spot (Système probatoire d'observation de la terre), dont les armées recevaient les images. Ces satellites, dont le dernier-né de la série, Spot-4, a été placé en orbite le 24 mars 1998, permettent d'observer la Terre avec une définition de 9 mètres pour les images en noir et blanc, et de 5 mètres pour celles en couleurs[1]. Ce qui a permis aux armées françaises de n'être point complètement aveugles

---

1. La principale amélioration de Spot-4 par rapport aux précédents exemplaires de la série réside dans sa capacité à transmettre, grâce au système Silex, les images réalisées vers un satellite de transmission Artémis, qui sera lancé en 1999, et pourra les retransmettre en direct vers la Terre, y compris quand Spot-4 ne sera pas en vue directe de stations de réception au sol.

dans l'espace, dès la fin des années 80, et de monter à plusieurs reprises des « dossiers d'objectif » performants.

Modèles numériques de terrain

Durant la guerre du Golfe, au début de 1991, il y a déjà près d'une décennie, les images les plus précises des satellites américains étaient considérées comme trop secrètes pour être montrées aux opérationnels sur le terrain, qui devaient travailler en collaboration avec des armées étrangères[1]. Les militaires américains ne recevaient que des éléments graphiques partiels transmis pas la CIA, et non les images intégrales. Agacé, le Pentagone acheta à la société Spot Image, qui commercialise les photos du satellite français, des quantités de documents d'une définition moindre que celle qu'ils pouvaient obtenir avec leurs propres systèmes, mais qui présentaient l'avantage de pouvoir être transmises sans restriction sur le terrain, et surtout d'être montrées aux opérationnels. En fait, placer comme avec un papier-calque les éléments de la CIA sur des images Spot donnait d'excellents résultats. A l'issue du conflit, le Pentagone ne trouva rien de plus urgent que de commander à la société Matra trois stations mobiles de réception en direct d'images Spot, baptisées « Eagle Vision », et exploitées abondamment par la suite par l'US Air Force, singulièrement en Bosnie. L'armée française ne mettra en service que sept ans plus tard une station comparable, non seulement capables de recevoir les images de Spot, mais aussi d'Hélios. Cette nouvelle « station mobile Hélios » fut secrètement expérimentée, pour la première fois, durant les manœuvres européennes Eole, en juin 1998, avec succès. Installée dans un *shelter*, l'équipement de réception d'images, de traitement et de présentation n'était accessible qu'aux hautes

---

1. Ce n'est qu'en 1994 que le degré de classification de ces images spatiales a été abaissé au niveau « Secret collatéral », afin que les opérationnels puissent les utiliser sur le terrain.

autorités militaires et civiles autorisées à voir les productions Hélios, qui n'étaient pas imprimées mais seulement consultables sur les écrans des stations de travail. Gérées par la Direction du renseignement militaire, les images d'Hélios comptent aujourd'hui parmi les informations nationales les plus secrètes. A tel point qu'une décision ubuesque de la DRM a jusqu'à présent interdit qu'une station de réception de ces images soit installée sur le nouveau porte-avions nucléaire *Charles-de-Gaulle*, pourtant futur fer de lance des opérations extérieures françaises. Comprenne qui pourra!

Le plus intéressant dans les satellites d'imagerie modernes ne réside pas nécessairement dans les photographies qu'ils transmettent. Les temps ne sont plus aujourd'hui où l'on éjectait des cartouches photographiques, qu'il fallait développer dans des bains de révélateur. Désormais, les images numérisées sont transmises sous forme de données informatiques de l'espace vers des stations au sol, éventuellement via des satellites-relais. Chaque point (appelé pixel pour *picture element*) est affecté de trois caractéristiques (latitude, longitude, altitude). De plus, le satellite peut transmettre des vues stéréoscopiques, et préciser encore les prises de vues grâce à des passages successifs en orbite légèrement décalée. Les données sont enrichies par des sources diverses, et les cartographies réalisées seront, à la demande, orientées vers telle ou telle présentation spécifique : les cours d'eau, les lignes électriques, les zones situées à telle distance d'un point sensible, etc.

C'est l'ensemble de ces données qui constituera la vraie richesse des informations d'imagerie spatiale, car elles vont permettre de mettre sur pied des « modèles numériques de terrain ». Ces modèles seront mis à contribution pour constituer des cartes, lever des cadastres, préparer des dossiers d'objectifs militaires, intégrer des itinéraires dans les systèmes de guidage des avions ou des missiles. C'est pour cette raison que le Pentagone a décidé de créer une agence militaire spécialisée dans l'exploitation de l'information géographique dont il dispose, la Nima (National Imagery and Maping Agency). C'est pour cette raison encore que certains contrats d'armement sont si difficiles à négocier. Dans la bataille opposant les Français aux Américains pour la vente d'avions de combat aux Emirats arabes unis, l'un des points les plus épineux de la discussion du contrat, qui n'en manque pas, concerne les bases de données géographiques informatisées que les vendeurs sont prêts, ou pas, à céder aux clients du Golfe. Car ceux-ci ont exigé de pouvoir acquérir avec leurs avions de combat (Mirage 2000-9 et, par la suite, une génération plus moderne) des missiles de croisière performants, qui disposent en particulier de la capacité de se guider sur le terrain qu'ils survolent, en comparant ce dernier avec les images numériques embarquées dans l'ordinateur du missile. Comme le dit le géographe Yves Lacoste, « la géographie, ça sert d'abord à faire la guerre » ! Mais pas seulement. Et le nouvel enjeu stratégique de l'imagerie spatiale concerne la dualité des utilisations possibles.

L'analyse chromatique des images spatiales permet, par exemple, de déterminer la nature géologique précise d'un terrain, la pollution éventuelle d'une étendue liquide, le degré de maturité et la nature exacte d'une culture[1]. Quand les organismes européens qui subventionnent l'agriculture veulent vérifier la véracité des déclarations des paysans sur les jachères, ou la réalité de leurs déclarations sur la nature des plantes qu'ils ont semées, ils ont recours à l'imagerie spatiale. Plus moyen de faire passer un champ de blé pour de l'herbe, ou du maïs pour de l'orge ! Quand la France décide d'aider la Colombie à éradiquer la culture de la coca, ce sont des images de Spot qu'elle lui fournit. Les images satellitaires sont utilisées de façon croissante pour la surveillance de l'environnement, et l'évaluation des dommages

---

1. On peut lire une très intéressante étude sur l'analyse depuis l'espace des cultures de betteraves à sucre, qui concerne 200 000 agriculteurs en Europe : José Manuel Vasquez Rodriguez, « Le contexte mondial spatial, la télédétection et les besoins en information des entreprises », mémoire de DESS, université de Marne-la-Vallée, 1997, p. 58-61.

après une catastrophe naturelle. Quand elles sont complétées par les informations de localisation terrestre du GPS, les images spatiales deviennent absolument indispensables, non seulement pour les militaires, mais pour toutes les activités économiques. C'est au point que les technologies militaires sont désormais disponibles sur le marché civil, la grande différence entre les deux marchés se situant dans les définitions accessibles.

L'imagerie spatiale est ainsi devenue une industrie à part entière, centrale dans les stratégies politico-commerciales de la société de l'information, et constitue un *nouveau terrain de concurrence internationale*, d'autant plus vive que le marché n'en n'est qu'à ses débuts. Les Américains souhaitent profiter de leur avancée technologique pour éliminer leurs concurrents de cette compétition sur l'information géographique, qu'ils estiment cruciale. Naturellement, ils entendent faire valoir tous leurs atouts en la matière, en faisant profiter leur économie civile de leurs savoir-faire militaires. Dans un rapport préparé par le Sénat américain, destiné à promouvoir la création d'une agence spécialisée dans la collecte et la distribution des images spatiales, la NSDII (National Spatial Data Information Infrastructure), les auteurs notent : « L'économie américaine se trouve dans une position compétitive hautement avantageuse au plan international, et bien positionnée grâce aux riches outils d'information que son industrie a développés (...). Les Etats-Unis sont leaders dans la mise sur pied de standards vitaux pour l'intégration des données et de leur analyse, et les parlementaires jouent un rôle clé pour aider à structurer des normes internationales compatibles avec la technologie américaine et conformes avec nos approches en matière d'information géographique[1]. » Et le patron du NRO d'approuver la création de ce NSDII, « qui fournirait aux Etats-Unis un avantage économique et compétitif décisif dans l'économie globale[2] ».

---

1. *Geographic information for the 21st century : building a strategy for the nation*, National Academy of Public Administration, janvier 1998.
2. Keith Hall, *op. cit.*

Spot risque gros

Les Français ne sont pas complètement absents de ce marché, grâce à la commercialisation des images des satellites Spot. Ils possèdent près de 70 % du marché mondial de l'imagerie satellitaire, Spot Image réalisant environ 250 millions de francs de chiffre d'affaires annuel. Mais les images de Spot possèdent une définition insuffisante, qui risque de les exclure des futurs marchés civils, qui promettent d'être particulièrement profitables. Car les Américains, poussant leur avantage jusqu'au bout, s'apprêtent à commercialiser, dans les mois qui suivront la parution de cet ouvrage, des images d'une définition d'un mètre. C'est-à-dire comparable à la qualité offerte au gouvernement français, et à ses homologues espagnols et italiens, par le satellite Hélios 1A qu'exploite la DRM (Direction du renseignement militaire) depuis la fin de 1995. C'est parce qu'ils avaient tiré les leçons de leur absence dans le domaine de l'imagerie spatiale militaire, que les Français prirent tardivement la décision de lancer leur propre satellite d'observation, en 1991. Quatre ans plus tard, alors que le satellite français venait d'être placé en orbite, le gouvernement américain — qui dispose pour sa part d'images d'une précision près de dix fois supérieure — a pris la décision d'autoriser des firmes commerciales privées à vendre des images d'une définition de... un mètre !

Dès 1994, le président Bill Clinton avait donné son accord pour qu'il en soit ainsi, encore qu'avec de fortes restrictions à l'exportation en cas de crise et un contrôle sévère ! Les Russes commercialisaient déjà, dès cette époque, des images spatiales d'une résolution de deux mètres. L'avantage que les Européens avaient pris, en entrant dans le club des photographes spatiaux, fut de ce fait largement écorné. C'est d'autant plus vrai que les Allemands décidèrent de renoncer à accompagner les Français dans la réalisation d'un satellite optique de nouvelle génération, Hélios 2, préférant ne dépendre que des sources américaines, pourtant aléatoires. Bonn a ainsi cédé aux sirènes de Washington, qui l'invitait à ne point rejoindre les Français, mais à acquérir plutôt un satellite américain que proposait la firme Hughes. Finalement, les Allemands ont choisi de renoncer, contraignant les Français à se lancer seuls dans le programme, quitte à en réduire les ambitions. Pour en diminuer le coût, 12 milliards de francs, le ministère de la Défense envisageait au début de 1998 de ne construire qu'un seul satellite Hélios 2, renonçant ainsi à disposer d'un engin de rechange prêt à être placé en orbite, en cas de besoin. La décision des Allemands de se retirer du programme Hélios 2 est d'autant plus néfaste que, s'ils avaient accepté de rejoindre les Français, ces derniers auraient alors participé au financement du programme de satellite-radar Horus — sous maîtrise d'œuvre allemande — qui aurait donné à l'Europe une capacité d'observation de la Terre par mauvais temps. La DGA a désormais mis à l'étude un projet plus léger de petite constellation de satellites-radars utilisant des technologies émergentes. Sur des principes techniques comparables, les Américains proposent à leurs alliés européens de participer au système Discoverer 2, en cours de gestation.

Les Français ont pu mesurer, dès la mise en orbite d'Hélios, les bénéfices de leur nouvelle position stratégique : à plusieurs reprises, le satellite leur a donné la possibilité de nuancer fortement, voire de contredire, les avis émis par les Américains : lors de différentes crises irakiennes, y compris celle du début de 1998, ils ont pu disposer d'informations fiables et autonomes, surtout sur les mouvements de troupes très visibles par satellite, qui les ont puissamment aidés à prendre leurs décisions politiques. D'autres exemples portent sur les essais nucléaires chinois, qui ont pu être prévus, et indiens, qui avaient été annoncés par les Américains en 1996, et dont les Français avaient su très tôt qu'ils n'étaient pas du tout envisagés à cette époque. Mais quel sera leur avantage dès lors que des entreprises privées, comme Earthwatch, qui a lancé le 24 décembre 1997 son premier satellite, Earlybird[1], fournissant des images d'une résolution de trois mètres, offriront leurs produits aux Etats et aux entreprises? En fait, tous les grands programmes de satellites commerciaux d'observation de la terre vont proposer, d'ici l'an 2000, des capacités techniques bien supérieures à celles de Spot-4 et de son successeur Spot-5, qu'il s'agisse des satellites américains d'Orbimage (Orbview-3A, 1,2 mètre), Space Imaging Eosat (Ikonos, 0,82 mètre de définition), ou de ceux que des puissances réputées plus modestes s'apprêtent elles aussi à lancer dans les mêmes délais comme Israël (Eros-1/2, 1,5 mètre) ou l'Inde (IRS-P6, 2,5 mètres).

Surtout, la société Spot Image, qui ne disposera pas d'images de telles résolutions, risque fort d'y laisser beaucoup de plumes et de perdre définitivement des marchés prometteurs, qui ne seront pas compensés par les accords en cours de négociation avec certains nouveaux opérateurs, notamment américains. Dans l'état actuel des choses, le gouvernement français — en fait les militaires et le SGDN — s'oppose, pour des raisons de sécurité, à ce que la définition des futurs satellites Spot soit améliorée, pour atteindre 2,5 mètres de définition, comme il refuse toute idée de communiquer à Spot Images des photographies d'une définition d'un mètre... que les Américains mettront sur le marché dans quelques mois. Les firmes qui se livreront à cet exercice seront-elles toutefois rentables? Rien n'est moins sûr : une image satellitaire coûte une fortune, et les clients capables de payer le prix ne seront pas nombreux. C'est la raison pour laquelle c'est la puissance publique qui finance Spot, le produit de la vente des images ne permettant que dans une infime proportion de financer les frais engagés[2].

1. Tombé définitivement en panne quelques jours après son lancement. La société Earthwatch a prévu de lancer en 1999 ou 2000 deux satellites d'une résolution de 80 centimètres, Quickbird-1 et Quickbird-2.

2. Sur la non-rentabilité de ces systèmes spatiaux, lire : SERGE GROUARD, *La Guerre en orbite. Essai de politique et de stratégie spatiales*, Economica, Paris, 1994, p. 133.

Reste que, même si les espoirs de rentabilité sont lointains, il faut poursuivre dans cette voie en s'engageant sur les nouveaux marchés de l'image satellitaire détaillée. Mais dans notre pays, c'est impossible ! En France, détenir des images spatiales permet de se croire dans le secret des dieux. Pour un technocrate, civil et surtout militaire, c'est beaucoup plus intéressant que de contribuer à l'entrée du pays dans tous les secteurs de la société de l'information, voire de faire participer la puissance publique à l'économie concurrentielle ! Après avoir été pionnière avec la première mise sur le marché d'images de Spot dès 1986, la France court donc le risque de se retrouver rapidement dans le peloton de queue, alors qu'elle dispose de toutes les capacités techniques et de tous les moyens nécessaires pour rester aux premières places. Fermeture, blocage, incapacité à anticiper les évolutions stratégiques et l'irruption de la société de l'information vont-ils l'en empêcher ? Spot ne doit pas devenir le Minitel de l'espace ! Et encore ceci n'est-il rien à côté des catastrophes que pourrait entraîner l'évolution du système GPS, que nous évoquons un peu plus loin.

DES FRÉQUENCES TROP OCCUPÉES

Les enjeux stratégiques actuels ne concernent plus — à peu de chose près — les outils militaires jusqu'alors prépondérants. Quand un marché comme celui des communications mondiales s'apprête, toutes technologies confondues, à dépasser les mille milliards de dollars de chiffre d'affaires annuel, les appétits s'aiguisent d'autant plus vigoureusement que le secteur privé en est souvent le moteur. Si l'on considère comme important de pouvoir être présent sur toutes les mers du globe, quand on entend demeurer une puissance à l'ambition mondiale ou pouvoir frapper n'importe quel point de la planète avec des armes nucléaires (quoique !), il est évident que le nouveau terrain des affrontements se situe dans l'univers de l'électronique communicante, le cyberespace. Les compétitions en cours, comme celles qui se préparent, impliquent à la fois une Amérique aux tentations hégémoniques, et une Europe qui entre dans une ère nouvelle — celle de son unité économique grâce à l'introduction de la monnaie unique. Là se trouve l'une des trames des conflits stratégiques à venir, et ceux qui n'en sont pas conscients peuvent aller planter leurs salades : ils ne seront pas dans le coup !

Lorsque les firmes américaines ont eu la conviction que le volume des transmissions de données, y compris la radio-téléphonie, ne pourrait pas éternellement utiliser les traditionnels réseaux de communication filaires, ni même les gros satellites géostationnaires, elles imaginèrent le lancement de constellations de satellites, dont le premier est entré en service en novembre 1998. Il s'agit, pour la téléphonie mobile, des systèmes Globalstar (56 satellites, 4,2 milliards de dollars d'investissement), Iridium[1] (48 satellites, 5 milliards) et Ico (12 satellites, 3,2 milliards). Ces trois constellations devraient, selon les analyses disponibles, disposer de 15 millions de clients en 2004 et générer un chiffre d'affaires annuel de 20 milliards de dollars. Et pour les constellations spécialisées dans les transmissions de données, les principaux concurrents s'appellent Teledesic[2] (288 satellites, 9 milliards) et Skybridge (64 satellites, 3,5 milliards). Le principal avantage que ces systèmes offrent par rapport aux réseaux filaires actuels, mais aussi aux réseaux de téléphonie mobile comme le GSM européen, réside dans leur indépendance absolue par rapport aux installations terrestres. Qu'un correspondant disposant d'un téléphone mobile de ce type se trouve en Chine, et l'autre en Irlande, et les appareils entreront en communication sans que des stations terrestres interviennent. Dans ces secteurs, l'une des priorités devient la disposition de fréquences radio, qui seront rares tant le nombre de projets concurrents

1. Le dernier satellite de cette constellation a été lancé le 17 mai 1998, pour une entrée en service mondiale le 1er novembre suivant.
2. Le 21 mai 1998, Motorola a annoncé son intention d'abandonner son projet Celestri (63 satellites, 12,9 milliards), et de le fusionner avec Teledesic.

est abondant. Mais ce n'est pas le genre de difficulté qui encombre bien longtemps l'esprit des opérateurs américains.

Quand les promoteurs de l'une de ces constellations, Teledesic[1], destinée à transporter via l'espace de grosses quantités de données, avaient réussi l'exploit d'obtenir la quasi-totalité des voies de communications spatiales disponibles dans la « bande Ku » (10-18 Ghz) indispensable pour la mise en œuvre de ces systèmes, c'est avec l'appui de la Maison Blanche que cette opération s'était effectuée. Aucune autre constellation ne pouvait dès lors s'installer, puisque toutes les fréquences utiles étaient trustées par Teledesic. Cette opération, menée avec les plus traditionnelles méthodes de la conquête de territoires vierges, avait été rendue possible par la prescience des promoteurs de Teledesic, jouissant de la complicité active de leurs correspondants au Département d'Etat. Hégémonie active? Sans doute... Mais il s'est surtout agi de l'application d'une analyse technico-politique que les autres n'avaient pas faite; quand les promoteurs de Teledesic étaient déjà en train de négocier la captation en exclusivité de fréquences en principe disponibles pour tous, les concurrents en étaient encore, pour leur part, à envisager la faisabilité des programmes. Et il faudra l'énergie et la diplomatie de nouveaux acteurs du domaine, et singulièrement le Français Alcatel défendant son propre projet Skybridge, pourtant parti bien tardivement au combat, pour que l'organisme international compétent, basé à Genève, accepte de débloquer la situation, et de rappeler aux Américains que la pratique pionnière du « J'y suis, j'y reste », éventuellement valable lors de la conquête de l'Ouest, n'est plus nécessairement de mise aujourd'hui. Mais dans cette affaire, très révélatrice des nouvelles et discrètes batailles en cours, les Français ont dû arracher une à une les voix des pays possédant un droit de vote à la conférence mondiale sur les radiocommunications.

1. Bill Gates, patron de Microsoft, et Craig McCaw, créateur de la firme de communications cellulaires McCaw Cellular.

Pour les Américains comme pour les autres acteurs des communications spatiales à l'heure de l'Internet, les nouvelles constellations voulues, financées et lancées par les entreprises privées pour offrir des capacités lourdes à la téléphonie mobile et aux transferts de données ont rapidement trouvé des clients chez les militaires. Le Pentagone a annoncé au début de 1998 qu'il allait acquérir des milliers de récepteurs Iridium pour les déployer sur le terrain dans les poches de ses officiers, et il est évident que les autres nations feront de même, pour peu qu'elles soient présentes dans ce secteur. Ce qui sera le cas de la France, puisque plusieurs entreprises, dont France Télécom et Alcatel, sont partenaires de Globalstar. Dans ces conditions, les réseaux de communication spatiales militaires risquent de voire évoluer leurs spécifications, ne serait-ce qu'en raison des possibilités jusqu'alors inimaginables qui seront offertes par les sociétés civiles. Il en découle qu'un autre domaine qui n'est laissé de côté par aucun Etat par les temps qui courent, c'est celui qui concerne le contrôle et les interceptions des communications qui transiteront par ces systèmes satellitaires. Très généreux en informations sur leurs futurs systèmes, les promoteurs de ces projets sont d'une discrétion totale sur le sujet. Une seule chose est sûre : ces réseaux mondiaux ne laisseront pas les grandes oreilles dans l'ombre et les modules d'interception et de décryptage seront intégrés. Ce n'est pas demain que l'on sonnera la mort de Big Brother...

LA RADIODIFFUSION CHANGE DE SIÈCLE

Dans un autre domaine, celui de la radiophonie, des nouveautés, là encore d'origine privée, risquent de bouleverser le paysage mondial du secteur. Elles se développeront elles aussi dans l'espace, et auront un impact considérable sur l'avenir des communications de masse. L'idée en a germé un jour dans le cerveau d'un avocat américain natif d'Ethiopie, Noah Samara. Connaissant, pour l'avoir vécu, l'impact considérable des radios en Afrique et dans le reste du tiers monde, où les récepteurs radio FM fabriqués à Taiwan valent moins de trente francs, il imagina que rien ne serait plus simple que de se dispenser des lourdes infrastructures, de surcroît très chères, nécessitées par la transmission hertzienne des émissions en modulation de fréquence. Pour cela, il suffisait à ses yeux de numériser les émissions de radio, et de les transmettre depuis le studio non plus vers un relais terrestre mais vers un satellite dans l'espace. Trois satellites, en fait : l'un pour l'Afrique, l'autre pour l'Asie, le troisième pour les Caraïbes. Qui se nommeront comme il se doit Afristar, Asiastar et Caribstar composant du programme Worldstar. Noah Samara a monté sa société, Worldspace, et a levé des fonds significatifs sur lesquels les détails manquent, mais qui pourraient atteindre près d'un milliard de dollars, fournis en partie par la famille royale saoudienne. Ariane IV a lancé le premier satellite, Afristar, depuis Kourou, le 28 octobre 1998, et les trois satellites sont fabriqués à Toulouse par Alcatel Espace et Matra-Marconi Space.

Noah Samara compte financer simplement son programme : en louant des fréquences aux radios déjà en service, et singulièrement à celles financées par les Etats qui disposent d'une couverture mondiale : Voice of America, la BBC et Radio France International. Indice qui ne trompe pas : c'est la firme Bloomberg, qui a conduit une expansion très rapide dans le domaine de l'information financière, qui a signé le premier contrat. Mais des Etats sont également intéressés (premiers en scène : le Ghana et le Kenya), voire des forces armées : rien de plus pertinent que de disposer de la capacité d'arroser un territoire en cas d'intervention, et le ministère de la Défense français a déjà jeté un œil sur la question. Le seul vrai problème que Noah Samara doit désormais régler, c'est celui du prix des récepteurs. Ceux qui captent la modulation de fréquence ou les grandes ondes ne peuvent recevoir du son numérique, et les Africains qui ne disposent pas du revenu suffisant pour acheter des piles ne pourront pas s'offrir avant longtemps des appareils dont le prix avoisine aujourd'hui les mille cinq cents francs.

GPS, OU L'ARME ABSOLUE !

1990. L'opération *Desert Shield* prépare la guerre de cent heures contre l'Irak qui éclatera quelques semaines plus tard, l'opération *Desert Storm*. Au milieu du désert saoudien, les soldats français se préparent à agir. Certains équipements leur manquent, que les industriels sont chargés de leur fournir en quelques semaines. Notamment dans le domaine des « contre-mesures » électroniques pour les avions. Jamais personne, en revanche, n'a pensé acquérir pour les chefs de sections ces nouveaux appareils qui révolutionnent la navigation en mer, les petits récepteurs GPS (Global Positionning System), qui permettent à tout instant de savoir où l'on se trouve, à quelques dizaines de mètres près. Depuis 1989, les militaires américains ont commencé la mise en orbite d'une étonnante constellation de vingt et un satellites produits par Rockwell et General Dynamics, auxquels s'ajoutent trois *spares*, des engins de secours. En 1990, alors que la guerre du Golfe va commencer, moins du tiers des satellites sont en place, mais le monde de la navigation entre déjà dans une nouvelle ère. Le Pentagone a prévu que non seulement ses propres troupes pourraient utiliser ce système, mais qu'il serait possible pour n'importe qui d'acquérir des terminaux gros comme une calculette. Seule différence entre militaires et civils : les premiers disposeront d'une précision de vingt et un mètres, indispensable pour guider par exemple des missiles jusqu'à leur cible, quand les civils devront se contenter de cent mètres, ce qui est très suffisant, par exemple en mer[1]. Pour les militaires français arrivant les mains vides dans le désert pour engager la guerre du Golfe, ces engins auraient été fort utiles. L'état-major ne les a pourtant pas prévus dans les équipements : ce sont les cadres qui se les procureront eux-mêmes, sur leur

---

1. Chacun des vingt-quatre satellites émet sur deux fréquences en bande L, dont une seule est accessible aux civils. Pour utiliser les deux fréquences, il faut disposer d'une autorisation du Pentagone. Le client agréé peut alors acquérir les éléments permettant de recevoir la bande militaire cryptée, qui ne sont produits que par des firmes américaines. La procédure d'habilitation n'est jamais inférieure à dix-huit mois.

solde ou parfois avec les bénéfices des buvettes, en dévalisant les shipshandlers de toute la France.

Décidément, les outils conçus à la fin de la guerre frcide en association avec le programme de guerre des Etoiles, lancé par le président américain Ronald Reagan, trouvent les chemins de la fortune dans le monde nouveau. C'est en 1994 que les armées américaines terminent la mise en place de leur système révolutionnaire en faisant entrer le monde dans une nouvelle époque. Si, dans la société de l'information, le réseau GPS est une révolution à lui seul, c'est que les terminaux sont si légers — et si bon marché (moins de mille francs TTC en 1998) — qu'on peut en mettre partout. Dans le sac du randonneur pédestre, dans un taxi pour relever sa position et sa vitesse de déplacement, et repérer facilement les bouchons dans une capitale comme cela se fait à Paris, dans chaque autobus urbain pour suivre à la trace sa position, dans le cartable du géomètre qui effectue des relevés cadastraux. Et, surtout, dans les avions de ligne qui s'en servent pour rallier les aéroports, même dans le brouillard... Bref, partout. Le marché des récepteurs a de quoi faire rêver! Il était de 2 milliards de dollars en 1996, atteindra 9 milliards en l'an 2000 et sans doute 25 milliards en l'an 2005. Les Américains contrôlent naturellement l'ensemble — dont ils font exactement ce qu'ils veulent —, les utilisateurs devant se contenter de bénir le Pentagone de lui offrir gratuitement des informations. L'imprécision relative du GPS — pour qui n'est pas militaire américain — a été habilement compensée par les industriels, notamment européens, qui proposent des éléments complémentaires baptisés « GPS différentiel ». Bref, tout est pour le mieux dans le meilleur des mondes : la terre entière dépend totalement des Etats-Unis pour la navigation de ses mobiles. Il était évident que l'Amérique n'allait pas se contenter d'investir 10 milliards de dollars dans le GPS sans présenter un jour la facture. La voici...

Le gouvernement américain, par l'intermédiaire de la FAA (Federal Aviation Administration) a prévu d'interdire à partir de 2005 tous les systèmes de navigation aérienne existant actuellement, ce qui conduira progressivement les utilisateurs, y compris ceux qui ne le désirent pas, à renoncer aux systèmes de radio-navigation entrés en service avant le GPS. Il s'agit de plusieurs réseaux de radio-émetteurs sur lesquels les mobiles (essentiellement les navires et les avions) « calent » leur récepteurs et s'alignent, selon le principe de la goniométrie. Ensuite, le gouvernement américain lancera à partir de 2002, c'est-à-dire demain, quand plus personne ne pourra se passer du GPS, une nouvelle constellation de satellites, qui continueront à établir la distinction entre utilisateurs civils et militaires, mais garantiront à tous une précision de six mètres. C'est alors que la trappe se refermera : les Américains se sont unilatéralement garanti le droit de cesser sélectivement (par zone géographique) les émissions de leurs satellites, sauf pour les utilisateurs militaires, exclusivement alliés, qui auront acquis auprès d'un fournisseur exclusif, Rockwell, un composant particulier, intégré dans chaque récepteur, le SAASM (Selectively Available Anti-Spoofing Module). Celui-ci permettra d'intégrer au récepteur les informations fournies par les systèmes autonomes du bord, dont la centrale de navigation inertielle et l'altimètre. On mesure l'ampleur de la catastrophe, c'est-à-dire l'état absolu de dépendance dans lequel les Etats, les industriels et tous les utilisateurs de GPS vont se trouver à l'égard des Etats-Unis. L'Europe est actuellement incapable — politiquement, s'entend — d'investir plus de 50 milliards de francs dans un système comparable au GPS, et le seul recours réside dans un système plus lourd, moins performant et aussi aléatoire lancé par les militaires russes, opérationnel depuis 1996, le réseau Glonass. Les Européens sont donc en train de mettre sur pied un programme de navigation faisant appel aux deux systèmes, baptisé Egnos, dont les études ont été confiées à la firme française Thomson. Le système pourrait être opérationnel au début du siècle prochain. Pour plus tard, vers 2010, une petite constellation de satellites européens de navigation est envisagée. Ce système GNSS II (Global Navigation Satellite System II) compléterait dans un premier temps le système GPS, et pourrait suppléer une éventuelle coupure du réseau américain. Mais cette perspective demeure aléatoire...

VULNÉRABILITÉS CROISÉES

Dans un rapport remis en septembre 1997 au ministre de la Défense français, l'ancien délégué général pour l'armement Yves Sillard lance un cri d'alarme et évoque la menace « que ferait peser l'éventuelle interruption du service sur des branches entières de l'activité économique devenues dépendantes de son bon fonctionnement, la pénétration de tous ces secteurs par l'industrie américaine ; [elle] constituerait une arme particulièrement redoutable dans la guerre de l'information[1] ». A ses yeux, l'introduction du SAASM dans les terminaux GPS n'est rien de moins qu'« une arme absolue permettant aux Etats-Unis de neutraliser de façon individualisée le fonctionnement de chaque récepteur équipé de ce composant. En cas d'intervention décidée contre leur avis par un pays ou un groupe de pays alliés, le pouvoir de nuisance sur les systèmes d'armes engagés serait considérable, et le cas échéant capable de dissuader une telle intervention[2] ». Le lecteur imagine aisément l'effet que de telles dispositions aura sur la vente à l'exportation d'armes françaises qui intégreraient de tels terminaux GPS. Or de très nombreux équipements militaires (avions, chars, hélicoptères, véhicules tactiques et de combat d'infanterie, navires de guerre de toutes tailles, et même munitions dites « intelligentes ») intègrent déjà, souvent, des terminaux GPS pour se localiser, ou se diriger vers leur objectif. Dans moins de cinq ans, il suffira que le Pentagone tourne une clé pour que ces équipements deviennent aveugles, ou voient leurs capacités sérieusement dégradées. Le pire, c'est que les Américains, une fois de plus, n'ont rien caché de leurs intentions,

---

1. YVES SILLARD, *Rapport de mission sur certains aspects de la politique spatiale*, septembre 1997. Archives privées.
2. *Ibid.*

ni de la manière dont ils prévoient de les mettre en œuvre. C'est le Conseil de sécurité, donc Bill Clinton en personne, qui a rendu publique en 1996 la politique des Etats-Unis sur le sujet, arguant que « par le *management* et l'utilisation du GPS, nous cherchons à soutenir et améliorer notre compétitivité économique, tout en protégeant la sécurité nationale et les intérêts de la politique étrangère américaine. (...) Le département de la Défense (...) coopérera avec le directeur central du renseignement[1], le Département d'Etat et les autres ministères et agences appropriés pour établir les implications de l'utilisation du GPS en matière de sécurité nationale, de même que son développement et la mise en place de systèmes alternatifs de positionnement et de navigation par satellites[2] ». C'est clair.

Paradoxalement, les Américains ont pris conscience tardivement qu'il ne se trouvent pas dans une situation confortable. Certes, le GPS est un outil exceptionnel. Mais il est d'une fragilité extrême. Comme bien souvent les outils de la guerre de l'information, les technologies nouvelles ne sont pas sans faille. Celle du réseau GPS réside dans la faible puissance des émissions partant de l'espace vers la terre. Un simple brouilleur de fréquences, d'une puissance d'environ 4 watts, peut sans problème fausser les signaux reçus par les récepteurs terrestres, dans un rayon de 100 kilomètres. Et pour que la frayeur des Américains soit complète, une firme moscovite, Aviaconversia, a présenté en septembre 1997 un petit brouilleur portable, coûtant environ vingt mille francs, qu'un bon bricoleur pourrait fabriquer lui-même sans difficulté[3]. Résultat : à la demande de la commission présidentielle mise en place par le président Clinton en juillet 1997, l'IPTF (Infrastructure Protection Task Force), il

1. Le patron de la CIA est également DCI (*Director of Central Intelligence*), avec autorité sur l'ensemble de l'appareil d'espionnage américain.

2. National Security Council, *US global positionning system policy,* 29 mars 1996.

3. *Le Monde du renseignement*, 5 février 1998.

se pourrait, finalement, que les Américains ne renoncent pas complètement aux réseaux terrestres qui existaient avant le GPS, au nom de la sécurité apportée par la redondance des équipements! Pour autant, l'Europe qui ambitionne de faire jeu égal avec les Etats-Unis dans de nombreux secteurs de la société de l'information, ne peut ni ne doit rester en dehors de ce domaine stratégique du positionnement. Les cinquante milliards de francs nécessaires représentent indiscutablement une somme rondelette, mais de tels budgets sont souvent atteints, ou dépassés, par de nombreux autres grands programmes. Le tunnel sous la Manche a coûté plus cher, et les programmes militaires français conçus du temps de la guerre froide dépassent bien souvent les sommes qui seraient nécessaires. S'il faut faire des choix, les Européens seraient bien avisés de faire les bons!

Plutonium : l'étrange compétition franco-américaine

1991. Dislocation de l'URSS. La grande superpuissance s'effondre et avec elle les espoirs de conquête du monde rêvés par les dirigeants communistes depuis 1917, au nom de l'internationalisme prolétarien. A la fin de la seconde moitié du xxᵉ siècle, le naufrage d'un tel empire est synonyme d'éclatement de ses structures, d'explosion de ses réseaux économiques, de son architecture politique, de son appareil d'Etat et de son armée. Mais tout ne s'effondre pas aussi vite : la puissance militaire de l'URSS reposait sur un arsenal nucléaire stratégique redoutable. Capable de détruire plusieurs fois la planète, mais surtout d'atteindre les centres de décision de l'adversaire historique, les Etats-Unis. Sur terre, sur mer, dans les airs, la panoplie atomique de l'URSS relevait d'un inventaire d'épouvante. Souvent surévalué, toutefois, par les services secrets et les militaires occidentaux, qui voyaient dans cette menace majeure la source également majeure de leurs budgets et de leur pérennité. Il n'en demeure pas moins vrai que la découverte, lors de l'unification allemande, dans les coffres-forts de l'ex-RDA, des plans militaires du pacte de Varsovie, a rappelé que l'URSS avait bel et bien prévu de mener des offensives en Europe de l'Ouest. Elles auraient fait un large appel aux armes nucléaires, biologiques et chimiques, y compris si les forces de l'Alliance atlantique n'y avaient pas eu elles-mêmes recours. L'alignement des missiles, capables d'emporter chacun plusieurs têtes nucléaires et de les diriger indépendamment vers leurs cibles, avait de quoi faire frémir. Dans le long processus de désarmement qui avait démarré en 1969 avec les accords Salt I (Strategic Arms Limitation Talks I) l'URSS a systématiquement traîné les pieds lorsqu'il s'est agi de réduire les arsenaux nucléaires stratégiques — c'est-à-dire intercontinentaux —, tandis que les armements tactiques — ceux du champ de bataille — n'ont pas été concernés par les accords de désarmement. Il est frappant de constater que les accords Start II (Strategic Arms Reduction Talks II), qui prévoient la réduction à trois mille têtes de part et d'autre des arsenaux américain et russe, ont été avalisés par le Congrès américain en janvier 1996, quand la Douma, le Parlement russe, n'avait toujours apposé sa signature trois ans plus tard.

Lorsque l'éclatement de l'URSS a été consommé, les Occidentaux visés par l'arsenal russe en Europe, en Asie et aux Etats-Unis n'ont eu de cesse d'obtenir des assurances sur plusieurs points se rapportant aux missiles nucléaires stratégiques et tactiques. Le premier souci concernait la détention de la « clé » permettant la mise à feu de ces engins de mort. Dans un délai convenable, il a été acquis que les Républiques de l'ex-URSS, devenues indépendantes, ne posséderaient aucun pouvoir sur les engins provisoirement maintenus sur leur sol, et que la « clé » demeurerait au Kremlin. Une fois réglé ce problème, il fallut que la communauté internationale obtienne des garanties sur le contrôle physique de ces armes. Moyennant quelques tractations, parfois longues — et des dollars en quantité respectable — les nouvelles Républiques indépendantes qui en possédaient (Kazakhstan, Biélorussie et Ukraine) ont accepté de transférer ces vecteurs et leurs munitions atomiques sur le sol russe, ce point faisant l'objet en mai 1992 de la signature du « protocole de Lisbonne ».

Ce fut un soupir de soulagement, mais les affaires n'en demeuraient pas moins en l'état. Car l'ensemble de ces négociations reposait sur un schéma diplomatico-militaire plus large : celui du désarmement. Qui dit désarmement, en matière nucléaire, dit destruction des navires et des avions transportant ces missiles, comme de ces engins eux-mêmes. Pour la quincaillerie, pas de problème majeur : un coup de hache ici, un autre, là, de broyeuse à métal, et le tout repart en confettis à la fonderie. Il n'en va pas de même pour les matières nucléaires. Elles sont radioactives, polluent terriblement, leur recyclage ou leur stockage demandent la maîtrise de technologies complexes, donc chères. L'ensemble sous la menace, dans un pays revenu à l'anarchie dans toutes les branches de sa société, de voir ces matières, convoitées par les pays émergents cherchant à se doter de l'armement nucléaire, disparaître. Pour réapparaître dans des pays moyen-orientaux aux finances confortables — au premier rang desquels la Libye, l'Irak et l'Iran — où l'achat d'équipement permettant de fabriquer des armes nucléaires ne constitue pas un problème insurmontable.

On se souvient comment l'Irak était parvenu, avant 1990 et la guerre du Golfe, à acquérir, légalement ou non, la quasi-totalité des machines permettant de fabriquer une arme atomique nationale. Il n'en va pas de même pour les matières fissiles. Les produire nécessite une centrale nucléaire adaptée, souvent hors de portée technique et financière. Reste à les acheter. Et, dès la fin de l'URSS, les Occidentaux ont craint que les matières fissiles — produites par l'appareil militaro-industriel soviétique ou retirées des armes démantelées — fassent l'objet d'un juteux trafic par l'intermédiaire de la mafia russe, voire par certaines structures incontrôlées de l'appareil d'Etat, dont l'armée. Outre ce risque d'éventuelle prolifération de matières fissiles, un sérieux soupçon pesait sur certains techniciens et ingénieurs russes, mis sur la paille par la crise économique qui secouait leur pays, et soupçonnés de vouloir prêter des talents devenus mercenaires aux apprentis-sorciers.

Le soupçon était fondé sur des données inquiétantes. Les accords de désarmement et la réduction concomitante du nombre des armes nucléaires russes libèrent chaque année plus de cinq tonnes de plutonium et près de trente tonnes d'uranium hautement enrichi. Leur commerce étant proscrit, qu'en faire? C'est la question qu'ont posée, avant les Russes, les Américains et les Européens. La destruction de telles matières étant impossible, leur réutilisation éventuelle n'est pas une mince affaire. C'est alors que Washington s'engagea dans une étonnante opération de rachat de l'uranium russe, considérée parfois comme « l'une des plus intelligentes initiatives de l'histoire des Etats-Unis en matière de sécurité nationale[1] ». Depuis 1992, dans le cadre de l'accord Nunn-Lugar, les Etats-Unis accordent 80 millions de dollars par an à la Russie, durant vingt ans, pour l'achat d'uranium hautement enrichi de qualité militaire, envoyé aux Etats-Unis, stocké, et échangé contre du minerai d'uranium. Que les Russes remettront sur le marché, contribuant ainsi à une baisse considérable des cours mondiaux. En août 1997, la Cogema (en partenariat avec les Canadiens de Cameco et les Allemands de RWE, via leur filiale Nukem) a annoncé la signature d'un accord avec les autorités russes, pour le rachat de cet uranium... américain!

LA FRANCE S'ENGAGE DANS LE PROGRAMME AIDA

Le contrôle de la destruction des têtes nucléaires n'est pas prévu par les accords de désarmement, qui se contentent d'organiser la surveillance de la destruction des vecteurs. D'où ces images fréquentes de bombardiers stratégiques coupés en deux, les deux morceaux de ces appareils mutilés étant soigneusement rangés l'un à côté de l'autre, de telle sorte que leur destruction effective soit vérifiable par les satellites d'observation militaire. Mais pour les charges « utiles », si le mot a un sens en l'espèce, aucune vérification

---

1. RICHARD A. FALKENRATH : « The HEU (Highly Enriched Uranium) Deal », in *Avoiding Nuclear Anarchy, Containing the Threat of Loose Russian Nuclear Weapons and Fissile Material*, The MIT Press, Cambridge (Massachusetts), 1996, p. 230.

n'est prévue, chacune des deux parties estimant qu'ouvrir ses usines de démontage à l'autre lui donnerait accès à des informations secrètes, et devant le demeurer. Que font exactement les Russes dans leurs usines de démantèlement de Sverdlovsk, Tcheliabinsk et Krasnoïarsk? Problème : les sites prévus en Russie pour le stockage de matières nucléaires sont pleins. Or les Russes affirment démanteler deux mille têtes nucléaires par an et devront, d'ici la fin de l'an 2000, stocker les matières fissiles embarquées à bord d'une centaine de sous-marins nucléaires dont le démantèlement est en cours ou programmé. Cet héritage de la guerre froide n'est pas une petite affaire.

La catastrophe de Tchernobyl, cette centrale électronucléaire ukrainienne qui a explosé le 26 avril 1986, démontre qu'en matière de sûreté nucléaire, les problèmes ne peuvent être contenus à l'intérieur des frontières nationales. Tout le monde s'est donc penché sur le sort des matières russes, pour tenter d'aider les autorités de Moscou. Dont les Français, parmi les premiers. Lors de la première visite d'Etat en France de Boris Eltsine, du 5 au 7 février 1992, ce thème a été abordé avec le président français François Mitterrand. Et dès le 12 novembre 1992, Moscou et Paris signaient un accord, le programme Aida (Aide au démantèlement des armes) sur la destruction des têtes nucléaires des armes russes, dont le suivi a été confié à l'ancien commandant de la Fost (Force océanique stratégique), l'amiral Francis Orsini, président du Comité interministériel d'aide au démantèlement des armes nucléaires russes.

Le premier domaine dans lequel Paris a proposé son aide a concerné la fourniture de matériel permettant le démantèlement des têtes nucléaires, de même que le transport et l'entreposage des matières ainsi obtenues. Un exercice moins simple qu'il y paraît, qui a conduit les ingénieurs du CEA (Commissariat à l'énergie atomique) et leurs homologues russes du ministère de l'Energie atomique (Minatom) à procéder à de nombreux échanges entre Paris et Moscou. Pour la France, le plus important a consisté, dès le début des années 90, à aider les Russes à se préparer à transformer le plutonium militaire en un « carburant » recyclé, utilisable dans les réacteurs civils de modèle BN 600 et VVER 1000. Ce carburant, c'est le Mox (*mixed oxyde fuel*), un mélange poudreux d'oxyde de plutonium hautement radioactif et d'uranium appauvri, fabriqué à partir des têtes militaires démantelées. Parallèlement aux Français, les Allemands se sont lancés dans une initiative similaire, dont les deux parties européennes n'ont pris mutuellement et officiellement connaissance qu'en mai 1996, lors d'une réunion à Bonn. Les deux pays ont dès lors considéré qu'ils devaient mettre en commun leurs projets, pour ne poursuivre qu'une seule initiative, bilatérale cette fois. Chacun, parmi les administrations et les industriels concernés (à savoir la Cogema, filiale du CEA, en France et Siemens en Allemagne), a considéré que la meilleure procédure à suivre consistait à n'afficher face aux Russes qu'un seul interlocuteur franco-allemand.

Décidée lors du G7+1 (groupe des sept pays les plus industrialisés, plus la Russie) qui s'est réuni à Moscou en mai 1996, une réunion d'experts s'est tenue à Paris à la fin du mois d'octobre de la même année. Français, Allemands et Russes y ont confirmé leur désir de poursuivre l'initiative visant à produire du Mox à partir des armes démantelées, et qui doit aboutir à la construction, au début des années 2000, d'une usine-pilote capable de transformer chaque année en combustible civil 1,3 tonne de plutonium militaire. Une production qui ne suffira pas à consommer les 130 tonnes de plutonium disponibles en Russie à la fin du siècle, et qui nécessitera la construction postérieure d'une seconde usine, apte à retraiter 5 tonnes de plutonium par an.

Pour les Français, le fait de proposer aux Russes d'utiliser leur technologie de production de Mox est une excellente affaire, de deux points de vue. D'abord, au plan diplomatique, il était important que Paris, rejoint par Bonn, promeuve une politique européenne autonome, distincte de celle proposée par les Américains. Ces derniers ayant initialement pris d'autres options, Paris avait ainsi tout loisir d'apparaître comme un acteur important de la scène straté-gique, interlocuteur reconnu de Moscou en matière nucléaire. Cette opportunité ouverte par Washington n'a pas duré longtemps. Dès janvier 1997, les Américains chan-geaient leur fusil d'épaule, comme nous le verrons plus loin. Entre-temps, Paris et Bonn avaient joué finement, se pré-sentant en acteurs positifs du désarmement nucléaire russe. Le second intérêt de l'opération, et non le moindre, consis-tait pour la Cogema à trouver un débouché profitable pour sa technologie de fabrication du Mox. Pour Jean Syrota, son patron, les entreprises liées à la production de matières nucléaires ne peuvent plus compter sur les forces armées pour garantir leur pérennité. Cette assertion, qui reste à confirmer, tant les budgets affectés au nucléaire militaire demeurent importants, amène logiquement le pape de l'appareil nucléaire français à promouvoir sa reconver-sion : « Les programmes militaires, qui ont tenu une place importante dans les activités de l'industrie nucléaire, ne comportent pas de perspective de croissance, bien au contraire. En revanche, les éventuelles craintes irration-nelles du public de voir les programmes civils enfanter des programmes militaires peuvent nuire au développement d'une source d'énergie primaire compétitive et respectueuse de l'environnement. La demande de l'industrie nucléaire est seulement que les conditions ou restrictions au commerce nucléaire international, inévitables dans l'intérêt de la non-prolifération, soient justifiées, clairement définies et stables[1]. »

Déjà la Cogema recycle depuis 1995 le plutonium produit par les centrales nucléaires allemandes, après que la firme Siemens eut renoncé, sous la pression des écologistes, à fabriquer du Mox dans l'usine pourtant construite à cet effet à Hanau, dans la Hesse. La firme française possède une expertise reconnue de la production de ce combustible, d'abord réalisée à Cadarache, puis dans l'usine Melox que l'entreprise a ouverte en 1996 à Marcoule, qui pourra

---

1. *Le Monde,* 27 septembre 1994.

produire 120 tonnes de Mox par an. La production de Mox des usines françaises de la Cogema est accompagnée par d'autres usines européennes en fonctionnement à Dessel (Belgique) et Sellafield (Grande-Bretagne). Depuis 1987, EDF (Electricité de France) consomme du Mox dans certains de ses réacteurs électronucléaires. Ce qui permet de réduire la dépendance française vis-à-vis de l'uranium extrait du sol, puisqu'une tonne de Mox possède la même valeur énergétique que dix tonnes de *yellow cake*, l'oxyde d'uranium utilisé classiquement comme matière première nucléaire. Le plutonium ainsi transformé en Mox devient également une véritable matière première, négociable sur le marché comme du pétrole. Alors que le plutonium n'était jusqu'alors qu'une matière hautement stratégique, épouvantablement dangereuse, facilement proliférante, et à ces titres interdite de commerce international, car frappée de tabou, le Mox a permis de discerner la naissance d'une véritable « économie du plutonium ». C'est sur cette notion que s'est engagée une compétition discrète mais sérieuse avec les Etats-Unis.

L'AMÉRIQUE CHANGE DE CAP

Dans les années 70, quand l'Europe occidentale a commencé à s'engager dans le recyclage de son plutonium, le vertueux président américain Jimmy Carter interdit fermement que les Etats-Unis s'engagent dans des opérations en ce sens. Pour l'exécutif américain, soutenu par les groupes de pression antinucléaires, mais aussi par de nombreux experts du désarmement tel John D. Holum, président de l'Acda (Arms Control and Disarmament Agency), il était hors de question que le plutonium, qu'il sorte directement des réacteurs électronucléaires ou qu'il ait été porté à la qualité militaire, puisse jamais être reconverti en combustible civil. Les motivations américaines n'étaient point stupides : le plutonium étant la matière la plus toxique jamais inventée par l'homme, et de très faibles quantités

sorties du contrôle des Etats pouvant avoir des conséquences affreuses si elles tombaient entre des mains criminelles, il convenait de prendre les moyens d'en bloquer
l'usage et la circulation. Pendant plus de vingt ans, Washington a considéré que tout changement d'attitude de sa
part aurait pour conséquence de conforter les Européens,
mais aussi les Japonais également désireux de recycler le
plutonium produit par leurs centrales électronucléaires,
dans l'idée que cette matière diabolique pourrait être une
marchandise « ordinaire ».

Pour cette raison, d'autres voies furent choisies par les
Etats-Unis, avant l'éclatement de l'URSS, consistant à insérer le plutonium hautement radioactif dans des masses de
céramique ou de matériaux vitrifiés, puis à les stocker dans
des espace « protégés ». Une solution que la Russie rejette,
estimant quant à elle que ses stocks de plutonium trans-
formés en Mox et vendus sur le marché international représentent un trésor qu'il n'est pas question d'abandonner. Les
Russes estiment également que la « vitrification » du plutonium ne présente pas des garanties suffisantes de non-
réutilisation et qu'accepter de voir les Etats-Unis recourir à
une telle solution équivaudrait à un marché de dupes.
Washington a toujours rétorqué, sur ce point, que recycler
du plutonium pour en faire du combustible revenait à en
produire de nouveau, dès lors que l'uranium ou le Mox
brûlé dans une centrale électronucléaire produit... du plutonium ! Et que le seul destin convenant au plutonium, c'était
d'être retiré du circuit.

Ni la Russie ni l'Europe ne l'entendaient de cette oreille.
S'il est un domaine où, singulièrement en France, on
entend agir avec une importante marge d'autonomie, c'est
le nucléaire. Et Paris a continué dans cette voie, proposant
aux Russes de choisir sa solution. C'est le sens du programme Aida, et c'est bien ce dont Washington a pris pleinement la mesure : sur un sujet aussi sensible, il n'était pas
question de laisser Européens et Russes s'entendre sans que
la capitale américaine ait eu son mot à dire.

Après plusieurs mois de tergiversation et une forte implication de la partie russe dans ce dossier, mais surtout après que le président Clinton eut été réélu, l'Amérique a décidé de faire volte-face. C'est le 9 décembre 1996 que le secrétaire américain à l'Energie, Hazel R. O'Leary, annonça qu'une page était tournée : l'Amérique « adresse un message à l'humanité : nous sommes engagés dans des réductions nucléaires irréversibles, et voulons garantir que le plutonium excédentaire ne sera plus jamais utilisé pour fabriquer des armes nucléaires ». Son administration avait présenté les conclusions d'un rapport affirmant que la transformation du plutonium en Mox n'avait plus rien de choquant, et que ce serait même une manière convenable de recycler les têtes nucléaires russes. Cinq ans après les Français, sans doute, mais il n'est jamais trop tard quand il s'agit de reprendre une place où d'autres vous ont précédé.

13

Boeing contre Airbus, ou la lutte des géants

QUAND LE CIVIL « RETOMBE » SUR LE MILITAIRE

Il n'y a rien d'étonnant à ce que les oppositions soient farouches, entre l'Europe et les Etats-Unis, dans le domaine aéronautique. Depuis que les avions ont volé à la fin du siècle dernier, mais surtout depuis la fin de la Seconde Guerre mondiale, ces machines plus lourdes que l'air concentrent tout ce que les techniques de pointe permettent de rassembler. Dans le domaine militaire, les avions de chasse, de reconnaissance ou de bombardement sont des locomotives permettant de développer et de financer les recherches dans de très nombreux domaines : électronique, mécanique, alliages, optique, transmissions, moteurs, radars, instrumentation, informatique. Les Etats développés qui maîtrisent ces technologies sont souvent ceux qui ont conservé une puissante industrie aéronautique militaire, et ils sont peu nombreux : la Grande-Bretagne, la France, l'Allemagne, la Suède et la Russie en Europe. Et pour le reste du monde, les Etats-Unis. Tout ce qui concerne les technologies d'aviation militaire « retombe » sur le domaine civil, et les subventions massivement versées pour étudier et fabriquer des avions de combat bénéficient quasi directement aux constructeurs aéronautiques civils. Lorsque les Américains ont lancé leurs premiers quadriréacteurs civils dans les années 50, le Boeing 707 représentait une variante du ravitailleur en vol KC-135 Stratotanker, développé pour l'US Air Force et les escadres du Sac (Strategic Air Command) chargées du bombardement nucléaire de l'URSS. Les ravitailleurs offraient à ses appareils, dont le fameux B-52 Stratofortress, livré par Boeing à 745 exemplaires entre 1954 et 1962, la possibilité de faire un aller-retour sur leurs cibles à partir du territoire américain, sans avoir besoin de se poser pour faire le plein de kérosène. Et la génération suivante d'appareils civils gros porteurs, qui ont conquis la planète — le DC-10 de McDonnell Douglas et surtout le Boeing 747 — étaient les dérivés respectifs du ravitailleur lourd KC-10 Extender et du transport de troupes C-19, ce dernier ne voyant pas le jour dans sa version militaire.

Avec l'appui direct, massif et constant de la puissance publique, les avionneurs américains ont dominé durant un demi-siècle le transport civil mondial, et selon des économistes travaillant pour Airbus, les deux principales firmes américaines présentes sur le marché civil, Boeing et McDonnell Douglas, n'ont pas reçu moins de 23 milliards de dollars de subventions gouvernementales entre 1978 et 1988, dont 45 % à partir de budgets du Pentagone, aussi bien pour les cellules (l'avion lui-même) que pour l'avionique (électronique embarquée)[1].

Un jour de 1967, les Européens emmenés par la France en avaient eu assez, et décidé que les temps étaient venus pour eux de partager le gâteau du transport aéronautique mondial. Ce fut la naissance d'Airbus, considérée comme curiosité incongrue de l'autre côté de l'Atlantique. Pourtant, depuis plus de trente ans, les fabricants américains vivent dans la hantise de voir Airbus grignoter leurs parts de marché. Il faut se souvenir qu'une vente d'avion est génératrice de très nombreux autres revenus : au cours de sa vie, un appareil de transport sera payé une seconde, voire une troisième fois sous forme de pièces détachées, de remise à

---

1. MATTHEW LYNN, *Birds of Prey. Boeing vs Airbus, a Battle for the Skies*, Four Walls Eight Windows, New York, 1997, p. 191.

niveau technique, de prestations annexes (formation, soutien technique etc.).

Airbus a choisi, dès sa naissance, un créneau malin : celui des gros porteurs, mais pas trop. C'est-à-dire que la firme européenne a délibérément placé ses productions dans une gamme se situant sous l'imbattable B747, en offrant aux compagnies aériennes des appareils de capacité moindre, mais significative, permettant d'adapter l'offre de sièges aux évolutions souvent chaotiques du marché mondial. Lorsque le premier Airbus, le A-300, a décollé le 28 octobre 1972, Boeing a souri. Mais dès lors que la perspective de voir Airbus marcher sur leurs plates-bandes s'est vérifiée, lorsque la part des Européens sur le marché mondial des avions de plus de cent places a dépassé le succès d'estime pour atteindre 34 % en 1996, les Américains ont pris le taureau par les cornes et se sont adaptés, précipitant fin 1996 une décision qui paraissait inéluctable depuis des années. C'est le 15 décembre 1996 qu'Airbus eut la certitude, si besoin en était, que la partie serait difficile. Ce jour-là, Boeing et McDonnell Douglas annoncent leur mariage, passant par le rachat du second par le premier, pour un montant de 13,3 milliards de dollars. La nouvelle, pour ne pas constituer une surprise, est une bombe qui explose sous le nez des Européens, provisoirement incapables, pour leur part, de poursuivre dans la voie engagée avec Airbus, et de mettre sur pied une véritable industrie aéronautique européenne.

Le détonateur de la fusion entre ces deux emblèmes de la production d'avions de transport civil est bien entendu lié à une décision du Pentagone : c'est l'échec de McDonnell Douglas dans la compétition visant à fournir aux militaires son chasseur-bombardier polyvalent du xxie siècle, le JSF (Joint Strike Fighter), qui l'a précipité dans les bras de son éternel concurrent de Seattle. Dès lors que le Pentagone avait choisi de limiter la compétition entre les deux monstres de l'appareil militaro-industriel US, Boeing d'une part, Lockheed de l'autre, il était devenu limpide que la décadence relative de la firme irait en s'accentuant, puisqu'elle n'aurait pas accès aux cent milliards de dollars d'études et de développement générés durant trois décennies au moins par le lancement, puis les fabrications, de ce programme. Le mariage Boeing/McDonnell Douglas, annoncé dans les heures suivant l'échec de McDonnell Douglas sur le JSF, concrétise brutalement, pour Airbus, un cauchemar concurrentiel : la nouvelle entité représente 47 milliards de dollars de chiffre d'affaires en 1997, et 64 % de parts de marché dans l'aviation de transport civil mondial. De surcroît, le nouveau groupe sera puissamment irrigué par des subventions du Pentagone : quand Airbus ne touche pas un fifrelin des ministères européens de la Défense, Boeing/McDonnell Douglas verra 50 % de son chiffre d'affaires assuré par les commandes militaires américaines et étrangères, nettement plus juteuses que les commandes civiles. Quant au chiffre d'affaires, il provoque des torrents de sudation glacée chez les Européens. Aux 280 milliards de francs de recette du nouveau trust américain, Airbus ne peut opposer qu'un chiffre d'affaires près de six fois moindre, à 53 milliards de francs. De quoi frémir !

LA RIPOSTE EUROPÉENNE

Toujours est-il qu'avant (plutôt ?) que de se concentrer sur le seul moyen structurel de faire face à la concurrence américaine, à savoir le regroupement et la rationalisation de toutes les forces industrielles disponibles dans le domaine aéronautique sur le Vieux Continent, les Européens ont choisi de lutter sur le tapis vert. C'est le 19 mars 1997 que la commission de Bruxelles a lancé une enquête sur les conditions de la fusion Boeing/McDonnell Douglas ; en expédiant deux jours plus tard aux avionneurs américains sa « communication de griefs », Karel Van Miert, le commissaire européen à la concurrence, estime alors que les règles de la compétition internationale sont faussées par la mégafusion, et qu'il convient donc que l'Europe l'empêche, à défaut d'espérer voir les Américains accepter de leur plein gré de céder aux revendications du Vieux Continent. Outre-Atlantique, on n'a pas pris à la légère les menaces européennes : la réglementation sur les fusions datant de 1989 permet effectivement à la commission européenne d'enquêter sur tout rapprochement d'entreprises dont le chiffre d'affaires atteint 5 milliards d'écus, dont au moins 250 millions en Europe. Si les conditions d'une telle fusion lui paraissent contrevenir aux règles de la libre concurrence, la commission européenne est fondée à la refuser. Et si son refus n'est pas suivi d'effet, elle est alors à même d'imposer aux entreprises concernées une amende s'élevant à 10 % de leur chiffre d'affaires, tout en leur interdisant de vendre le moindre appareil en Europe.

Une perspective impensable pour les industriels américains, pour lesquels les compagnies aériennes européennes constituent des clients de choix. L'objectif stratégique américain ne consiste pas à éliminer Airbus du marché mondial, mais à le confiner dans le gros tiers de la part de marché qu'il détenait en 1996, tout en l'empêchant coûte que coûte de l'accroître pour atteindre la barre fatidique des 50 %. Pour les Américains, la fusion entre Boeing et McDonnell Douglas ne représente pas une menace sérieuse de constitution de monopole, puisque les prises de commandes civiles de McDonnell Douglas ne se sont élevées qu'à 3 % en 1996, contre 60 % pour Boeing. Une renégociation de l'accord américano-européen de 1992 sur les avions civils de plus de cent places permettrait à Bruxelles d'autoriser des subventions étatiques supérieures à 33 % des coûts de développement. Mais les Américains refusent, avec pour objectif affiché d'empêcher Airbus de lancer sur fonds publics les études d'un avion de 600 places concurrent du Boeing 747, qui nécessite plus de 40 milliards de francs de frais d'études. Conscients des enjeux commerciaux de ce projet, les quatre capitales européennes concernées par les principaux partenaires d'Airbus [Aérospatiale, Dasa (Daimler-Chrysler Aerospace), BAe (British Aerospace) et Casa (Constructiones Aeronauticas)] entendent, au contraire, aller de l'avant, et lancent leur gigantesque A 3XX au tournant du siècle.

Le problème ne réside pas seulement là. Les Européens s'inquiètent aussi des liens très étroits entre les productions militaires et civiles de la nouvelle firme. Boeing agaçait déjà les Européens quand ils analysaient les synergies entre les programmes civils de la firme de Seattle et ses programmes militaires majeurs : le nouvel avion-radar Awacs sur une cellule de B-767, le bombardier stratégique B-1B amené par Rockwell dans une fusion précédente, l'hélicoptère UH-56 Comanche avec Bell Helicopter Textron et surtout les futurs avions de combat F-22 et JSF, en collaboration avec un autre monstre du secteur, Lockheed-Martin. Les nouveaux et gigantesques contrats militaires et étatiques posés par McDonnell Douglas dans la corbeille de noces sont éloquents : on y trouve pêle-mêle des fusées lanceuses de satellites et les satellites pour la Nasa, le cargo stratégique C-17 Globemaster III, les chasseurs-bombardiers F/A-18 Hornet et F-15 Eagle, l'hélicoptère de combat AH-64 Apache, etc. Ces contrats militaires sont en arrière-plan de la discussion, car ils faussent le jeu : mis dans un « pot commun » au sein d'une même firme, ils constituent indiscutablement une source de rentrées massives d'argent public. Comment garantir que les sommes, généralement gigantesques, prévues pour l'étude de tel ou tel modèle militaire, ne sont pas diverties vers des programmes civils, ou simplement utilisées pour faire fonctionner des bureaux d'études travaillant pour les deux familles de produit ? C'est impossible. A cette première inquiétude légitime, les Européens ont ajouté une objection de poids. Ils ont considéré comme déloyaux les contrats signés par Boeing au printemps de 1997 avec trois de ses principales compagnies aériennes clientes, Delta, American Airlines et Continental Airlines. Au terme de ces accords, ces compagnies se lient pour une durée de vingt ans, et s'engagent durant cette période à n'acquérir que des matériels sortis des ateliers de Seattle. A la suite de ces remarques réitérées, les partenaires commerciaux ont renoncé, sur le papier, à cet arrangement, mais la FTC (Federal Trade Commission) américaine a approuvé le 1er juillet 1997 la fusion des deux géants, arguant, après avoir entendu les acteurs du dossier, que McDonnell Douglas n'était plus en mesure de continuer seule sa route : « La ligne de produit de MDD n'est pas seulement très limitée, elle manque également des technologies de pointe et des performances que Boeing et Airbus ont atteintes. »

LA FAIBLESSE STRUCTURELLE D'AIRBUS

Le début de l'été 1997 a été marqué par des opérations intenses de part et d'autre de l'Atlantique. Le commissaire européen Karel Van Miert a précisé ses menaces, que les Américains ont eu l'amabilité de prendre au sérieux, ce qui constituait une nouveauté. Travaillant en relation très étroite comme c'est l'habitude en de telles circonstances, l'équipe américaine (industriels, administration, Département d'Etat, Maison Blanche) a fait feu de tout bois et lancé un « lobbying furieux », selon la formule employée à cette occasion par le *Wall Street Journal*. Karel Van Miert a précisé avoir personnellement parlé avec les quinze ministres des Affaires étrangères européens, et que chacun avait été « contacté à très haut niveau, et même au plus haut niveau » par les autorités américaines. Bill Clinton allant jusqu'à appeler personnellement au téléphone quelques chefs de gouvernement européens, dont le Premier ministre luxembourgeois Jean-Claude Junker et son homologue italien de l'époque Romano Prodi, président en exercice de l'Union européenne. A-t-il aussi participé à la préparation de mesures de rétorsion contre l'Europe, mais surtout contre la France considérée — à juste titre — comme l'organisatrice de l'opération anti-Boeing? Ce n'est pas invraisemblable. Toujours est-il que le 23 juillet 1997 à Bruxelles, la commission européenne a donné son accord pour que la fusion Boeing/MDD s'accomplisse.

La raison officielle de cette approbation, c'est que les industriels américains avaient accepté, officiellement à la dernière minute mais en réalité depuis longtemps, de renoncer à leurs accords d'exclusivité avec les compagnies aériennes. L'Europe devait-elle se satisfaire de cette « concession » ? Rien n'est moins sûr. D'abord parce que la rationalisation des flottes aériennes impose une standardisation des équipements et une homogénéisation des modèles en service au sein d'une même compagnie, garanties de frais d'entretien et de logistique moins élevés. Ensuite parce que les conditions même des ultimes tractations indiquent que le climat de ces négociations a été marqué par une arrogance américaine de tous les instants, dénoncée à mi-voix par Airbus au soir de la décision, mais vilipendée par Edith Cresson, l'un des commissaires européens français. Elle a rapidement fulminé dès l'annonce de l'accord, estimant qu'il « ne retire rien au fait que la firme américaine, qui était déjà dans une position de supériorité énorme sur le marché, voit maintenant la flotte dépendant d'elle passer de 60 % à 80 % de la flotte mondiale[1] ». Sans doute. Mais il ne faudrait pas oublier au passage que plusieurs dizaines d'entreprises françaises sont des sous-traitantes de Boeing, dont la Snecma qui fournit à la firme de Seattle des réacteurs CFM 56, coproduits avec General Electric. De ce côté-là, Airbus a également des arguments à faire valoir : 800 entreprises sous-traitantes travaillent pour le consortium européen aux Etats-Unis, assurant l'emploi de 55 000 personnes.

La seule leçon qui doit être tirée de cette affaire, et qui consiste plutôt en un rappel, c'est que les maîtres du jeu ne sont pas européens. La faute à qui ? Aux Européens, justement. Ces derniers ont entre les mains les armes nécessaires pour batailler à force égale sur les marchés internationaux, et celles-ci sont d'abord d'ordre industriel et technologique. Les avions européens sont d'un niveau technique excellent, souvent même meilleur que ceux produits outre-Atlantique. Les outils industriels sont tout à fait à la hauteur. Aucune technologie n'est hors de leur portée, sur le papier. On a oublié un peu vite que l'extraordinaire avion supersonique Concorde avait paru impossible à fabriquer, en d'autres temps, et avait, déjà, fait ricaner les Américains. Qui ont

1. *Le Monde*, 26 juillet 1997.

ensuite agi en sorte que les débouchés commerciaux lui soient fermés. Mais c'est une autre histoire. Aujourd'hui, le problème de l'industrie aéronautique européenne repose sur l'incapacité du Vieux Continent à rassembler ses efforts.

A l'occasion de la fusion Boeing/McDonnell Douglas effective le 4 août 1997, de grands acteurs européens ont indiqué la marche à suivre. Pour une fois, il n'y a pas à se faire de nœuds au cerveau : une seule solution permettra que survive en Europe une industrie aéronautique capable de tenir la dragée haute à sa concurrente américaine. Celle-ci réside dans le rapprochement, dans une même structure, de tous les industriels européens du secteur. Ils sont quatre : British Aerospace et Dasa, en Grande-Bretagne et en Allemagne, et, en France, Aérospatiale et Dassault Aviation. Quand le président de la commission européenne, Jacques Santer, invite les pays de l'Union à « examiner sérieusement les conséquences de la globalisation économique sur son industrie aéronautique », ou quand Helmut Kohl, le chancelier allemand, précise que « l'Europe doit donner une réponse claire à la concurrence américaine en créant son propre grand groupe », ils ne profèrent qu'une évidence. On sait que ce sont malheureusement elles qui ont le plus grand mal à se concrétiser.

Où le bât blesse-t-il? Pas en Grande-Bretagne ni en Allemagne. British Aerospace et Dasa, deux entreprises privées, ont pris les moyens de se rapprocher. Dès le début de 1997, des spécialistes français de l'intelligence économique ont discerné les premiers signes concrets de la naissance d'un axe germano-britannique — les prémices d'une fusion — avec l'échange entre les deux firmes de cadres de haut niveau. Qu'elles aillent plus loin, et que leur rapprochement soit inéluctable, ressort de la simple logique. Déjà converties, chacune, aux bienfaits des synergies civilo-militaires, elles sont partenaires de deux programmes industriels majeurs : Airbus dans le domaine civil, et le chasseur Eurofighter dans le secteur militaire. British Aerospace et Dasa ne demandent qu'une chose : que les Français entrent dans la danse, et qu'Aérospatiale mais aussi Dassault Aviation viennent les rejoindre sur la piste. Fin octobre 1998, ces deux entreprises ont fait monter la pression, en annonçant leur fusion prochaine. Ce qui aurait pour effet immédiat de leur faire prendre le pouvoir dans Airbus, au grand dam des Français.

Un seul statut est envisageable, affirment Dasa et BAe : celui d'une société anonyme de droit privé, sans participation des Etats. Et c'est là que les choses se compliquent. Aérospatiale est une entreprise aux capitaux largement publics, dont l'éventualité de la privatisation mille fois évoquée, cent fois repoussée, par tous les gouvernements, est nécessaire pour qu'elle participe au grand jeu européen avec son savoir-faire indispensable à Airbus. Dès l'arrivée de Jacques Chirac à l'Elysée, le gouvernement d'Alain Juppé et la présidence de la République ont annoncé et commencé d'organiser la fusion Aérospatiale-Dassault. Dont on ne dira jamais assez qu'elle constitue le premier pas indispensable à toute naissance d'un nouvel édifice aéronautique européen. Plus de deux ans de tergiversations, de reculades successives, de manœuvres retardatrices ont été mis à profit par Serge Dassault, le patron de Dassault Aviation, pour retarder — indéfiniment, espère-t-il — l'échéance. Héritier d'un grand nom et d'une belle entreprise, excellemment gérée, bénéficiaire de fabuleux contrats militaires d'Etat garantis sur le long terme, il entend préserver son indépendance ou ne l'aliéner qu'à des conditions fixées par lui-même. C'est-à-dire draconiennes. En décembre 1998, les choses paraissaient pourtant évoluer dans le bon sens, et Dassault paraissait se rapprocher enfin d'un accord sur l'intégration de son entreprise dans le futur grand édifice européen.

Si Aérospatiale répugne si fort à ce que sa division avions intègre une entreprise Airbus où les capacités de chacun se fondraient, et où le rôle historique de la France risquerait d'être oublié, c'est entre autres raisons pour ne pas perdre la haute main sur un bureau d'études ultraperformant, d'où sont sortis les Airbus qui sillonnent aujourd'hui la planète. Et si Serge Dassault vit comme un viol sa fusion programmée avec Aérospatiale, c'est qu'il craint de voir s'y abîmer son bureau d'études, joyau des joyaux mis sur pied par Marcel Dassault, son père, le génial fondateur de la firme.

Restructurations en bonne voie

Dans la rivalité industrielle farouche qui oppose les industriels américains de l'aéronautique et de l'armement à leurs compétiteurs européens, deux évidences se conjuguent : d'abord, la réduction des budgets militaires apportés par le Pentagone a imposé aux industriels américains des restructurations massives, qui se sont concrétisées par des rapprochements spectaculaires. Les concentrations ont eu pour effet de réduire le nombre des pratiquants de chaque « métier », et de rationaliser ce secteur militaro-aéronautique. Mais la seconde évidence, c'est que les Européens pensent très petitement. Ils ont le plus grand mal à comprendre que l'époque des budgets militaires fastueux, offerts sans discuter par des Etats riches, et très accessibles aux arguments du complexe militaro-industriel, est révolue. Le problème de l'industrie européenne de défense se pose en termes simples, évoqués par un ancien ministre français à l'occasion de la publication d'un rapport sur les ventes d'armes, dans lequel il évoquait à juste titre le « risque d'écrasement » de l'industrie européenne : « Il n'est pas actuellement un seul marché national en Europe qui excède le septième du marché intérieur européen. Les pays de l'Union européenne comptent dix fabricants d'avions et d'hélicoptères de combat, contre cinq aux Etats-Unis, onze fabricants de missiles contre cinq, dix fabricants de véhicules blindés contre deux, quatorze chantiers navals contre quatre. La chiffre d'affaires du premier groupe américain de défense représente près de deux fois le budget d'équipement français qui est lui même, actuellement, le plus important d'Europe occidentale[1]. »

1. Bruno Durieux, *Mission de réflexion et de proposition sur la politique d'exportation des équipements de défense*, rapport au Premier ministre, 31 mars 1996.

N'importe quel esprit normalement constitué penserait que nécessité fait loi, et que les industriels du Vieux Continent ne doivent plus avoir qu'une seule priorité : sauver leur base économique, concentrer leurs moyens, se rapprocher pour retrouver les conditions optimales permettant d'envisager l'avenir sans trop d'inquiétudes. Or, que voit-on? Que si les industriels allemands et britanniques paraissent effectivement prêts à se lancer dans cette aventure, les Français ont très longtemps traîné les pieds. Sans doute, les décisions prises par Jean-Luc Lagardère pour son groupe, Matra, rapproché des Britanniques de GEC-Marconi dans le secteur spatial, et de British Aerospace dans celui des missiles, sont-elles positives; comme l'est celle de restructurer l'industrie électronique de défense française, prise par le gouvernement de Lionel Jospin, en vendant une partie du capital de Thomson à Dassault et Alcatel. Mais les partenaires européens de la France ont longtemps attendu d'autres avancées, que le gouvernement français n'avait pas semblé prêt à leur accorder tant que la privatisation partielle d'Aérospatiale associée à une fusion avec Matra n'avait pas été mise sur les rails et annoncée le 22 juillet 1998. Mais l'Etat français conservera encore près de la moitié du capital de la nouvelle entité, et un droit de veto. Pour autant, ce pas de géant – provoqué par la crainte d'accords européens excluant les Français – doit être suivi d'autres, avant que soit atteint le bout de la route, à savoir la fin de la participation capitalistique de l'Etat à ces secteurs industriels. Telle est la toile de fond du débat actuel entre Européens.

Il porte sur la naissance d'un colosse de l'aéronautique, taillé pour la course, à même de s'opposer sur les terrains mondiaux à son compétiteur américain. Il sera également nécessaire de procéder à de nouvelles opérations du même genre dans les domaines spatial, électronique de défense, construction navale, armement terrestre. La France s'y oppose, comme toujours, dans tant de secteurs, arc-boutée sur ses certitudes, son centralisme, ses vétustés, son désir de ne provoquer aucune secousse sociale. Ses arguments ne sont pas à rejeter d'un bloc : la globalisation de l'économie a trop souvent des conséquences terribles sur les équilibres sociaux pour qu'on néglige cet aspect. Pour autant, faut-il continuer à attendre éternellement, à ne pas faire face à la réalité et à fermer les yeux ? Certes, non. Il est acquis que, dans tous les cas de figure, la situation devra évoluer sous la houlette du nouveau patron d'Airbus, Noël Forgeard, qui a pris ses fonctions au début de 1998.

Mais, là encore, deux logiques s'affrontent : celle de la France, qui veut conserver ses acquis historiques mis au goût du jour par des évolutions structurelles tardives et encore insuffisantes, et celle des deux industriels Dasa et British Aerospace, qui raisonnent en capitalistes pur sucre. L'arrivée de la monnaie unique européenne va précipiter des alliances, et voir naître de nouveaux empires. A la France et à ses industriels de décider s'ils veulent participer à cette aventure ou s'en tenir peu ou prou à l'écart. Mais si cette dernière hypothèse l'emporte, ils savent à quoi s'en tenir : entre un pitbull industriel américain qui leur sautera à la gorge, et un bulldozer européen sur lequel ils n'auraient pas su grimper, les Français et leur « spécificité » nationale ne feraient pas le poids.

14

Armes, mensonges et corruption

Dassault en compétition

« Le général de Gaulle m'a beaucoup parlé de vous ! Il vous admirait beaucoup. » En descendant de son Airbus sur la piste de l'aéroport d'Abu-Dhabi, le président Jacques Chirac sait que le compliment ira droit au cœur de son hôte, le cheikh Zayed ben Sultan al-Nahyan. La ficelle est un peu grosse, mais qu'importe ? En ce jour de décembre 1997, le président français est venu aux EAU (Emirats arabes unis) parler de politique et de diplomatie avec le cheikh, et il ne saurait être question de laisser paraître, au premier contact, que la principale motivation de ce voyage est économique. En l'espèce : faire avancer la signature d'un très important contrat de livraison de Mirage 2000, un avion de chasse qui équipe déjà l'armée de l'air émirienne, mais dont cette dernière souhaite compléter le parc.

Jacques Chirac estime qu'il est de son ressort, et de son devoir, de soutenir les exportations françaises partout où il peut les aider. Il juge que les représentations diplomatiques françaises se doivent de prêter main-forte aux industriels qui les sollicitent. « Vous savez combien je me suis investi personnellement dans ce combat », lance-t-il aux représentants de la France à l'étranger, lors de la Conférence des ambassadeurs qui se tient le 27 août 1997 à l'Elysée. « Notre présence est encore trop concentrée sur l'Europe et notamment l'Union européenne. Elle est trop faible dans les pays émergents. Nos petites et moyennes entreprises ne sont pas suffisamment actives dans les pays qui ont le plus fort potentiel de croissance. Il vous revient, depuis vos postes comme lors de vos séjours en France, à Paris ou en province, d'alerter nos entreprises sur les possibilités que peuvent offrir vos pays. Il vous revient aussi de proposer toutes les initiatives susceptibles d'accroître les chances de nos produits sur les marchés mondiaux. »

Depuis 1995, il n'est pas un seul de ses nombreux voyages où le président Chirac ne remplisse son Airbus d'invités de choix : des industriels. Il les chouchoute, les dorlote, les aide à prendre pied sur des marchés qu'ils ne connaissent pas bien, les introduit auprès de ses interlocuteurs quand ils ne sont pas implantés dans le pays, leur donne le coup de pouce politique indispensable quand ils sont déjà présents sur place. Un exercice que son prédécesseur n'entreprenait que contraint et forcé, très rarement. Mais que les chefs d'Etat de grands pays aiment à pratiquer. Margaret Thatcher y excellait. Bill Clinton mouille en permanence sa chemise, se pend au téléphone lors des grandes compétitions internationales. Jacques Chirac est de la même eau, et il a ses idées sur la question. Il « tâche de transmettre aux uns et aux autres le feu sacré qui l'anime[1] ».

Les compétitions économiques franco-américaines sont féroces, mais celles impliquant les armements le sont plus encore que les autres. Comme l'aéronautique, l'armement est source de fortes valeurs ajoutées, de budgets de maintenance et de rénovation s'étendant sur vingt ou trente ans, et de marchés pratiquement garantis sur le long terme : autant les voyages sont devenus indispensables dans la société mondialisée, autant les guerres ne s'éteindront pas de sitôt. Depuis que l'homme est sur la Terre, il se bat les armes à la main. La nouveauté de cette fin de siècle est que le conflit armé n'est plus un mode de règlement des contentieux entre

---

1. Hubert Coudurier, *Le Monde selon Chirac. Les coulisses de la diplomatie française*, Calmann-Lévy, Paris, 1998, p. 161.

Etats démocratiques et développés. La fin de la guerre froide a eu pour corollaire une baisse vertigineuse des budgets militaires des pays occidentaux, singulièrement des Etats-Unis et des grands pays européens, y compris la France. Pour que les modernes industriels de l'armement, gavés par quarante années d'opulence, continuent de faire tourner leurs usines et de verser des dividendes convenables à leurs actionnaires, plusieurs solutions se présentent à eux. La première, c'est la diversification. Les Français n'ont jamais fait la preuve de grands talents dans ce domaine, mais quelques-uns ont tiré leur épingle du jeu : Aérospatiale en se lançant dans l'aventure Airbus, Alcatel en prenant un virage sur l'aile pour s'engouffrer sur le marché des technologies de l'information tout en gardant un pied dans les affaires militaires grâce au rachat de Thomson-CSF, Snecma en s'associant avec General Electric pour lancer le réacteur civil CFM-56.

Autre exemple de reconversion partielle et réussie : Dassault, à la fois vers l'aviation civile et vers les technologies de l'information. Sur l'une des dernières intuitions géniales d'une vie qui n'en a pas manqué, l'ingénieur Marcel Dassault a vigoureusement soutenu la création de la firme Dassault Systèmes que voulait créer l'un de ses directeurs, Charles Edelstenne. Le vieux Marcel, à qui Edelstenne suggérait de placer des fonds dans la société qu'il entendait mettre sur pied, a accepté de doubler la mise si son solliciteur investissait lui-même la totalité de sa fortune personnelle. Cette firme est aujourd'hui l'une des plus profitables et des plus chères de la place boursière de Paris : elle a pris, avant de la conforter chaque jour davantage, une place de leader mondial dans le marché très porteur de la conception/fabrication assistée par ordinateur (CFAO) avec son remarquable logiciel Catia. Il n'est plus une machine au monde, volante, roulante, flottante, tournante, soufflante ou vibrante, y compris chez Boeing-MDD ou Lockheed-Martin, les pires concurrents de Dassault-Aviation, qui ne soit conçue à l'aide de ce logiciel. Une réussite exceptionnelle... Cotée à la bourse de New York en 1996, Dassault

Systèmes affiche un taux de progression record (24 % en 1996) et un taux de profit qui laisse rêveur : près de 40 % ! Un succès qui ne devrait pas se démentir avec la sortie de la version 5 de Catia, mise sur le marché en mars 1998.

Il n'empêche que, malgré les succès de Catia, le cœur de la compétence de Dassault, la plate-forme stratégique à partir de laquelle sont lancées toutes les autres initiatives, par exemple vers l'aviation civile, ce sont les bureaux d'études militaires. Dassault l'avionneur est en réalité un « systémier », un concepteur qui assemble les pièces d'un puzzle technologique pour en faire l'avion qu'il a dessiné. Le cœur de sa compétence, c'est l'architecture. Et la garantie de sa pérennité, ce sont d'abord les contrats avec l'armée française, puis ceux à l'exportation. Or, très clairement, les Américains poursuivent dans ce domaine une stratégie explicite d'élimination de leur concurrent français le plus vigoureux. C'est le jeu du *kill or die* que les industriels des secteurs de pointe connaissent bien. Plusieurs années avant que la compétition entre Airbus, Boeing et McDonnell Douglas ne se conclue par la disparition de ce dernier industriel, les analyses réalisées par la firme européenne étaient limpides : cette bataille à trois se terminerait inéluctablement par la disparition de l'un des concurrents. Et MDD étant le plus faible sur le plan de la charpente économique, point n'était besoin d'être devin pour comprendre qu'il était le plus menacé. C'est lui qui a disparu le premier, pour le plus grand plaisir des Européens. Y gagneront-ils, à terme ? C'est une autre question... Car dans une confrontation commerciale, mieux vaut souvent être trois concurrents que deux !

Tant que la guerre froide durait, les Français n'étaient guère gênants : ils prenaient quelques parts de marché de-ci, de-là ; mais les industriels d'outre-Atlantique possédaient une telle rente de situation, avec les crédits considérables que le Pentagone déversait sur eux, qu'ils laissaient sans problème cette « niche » à leurs compétiteurs français. C'est ainsi que Dassault, Thomson, GIAT-Industries, Matra, trouvèrent des occasions profitables au Moyen-Orient ou en Amérique latine. L'Union soviétique ayant disparu, la meilleure alliée « objective » des industriels américains s'est également évanouie. Et de ce fait, il n'est plus question de laisser les Français gagner des contrats un peu partout. L'aimable idéalisme d'un Jimmy Carter interdisant à ses industriels, dans les années 70, de vendre des avions de combat aux dictatures sud-américaines ne pouvait perdurer après que le Pentagone eut réduit ses commandes. La dernière ligne d'affrontement en date s'est donc déplacée vers l'Amérique du Sud, où Dassault aide l'armée de l'air française à jouer les représentants de commerce, notamment au Brésil et au Chili, qui doivent passer de grosses commandes d'ici la fin du siècle. Les règles du jeu sont claires, et l'US Air Force fait la même chose. Lors de manœuvres aériennes franco-brésiliennes, au début de 1997, un pilote de chasse nous déclarait sans ambiguïté : « A travers cet exercice, il est vrai qu'on participe à la défense globale, qui doit rassembler le militaire, le politique et l'économique. Nous pensons tous ici que ce que nous faisons est bon pour notre pays[1]. » La guerre du Golfe a également sonné la fin de l'époque bénie durant laquelle, à partir de 1975, l'Irak de Saddam Hussein a absorbé une part significative des fabrications françaises d'armement. Le recours à la force armée américaine a en outre imposé à l'Arabie Saoudite, traditionnelle cliente des marchands d'armes français, de se fournir quasi exclusivement chez les Américains, qui ont empoché en quelques mois des milliards de contrats d'armement.

Si la course s'exacerbe entre les compétiteurs français et américains sur les marchés de l'armement, ce n'est pas par hasard. Durant la guerre froide, ces deux pays ont été, avec l'URSS, ceux qui ont le plus investi dans des systèmes de production complets et indépendants. La fin de l'opposition Est-Ouest a trouvé leurs industriels avec des outils surdimensionnés, en peine de réduire la voilure, et dépendant plus que jamais des exportations. Non point, comme on le lit trop souvent, pour que les effets de série réduisent les coûts, ce qui ne se produit pratiquement jamais, mais pour faire

---

1. « Brésil : l'envol des Français », *Le Point*, 15 mars 1997.

tourner les usines. Curieusement, cette situation a conduit à des démarches symétriques des deux côtés de l'Atlantique, où les deux pays ont joué l'un pour l'autre le rôle commode d'épouvantail : « Chacun a évoqué le spectre des ventes par l'autre pour obtenir que des restrictions ne s'appliquent pas aux ventes d'armes là où la pertinence de telles ventes pose des questions en termes de sécurité ou de morale. Les deux ont dépensé des milliards pour promouvoir les exportations d'armements tout en subventionnant la base industrielle de défense, à un coût considérable pour leurs économies respectives. Le résultat est qu'ils disposent d'une capacité excédentaire persistante en matière d'armes nouvelles[1]. »

Désormais, il est indispensable que les industriels de l'armement se battent avec une énergie plus forte pour arracher de nouveaux contrats. Dassault a essuyé avec ses avions militaires davantage d'échecs que de succès dans les années 90, bien que la firme ait utilisé sans restriction tous les moyens habituels pour convaincre ses éventuels clients, en Europe et ailleurs, de la validité de ses arguments. Elle souhaiterait marquer la fin du siècle par une vente spectaculaire d'avions Rafale aux Emirats arabes unis, après avoir vu le Mirage 2000 échouer en Espagne, en Suisse et en Finlande, contre McDonnell Douglas et ses F-18 Hornet. En Norvège, le Rafale a été rejeté en février 1997 de la liste des finalistes appelés à concourir dans la phase ultime de la compétition, au profit du F-16 Fighting Falcon et du concurrent européen du Rafale, l'Eurofighter ; dans le domaine militaire, les « gammes » européennes sont plus étroites, et certaines technologies n'ont pas été étudiées, comme celle des avions « furtifs », c'est-à-dire invisibles aux radars. C'est l'étroitesse même de ces créneaux qui permet des prodiges. Les innombrables missions remplies par le Mirage 2000, dans ses différentes versions ou, dans une autre catégorie, par le Tornado quadripartite (Grande-

---

1. Ann Markusen et Claude Serfati, « Remaking the military industrial relationship : a french-american comparison », polycopié, décembre 1997, p. 21.

Bretagne, Allemagne, Italie, Espagne) préfiguraient la totale polyvalence du nouveau Rafale français. On change, ou peu s'en faut, les logiciels du bord, et voilà l'appareil qui devient indifféremment intercepteur ou avion de reconnaissance, bombardier stratégique ou avion d'attaque au sol embarquable sur un porte-avions. Toutes les missions sont remplies par le même appareil, quand les Américains, nettement plus riches, continueront de disposer longtemps des avantages d'une gamme diversifiée. Aussi bien pour le combat que pour le transport militaire, ils peuvent proposer à leurs éventuels clients des appareils correspondant bien à leurs besoins.

MORALISATION DU COMMERCE INTERNATIONAL?

Dans la grande compétition franco-américaine, le commerce des armes constitue un terrain d'affrontement de choix. De toute éternité, vendre des armements a représenté une activité rentable. Pour les fabricants de matériels militaires, qui disposent sur ces produits de marges incomparables; pour les Etats vendeurs, c'est une partie intégrante de l'action diplomatique qui peut amener des ressources abondantes, aussi bien aux finances publiques qu'aux bénéficiaires de commissions occultes. Qui se trouvent être souvent des chefs d'Etat ou des responsables étrangers, qu'on peut ainsi gratifier à bon compte. Quand les ventes d'armes françaises se montent à 43,3 milliards de francs, comme en 1997, en progression de 46 % sur l'année précédente[1], les effets sur la balance des paiements sont vraiment très positifs! Pour le pays acheteur, les acquisitions d'armement constituent bien entendu une dépense significative, d'autant plus incompressible qu'elles sont décidées et organisées par le sommet de l'Etat, comme dans

1. Ce « score » a fait de la France le troisième exportateur d'armes en 1997, derrière les Etats-Unis (105 milliards de francs) et la Grande-Bretagne (45 milliards). Le quatrième est la Russie, avec 15 milliards.

le pays vendeur. Le négoce des armes n'est jamais un commerce comme les autres. Et si on vend généralement aux amis, cette notion est élastique.

Car deux Etats peuvent avoir de bonnes relations, par exemple avec la France, et lui acheter tous deux des armes pour se faire la guerre entre eux, ou s'y préparer ardemment, comme le firent naguère l'Irak et l'Iran, ou aujourd'hui l'Inde et le Pakistan, la Grèce et la Turquie. Des industriels peuvent mener des politiques autonomes, mais il faudra qu'à un moment ou à un autre, celles-ci soient couvertes par le pouvoir politique et l'administration. Et surtout, les ventes d'armes permettent de prendre quelques arrangements avec les règles communément admises du commerce international. La corruption y est monnaie courante, et c'est sur ce terrain de la morale qu'une nouvelle rivalité américano-européenne a surgi depuis quelque temps.

Depuis de longues années, nombre d'organisations non gouvernementales réclament une moralisation du commerce international, et notamment des ventes d'armes. Non qu'elles veuillent voir interdire ces dernières, mais elles entendent — schématiquement — que celles-ci ne puissent être vendues qu'à des pays qui n'en feraient pas mauvais usage. Douze prix Nobel conduits par l'ancien président du Costa Rica, Oscar Arias, se sont engagés sur cette voie, accompagnés par six cents associations européennes menées par les ONG américano-britanniques Saferworld, Basic (British American Security Information Council) et World Development Movement. Ils ont proposé à l'Europe qu'elle applique un code de moralité concernant les ventes d'armes, qui ne seraient autorisées que si le pays destinataire se conforme à quatre principes de base : 1) Pas d'atteinte grave ou systématique aux droits de l'homme durant les trois années précédentes. 2) Ratification des pactes internationaux sur les droits civils et politiques et sur les droits économiques, sociaux et culturels. 3) Elections pluralistes équitables, sérieuses et efficaces. 4) Promotion du contrôle civil des forces armées et de sécurité[1]. Dans un dossier consacré à cette question, la très sérieuse revue des pacifistes français *Damoclès* remarque à juste titre que le discours pourrait se révéler moins utopique qu'il n'y paraît, si l'on s'en tient au succès de la mobilisation internationale contre les mines antipersonnel[2].

Le problème, y compris dans une Europe en voie d'unification et qui assure, tous membres confondus, 40 % des ventes d'armes mondiales, c'est que les politiques nationales en la matière divergent du tout au tout[3]. Les Allemands, par exemple, sont très attentifs au sort des armements qu'ils livrent à la Turquie, en raison de la forte communauté kurde vivant dans leur pays, principale victime potentielle de ces « équipements ». Mais les Français, eux, ne prêtent guère d'intérêt à cet état de fait, et ne rencontrent dans leur opinion publique aucune difficulté à livrer des armes à Ankara. Quant aux Britanniques, ils sont depuis longtemps des vendeurs tous azimuts, et ne respectent en la matière que la loi du marché. La principale, sinon la seule, réticence des pays vendeurs, y compris les Etats-Unis, porte sur la solvabilité des clients. Dès lors qu'ils ont les moyens de payer ce qui leur est livré, c'est le tapis rouge. A cet égard, le meilleur exemple est fourni par les pays du Golfe, où la morale publique et les droits de l'homme ne sont pas le moins du monde respectés, mais qui bénéficient d'une alléchante rente pétrolière. Donc, tous les marchands d'armes rivalisent de sollicitude pour les équiper.

C'est de Londres qu'une forte impulsion politique est partie peu après l'élection des travaillistes de Tony Blair, en mai 1997, qui avaient partiellement fait campagne sur le thème de la « moralisation » : alors qu'ils allaient prendre en janvier 1998, pour six mois, la présidence de l'Union euro-

1. http ://www.basicint.org/codeindx.htm
2. « Exportations d'armes : vers un code de conduite européen ? », *Damoclès*, n° 74-75, 1997.
3. *Arms and Dual-Use Exports from the EC. A Common Policy for Regulation and Control*, Saferworld, Bristol, 1992.

péenne, le ministre des Affaires étrangères, Robin Cook, a proposé un « code de bonne conduite » à son collègue Hubert Védrine. Initialement, le texte proposé aux Français était relativement dur, et stipulait en particulier qu'aucun pays tiers ne pourrait livrer des armes à un client, dès lors qu'un autre membre de l'Union européenne aurait pris, de son côté, une décision d'embargo. On imagine l'enthousiasme des Français ! Finalement, après bien des allers et retours entre Londres et Paris, il fut convenu en janvier 1998 que le pays qui accepterait de vendre des armes, alors qu'un précédent fournisseur l'avait refusé, consultera ce dernier (et lui seulement, contrairement aux premières propositions britanniques) en lui fournissant « une explication détaillée de son raisonnement ». Comme l'a précisé le ministre français des Affaires étrangères, le 8 avril 1998 : « L'idée est que, lorsqu'un pays de l'Europe renonce à un marché pour des raisons de déontologie ou de morale internationale, ce ne serait pas correct qu'un autre pays profite de cette situation. Donc, nous devons prendre des engagements mutuels plus nets. » Ni l'Europe en tant que telle ni aucun de ses membres n'auront le pouvoir d'interdire à un quelconque vendeur de servir les clients de son choix. Cela étant posé par les deux plus importants vendeurs d'armes européens, les autres considérations perdent une part notable de leur signification, et la décision revient de fait au pays vendeur, comme par le passé. *Business as usual...* Avec cette avancée, toutefois, concernant la transparence des marchés.

Quand le texte, devenu franco-britannique, a été adopté par l'Union avant la fin de la présidence de Londres en juin 1998, un pas vers la transparence a été franchi. Reste à en analyser les effets. Puis à évaluer dans quelle mesure les Etats et les industriels observeront effectivement les nobles principes qu'ils auront édictés. Entre autres, l'Europe entend obtenir du pays acheteur les garanties suivantes : respect des droits de l'homme et de la démocratie par le pays acheteur (salut à toi, Arabie Saoudite !), pas de livraisons qui aggraveraient des conflits en cours (mes hommages, Algérie !), préservation des équilibres régionaux (salutations, Taiwan!), pas de menaces de la part de l'acheteur contre un Etat membre de l'Union (comment ça va, Turquie?), pas de réexportation vers des pays tiers (hello, Brésil!), pas de détournement vers l'armement de fonds publics nécessaires à la population (bonne journée, Pakistan!), etc. Au premier coup de feu tiré par ces armes européennes estampillées « morales », qui recueillera les seaux de larmes versés par les yeux rougis de nos grands crocodiles? Les Américains, bien sûr. Encore eux! Qui, malgré leurs ONG, pratiquent avec entrain le commerce des armes.

Car durant la période pendant laquelle les Européens étalaient leurs vertueuses intentions, qui courent le risque d'être bafouées à la première occasion, les Etats-Unis s'interrogeaient sur la question. C'est le 24 juillet 1997 que le sénateur Kerry, soutenu par plusieurs parlementaires soucieux des droits de l'homme, en particulier la démocrate Cynthia McKinney et sa collègue républicaine Dana Rohrabacher, avait proposé un amendement, le *Code of Conduct on Arms Transfers Act*, visant à interdire les ventes aux pays qui ne les respecteraient pas davantage que la démocratie. Ce projet, qui aurait pu être concrétisé au cours de l'année 1998, a été abandonné en mars, sonnant provisoirement le glas des efforts parlementaires de moralisation. En 1993, une initiative du même type avait été balayée, et on peut comprendre le manque d'ardeur de la majorité parlementaire quand on sait quels pays acheteurs d'armes américaines étaient visés : Israël, l'Egypte, l'Arabie Saoudite, la Thaïlande, la Turquie. Lesquels se trouvent en haut de la liste des importateurs d'armes américaines, avec des dizaines de milliards de dollars de commandes actuellement en cours de fabrication et de livraison. Les droits de l'homme, oui, mais quand ils n'interfèrent pas avec les affaires. Quelles que soient leurs déclarations d'intention, il est peu vraisemblable que les Européens procèdent différemment.

CORRUPTION, MODE D'EMPLOI

La seule « moralisation » à laquelle ces derniers n'aient pas pensé, concerne les pots-de-vins, bakchichs et autres *kick-backs*, dont ils ne paraissent pas avoir envisagé de prétendre qu'ils seraient contraires à la morale. Heureusement, les Américains veillaient ! Pour ceux-ci, qui font preuve en la matière d'une hypocrisie assez saisissante, la corruption est intrinsèquement perverse. Ils accusent les Français, et dans une moindre mesure les autres Européens, de fausser le jeu de la concurrence, en payant force pots-de-vin pour remporter des contrats. Ce qui est parfaitement exact. D'autant plus que tout le monde procède selon les mêmes principes. Les Américains comme les autres. Pour la meilleure raison du monde : s'ils n'agissaient pas de la sorte, ils n'emporteraient pas de marchés, et pas seulement dans les pays les moins développés. En Europe de l'Ouest, certains des plus spectaculaires contrats d'armement remportés par leurs industriels ces dernières années, notamment dans le domaine aéronautique contre des fabricants français, l'ont été de cette façon, même si les preuves manquent pour apporter davantage de précisions. Elles sont semblables, dans leur *modus operandi*, à d'autres affaires importantes, impliquant certains des plus grands noms de l'industrie américaine[1], et sur lesquelles la presse du pays, prompte à donner des leçons d'indépendance, de professionnalisme et de déontologie aux journaux de la planète, demeure muette. Il faut noter à ce propos que les services de renseignements et les industriels français sont d'une discrétion de bon aloi sur les pratiques des concurrents. Chacun se tenant par la barbichette, les affaires ne sont pas évoquées, et tout le monde peut continuer le jeu.

La donnée nouvelle, c'est que la lutte contre la corruption s'est brutalement intensifiée sous la pression du gouvernement américain. La volonté est souvent exprimée, y compris

---

1. *Guerres dans le cyberespace, op. cit.*, p. 263-267.

chez les parlementaires[1], de faire appliquer au plan international le *Foreign Corrupt Practices Act* de 1977, qui prévoit des sanctions pour les firmes américaines qui pratiqueraient la corruption. Ce qui permet aux Etats-Unis de se draper dans les plis vertueux de leur loi nationale, en postulant qu'elle est respectée[2]. Pour l'administration américaine, « la corruption demeure un obstacle majeur au commerce. Elle réduit les exportations américaines, dès lors que les sociétés qui produisent de meilleurs produits à des prix plus bas perdent souvent face à des vendeurs qui remportent des contrats en raison des pots-de-vin qu'ils payent, et non en raison de la qualité ou du prix de leurs produits. Les exportateurs américains ne peuvent pas se battre contre des firmes étrangères qui corrompent les pouvoirs publics pour gagner des marchés[3] ».

De l'avis unanime des praticiens du commerce international que nous avons consultés, cette réglementation est bafouée en permanence par les plus grandes entreprises américaines, qui utilisent divers artifices pour s'y soustraire. En faisant payer les pots-de-vin par des filiales de droit étranger, situées dans des pays n'appartenant pas à l'OCDE, après passage des fonds par des sociétés écrans spécialisées, immatriculées dans des paradis fiscaux. Toutes les ressources sont utilisées, qui peuvent passer, entre autres exemples, par le paiement des études des enfants de donneurs d'ordres étrangers, payées dans les plus prestigieuses universités américaines. Pas vu, pas pris ! Mais si des Français sont attrapés la main dans le sac, gare à eux ! C'est ce qui s'est produit en 1996, quand un dirigeant de la filiale américaine d'Eurocopter a été accusé d'avoir versé des commissions illégales à des acheteurs israéliens.

1. Par exemple dans le projet de loi déposé par le sénateur Feingold, le 16 mars 1995.
2. Le service d'information du gouvernement américain a créé un site consacré à la corruption, avec de nombreux liens hypertextes : http ://www.usia.gov/topical/econ/bribes/
3. *The National Export Strategy*, TPCC (Trade Promotion Coordinating Committee), Washington DC, octobre 1997.

En France, l'air du temps a brutalement changé en 1997, à tout le moins sur le papier. Il était acquis de toute éternité que les pots-de-vin versés à l'étranger faisaient partie des règles commerciales inavouables, mais acceptables. Officiellement, il ne s'agit que de rémunérer des agents commerciaux — obligatoirement non français — qui facilitent l'obtention du contrat. Qui reversent ensuite des commissions aux officiels du pays. Leur rémunération est considérée comme des « frais commerciaux extérieurs » (FCE) et répertoriée au chapitre « commissions payables à l'étranger » dans la comptabilité de l'entreprise. A ce titre, ces FCE étaient considérés comme des frais généraux, légalement déductibles aux yeux de l'administration fiscale. Ils pouvaient même être « cofacés », c'est-à-dire couverts par la Coface (Compagnie française d'assurance du commerce extérieur). En clair, quand un client se met à ne plus payer ses traites à l'industriel, le versement des fonds est garanti par l'assurance, y compris les FCE.

Pour que le ministère des Finances français ne vienne pas chercher de noises à l'industriel, les FCE ne doivent pas dépasser 15 % du montant du contrat. Sauf à titre exceptionnel, et après accord de l'administration fiscale. Et en réalité, après accord du sommet de l'Etat, l'Elysée. Aussi bien sous François Mitterrand que sous Jacques Chirac, c'est leur entourage direct qui donnait, en leur nom, son aval à ces pratiques. Pourtant, au moins en principe, cette époque est révolue. S'ils veulent corrompre des dirigeants ou des fonctionnaires étrangers, les industriels français devront désormais en prendre le risque, économique et judiciaire. Le Premier ministre Pierre Bérégovoy avait, en 1992, mis sur pied une « commission de prévention de la corruption », qui lui avait remis un rapport d'étape en juin 1992, lequel préconisait la fin de la déductibilité des FCE. Cette proposition a rejoint son rayon de classement, la poubelle[1].

---

1. Jean-Claude Usunier et Gérard Verna, *La Grande Triche. Ethique, corruption et affaires internationales*, La Découverte, Paris, 1994, p. 35.

Mais à la faveur du vote d'un texte de loi discret — à savoir la loi de finances rectificative du 29 décembre 1997 — les députés ont supprimé la déductibilité des pots-de-vin à l'étranger. Une nouveauté de taille ! Mais surtout une sage, une très sage précaution.

Car, depuis 1996, une campagne est engagée contre la corruption, lancée par les institutions de Bretton Woods : le Fonds monétaire international et la Banque mondiale[1]. Au nom du principe de *good governance*, ces deux puissants organismes, souvent considérés comme le bras financier international du gouvernement américain, entendent éradiquer le fléau. Une ambition qui est également celle de l'ONG allemande Transparency International, qui publie, en collaboration avec l'université de Göttingen, un palmarès mondial des pays classés par ordre croissant, du moins (Danemark) au plus (Nigeria) corrompu, dans lequel les Etats-Unis se situent à la seizième position, et la France à la vingtième[2]. Telle est la perception qu'en ont les hommes d'affaires et les organismes qui participent à la réalisation de ce palmarès. Pour le Français Michel Camdessus, patron du FMI, son organisme doit promouvoir le principe de *good governance*, non en recherchant systématiquement tous les cas de corruption dans le monde, mais en aidant les dirigeants à améliorer la gestion de leurs ressources, et en mettant sur pied un environnement réglementaire stable et transparent. Il ajoutait en substance : « La nature macroéconomique de la corruption peut être identifiée par les forts montants évoqués, ou par la crainte que des cas spécifiques de corruption soient symptomatiques d'un plus grave problème de gouvernement[3]. »

Puis l'OCDE a mis les pieds dans le plat. En 1997, sous

1. SERGE MARTI, « Les "gendarmes" de Washington contre la corruption », *Le Monde*, 21 octobre 1998.

2. Internet corruption perception index : http://www.gwdg.de/ũwww/icr.htm

3. Au colloque « Gouvernements et entreprises face à la corruption », Paris, 21 janvier 1998.

la pression américaine, cette organisation internationale a décidé d'entamer une lutte à grande échelle contre cette pratique, et de faire en sorte que ses membres s'engagent dans la bataille contre le fléau. Le 23 mai 1997, le conseil de l'OCDE a approuvé la « convention sur la lutte contre la corruption d'agents publics étrangers dans les transactions commerciales internationales ». En raison des pots-de-vin versés lors des marchés d'armement, le ministère de la Défense français était le principal concerné. Ce sont donc logiquement ceux des Affaires étrangères et de la Justice qui ont suivi le dossier à l'OCDE. Résultat : lors de la signature, un vent de panique a saisi les services du ministère de la Défense, qui surveillent les ventes d'armes et assurent le suivi des dossiers présentée à la CIEEMG (Comité interministériel pour l'étude des exportations de matériels de guerre). Pourquoi cette inquiétude? Tout simplement parce que l'article 2 de la convention stipule que les membres de l'organisation doivent prendre « les mesures nécessaires pour que constitue une infraction pénale, en vertu de sa loi, le fait intentionnel, pour toute personne, d'offrir, de promettre, ou d'octroyer un avantage indu pécuniaire ou autre, directement ou par des intermédiaires, à un agent public étranger, à son profit ou au profit d'un tiers, pour que cet agent agisse ou s'abstienne d'agir dans l'exécution de fonctions officielles, en vue d'obtenir ou conserver un marché ou un autre avantage indu dans le commerce international ».

Scénario d'horreur, dont la France n'a pu provisoirement se protéger que d'une seule manière : en annonçant qu'un tel texte n'entrerait dans son propre arsenal juridique, par l'intermédiaire du vote d'une loi au Parlement, que lorsque les Etats-Unis l'auraient ratifié. Ce qui a été fait très officiellement le 9 décembre 1998, lorsque le représentant des Etats-Unis a déposé auprès de l'OCDE les « instruments de ratification ». La France ne peut donc plus reculer... La menace est là, étincelante comme un soleil noir : si un fonctionnaire français apprend qu'une action de corruption a été commise, et ne la dénonce pas, il tombe sous le coup d'une condamnation pénale. Les bons pères de familles chrétiennes vont se retrouver nombreux à la Santé, dans une telle hypothèse. Car quiconque ayant eu connaissance des FCE pourra être déclaré coupable s'il n'a pas dénoncé cette opération illégale à la justice.

Ce sont les « offices », organismes discrets mais puissants chargés de commercialiser les armes françaises, donc d'organiser parallèlement la corruption, qui se trouvent en première ligne. Ces organismes associent les industriels du secteur concerné (armement terrestre, naval, aérien), sous la surveillance étroite du gouvernement qui y délègue des administrateurs, les « contrôleurs », chargés de vérifier la conformité des opérations avec les lignes directrices définies par l'Etat. Contraint de préparer une loi conforme aux directives de l'OCDE, mais en contradiction flagrante avec les pratiques du marché de l'armement, le gouvernement français a tout d'abord stipulé que la loi ne serait pas rétro-active, puis imaginé une solution bâtarde : il a discrètement décidé de ne pas renouveler les mandats des fonctionnaires administrateurs des offices, afin que seules des personnes privées — les administrateurs désignés par les industriels — soient éventuellement mis en cause lors de poursuites judiciaires. Le gouvernement a également choisi, mais sans l'annoncer, de ne plus nommer les présidents des offices — titulaires de prébendes très recherchées —, en laissant ce soin aux industriels. Ces derniers, de leur côté, ont exigé que des systèmes de protection des secrets inavouables des marchés d'armement soient mis en place. Ils étaient en particulier très soucieux que certains de leurs concurrents commerciaux ne soient pas tentés d'avoir accès, en se constituant partie civile, à des dossiers d'instruction concernant les affaires de corruption. Le projet de loi, qui était encore, en décembre 1998, au stade de la préparation, prévoit donc explicitement que c'est le ministère public qui appréciera la validité d'une constitution de partie civile.

Bien sûr, les industriels français de l'armement, tout comme leurs homologues américains, britanniques ou allemands, persisteront à payer des commissions, puisqu'elles sont consubstantielles à la plupart des grands contrats. Mais celles-ci devront demeurer secrètes, ne seront pas évoquées devant des fonctionnaires, ne seront mentionnées dans aucun document, pas plus que dans les conseils d'administration des entreprises d'armement, où siègent systématiquement des représentants de l'Etat. Il y a de l'avenir pour les débrouillards qui sauront démêler les écheveaux de plus en plus complexes de la corruption internationale, et on peut remarquer avec un certain amusement que les meilleurs « ingénieurs commerciaux » français ont été successivement démarchés, depuis 1996, par les entreprises américaines les plus en vue! La compétition est de plus en plus vive...

PAKISTAN

Depuis de longues années, mais singulièrement au cours de la décennie 90, le Pakistan a représenté un terrain d'affrontement de choix entre Français et Américains. La grosse affaire pour l'industrie française devait être un contrat de 12 à 15 milliards de francs au bas mot portant sur la livraison de trente-deux Mirage 2000-5. L'armée de l'air pakistanaise prépare depuis des années une guerre contre son puissant voisin indien, armé en particulier de chasseurs ultramodernes Mirage 2000 français vendus au début des années 80, et de Mig 29 russes. Elle entend, elle aussi, moderniser son aviation de chasse. Du temps ou François Léotard était ministre de la Défense, les Français, qui ne lui refusaient rien à l'époque, lui ont vendu, entre autres, des sous-marins Agosta équipés d'une arme terrible qui surclasse celles de son adversaire potentiel : le missile Exocet SM-39, capable d'être tiré en submersion depuis les tubes lance-torpilles. Pourquoi cette arme a-t-elle été vendue, sur ordre du gouvernement français, malgré l'opposition formelle de la marine nationale, qui connaît les effets déstabilisateurs d'un tel équipement? Question qui reste à élucider. Les armées pakistanaises ont également acheté, dans des conditions assez curieuses parfois, des chasseurs de mines et de vieux Mirage d'occasion[1].

L'armée de l'air pakistanaise entend donc, elle aussi, recevoir des armements modernes. Pour cette raison, elle passe commande à la fin des années 80 de chasseurs F-16 américains, qui seront fabriqués à son intention par la firme General Dynamics, mais jamais livrés. Entre-temps, une loi (*Pressler amendment*) a été votée par le Congrès, qui bloque ces appareils sur le sol américain pour punir Islamabad, accusée[2] de poursuivre ses études et fabrication d'une arme nucléaire nationale. Les Américains, qui ont une conception extraordinaire du commerce, ont expliqué à leurs clients pakistanais qu'ils leur restitueraient les 658 millions de dollars versés quand ils auraient revendu les F-16 à un autre client! Un record du monde en matière de mauvaise foi mercantile, mais qui n'a pas soulevé la moindre indignation outre-Atlantique. Pourtant, une transaction commerciale remise en cause par une loi rétroactive aurait stupéfié le gouvernement américain s'il y avait été confronté. Mis devant le fait accompli, le gouvernement de Benazhir Bhutto a cherché à se servir ailleurs. En Russie, on a bien voulu lui vendre une merveille d'avion de chasse, le SU-27, mais en ne garantissant pas la livraison de pièces détachées : la solidarité ancestrale entre Moscou et New Delhi interdit aux Russes d'armer l'ennemi de son ami.

Plus d'Américains, pas de Russes et point de Tornado anglais, puisque Londres privilégie l'Inde sur le sous-continent indien. Restait au Pakistan à se tourner vers les deux francs-tireurs des ventes d'armes mondiales de qualité, ceux contre lesquels les Etats-Unis concentrent leur agressivité commerciale : la Chine et la France. Les Chinois ont vendu sans discuter au Pakistan des copies locales des Mig 21 et Mig 17, qui firent merveille durant la guerre... de Corée, et seront aussi efficaces, dans un combat air-air moderne, que des Spad de la guerre 14-18.

1. « Cafouillage pour des Mirages », *Le Point*, 3 août 1996.
2. A juste titre, puisqu'elle procédera à six essais nucléaires en juin 1998.

Paris n'a pas dit non. Mais vend, au contraire de Pékin, d'excellentes machines de guerre. Dassault est un habitué des cieux pakistanais. Déjà, plusieurs dizaines de Mirage III, et de son dérivé le Mirage V, y sont en service. La vente de Mirage 2000 a donc été envisagée, sans se préoccuper de savoir comment le gouvernement français expliquerait à l'Inde qu'il vend à son adversaire potentiel des armes identiques aux siennes. Passons, puisque les ventes d'armes font mauvais ménage avec les bons sentiments. En attendant l'achat d'avions neufs, les Pakistanais rachètent à la France de vieux Mirage d'occasion remis en état. Le contrat, qui porte sur une somme totale de 620 MF, fera naturellement l'objet de pots-de-vin, représentant 9 % du montant final du contrat. A raison de 2 % pour l'un des plus hauts responsables de l'armée pakistanaise, de 5 % pour les décideurs de l'armée de l'air, et de 2 % pour divers intermédiaires de plus bas niveau chez les aviateurs. Au Pakistan comme ailleurs, il est d'usage que les grands contrats d'armement soient l'occasion de « répartir la richesse » dans le pays acheteur.

Là où cette affaire est devenue gênante, c'est que le niveau politique pakistanais a été « oublié », seuls les militaires étant gratifiés par les Français, contrairement aux usages. Ceux-ci veulent, en général, que le gouvernement et l'opposition touchent leur part du gâteau, en fonction d'une clé de répartition négociée au cas par cas. Cette fois, rien ne s'est produit de cette manière. Après que le contrat eut été signé, fin mai 1996, entre les vendeurs français, l'amiral Akhtar et le général Sabbas Katah, Benazhir Bhutto s'est fâchée. Lors d'une réunion de cabinet, elle a exigé que le versement du premier acompte à la firme française Sagem, qui modernisait les vieux Mirage, ne soit pas effectué. Désobéissant, l'amiral Akhtar a signé le chèque, avant d'être immédiatement renvoyé par le Premier ministre. Qui a juré qu'on ne l'y reprendrait plus. Benazhir Bhutto est une politicienne d'exception. En 1988, elle fut la première femme à conquérir le pouvoir dans un pays islamiste, ce qui lui permit d'évincer démocratiquement le gouvernement militaire de Mohammed Zia ul-Haq. Lequel, accessoirement, avait fait condamner et exécuter le 4 avril 1978 l'ancien Premier ministre Ali Bhutto, le propre père de Benazhir.

On est alors, en 1996, en pleine négociation sur la vente de trente-deux Mirage 2000, avec l'accord de Jacques Chirac en personne, qui a décidé que la France pourrait vendre ces chasseurs : le Pakistan, l'un des pays les plus pauvres du monde avec un revenu de 440 dollars par habitant et par an, paye rubis sur l'ongle ses achats militaires. Il y consacre environ 30 % de ses revenus, le reste du budget étant affecté au remboursement d'une dette extérieure himalayenne. Les aviateurs pakistanais ne veulent que le meilleur de la technologie française. Ils entendent en particulier que leurs Mirage 2000 disposent de systèmes IFF (*Identifying Friend or Foe*) plus sophistiqués encore que ceux qui équipent les appareils similaires vendus à Taiwan. Exigence qui se comprend aisément puisque, en face et en cas d'éventuel conflit, ce sont aussi des Mirage 2000 qui seraient aux mains des pilotes indiens. Ces derniers ne disposeront toutefois pas, eux, des missiles Mica à capacité multicibles proposés au Pakistan, ni du *datalink* permettant de mettre l'avion en relation automatique avec le sol ou un avion de commandement et de contrôle Awacs... Toujours est-il que l'entourage du Premier ministre pakistanais mène cette fois-ci les négociations en direct avec Dassault et les services officiels français. Ils trouvent que les 400 à 450 millions de francs demandés pour chacun des avions méritent réflexion, d'autant plus que les crédits à taux élevés que la France consent à leur accorder sur vingt ans pourraient doubler cette somme. Qu'en sera-t-il au bout du compte? Fin du premier épisode.

Dès le début de la négociation du contrat Dassault, de sérieuses accusations de corruption furent portées par l'opposition à l'encontre de Benazhir Bhutto. L'accusé principal n'est autre que le mari du Premier ministre, Asif Zardari. Ces accusations deviendront plus graves quand les autorités pakistanaises affirmeront avoir découvert plus de 100 millions de dollars que ce dernier aurait dissimulés dans diverses banques européennes et américaines, et en achetant de nombreuses propriétés, notamment en Grande-Bretagne et en France. Cette somme, dit-on, ne représenterait qu'entre un dixième et un quinzième des détournements de la famille Bhutto. Selon les déclarations du nouveau Premier ministre, Nawaz Sharif, qui a succédé le 5 novembre 1996 à Benazhir Bhutto, Asif Zardari et un autre « homme d'affaires » pakistanais auraient obtenu de Dassault la garantie de versement d'une commission de 200 millions de dollars sur la vente des Mirage 2000. Mais Nawaz Sharif est lui-même l'objet de graves accusations de corruption, et les vendeurs, notamment français, ne se dissimulent pas, en privé, avoir avec lui des relations semblables à celles qu'ils avaient nouées avec son prédécesseur.

Selon des documents retrouvés durant l'été 1997 pour le nouveau gouvernement pakistanais, sans doute par les fins limiers du cabinet américain d'enquêtes financières Kroll Associates, l'accord avec Dassault ferait partie d'un énorme système de corruption organisé par Asif Zardari, associant la mère de Benazhir, Nusrat Bhutto, et impliquant tous les secteurs de l'économie pakistanaise, sans exception. Un genre de situation qui amène les vendeurs d'armes à affirmer que les commissions sont en réalité intégrées dans le prix de vente, et que « la corruption des élites d'un pays n'est pas notre affaire. Si nous voulons vendre, nous devons en passer par là. Au bout du compte, c'est l'acheteur qui paye ses équipements, plus les commissions qui lui reviennent, avec l'argent de son pays. C'est son problème ». Est-ce si simple ? Non... Car si l'acheteur est généreusement commissionné par le vendeur, il est alors possible de lui demander un petit service. Par exemple, après lui avoir offert un ou deux points de commission supplémentaire, voire davantage, on lui proposera de rétrocéder ces fonds à un intermédiaire français, généralement une personnalité politique, procédé connu dans notre pays comme la pratique du *kickback*. Et qui se trouve au cœur de nombreux dossiers politico-judiciaires français, dont l'affaire Luchaire, l'affaire Elf ou celle des frégates de Taiwan.

Selon le dossier d'accusation pakistanais, une négociation a commencé en avril 1995 entre l'avionneur français et les représentants de Zardari, prévoyant une commission de 5 % sur la vente de Mirage, qui serait payée à la fois par Dassault, Snecma (le fabricant des moteurs) et Thomson, qui fournit l'avionique et le radar. Selon le *New York Times*, Dassault a fait préciser lors de la négociation qu'« aucune partie de la rémunération susmentionnée ne sera transférée à un citoyen français, ou à aucune société directement ou indirectement contrôlée par des individus ou des sociétés françaises, ou à aucun bénéficiaire d'un compte bancaire résident ou non-résident en France. » Formule qui, si elle est exacte, indique à tout le moins que l'avionneur français s'attachait à ne point ignorer les règles en vigueur dans son pays ! Et le journal new-yorkais d'ajouter, car un clou n'est jamais assez enfoncé : « Les Suisses et les Français ont résisté aux pressions américaines pour signer un traité mondial qui aurait soumis toutes les affaires aux standards éthiques de la loi américaine, qui prévoit des peines criminelles pour la corruption d'officiels étrangers[1]. » Il est vrai qu'à cette époque, Serge Dassault se préparait à comparaître devant la justice belge, accusé d'avoir obtenu en Belgique un contrat d'armement, à coups de commissions occultes.

Terre de conquête pour marchands d'armes

Concernant les armements, les Etats-Unis ne mollissent jamais. Washington veut toucher les dividendes de la fin de la guerre froide dans tous les secteurs, y compris l'armement. L'élargissement de l'Otan à la Hongrie, la Pologne et la République tchèque ne constitue pas seulement, à cet égard, une éclatante victoire diplomatique américaine. C'est également une très belle victoire commerciale, sur un territoire est-européen qui accédera, dans un délai encore imprécis, à une prévisible prospérité économique. Dans un

---

1. John F. Burns, « Bhutto clan leaves trail of corruption in Pakistan », *New York Times*, 9 janvier 1998.

monde où les ventes d'armes se réduisent dans des proportions considérables, les marchés solvables sont peu nombreux, et ceux de l'Europe en font partie. Au cours de la décennie 90, les Etats-Unis ont conquis nombre de contrats, aussi bien dans les pays de l'Otan que dans les autres. On ne citera que la vente de chasseurs F-18 Hornet de McDonnell-Douglas à l'Espagne, la Suisse et la Finlande, celle d'hélicoptères de combat Apache aux Pays-Bas et à la Grande-Bretagne, celle d'avions de transport C-130J Hercules à la Grande-Bretagne et à l'Italie, d'avions-radars E-2C Hawkeye à la France, d'hélicoptères AH-1W Super-Cobra à la Roumanie (qu'elle est incapable de payer). Bref, de véritables pactoles conquis dans chaque cas face à des industriels européens, notamment français. Il serait naïf de penser que le seul intérêt américain dans les affaires européennes réside dans la volonté d'apparaître indispensable, ou dans celle de démontrer que les dirigeants du Vieux Continent ne se font pas assez confiance pour assurer leur sécurité. Pour les Américains, l'élargissement constitue une excellente affaire industrielle et commerciale, puisqu'ils n'eurent rien de plus pressé que d'expliquer aux futurs arrivants dans l'Otan que les impératifs d'interopérabilité entre les matériels leur imposaient d'acquérir du matériel venu d'outre-Atlantique.

Assez réceptifs à ces arguments, les nouveaux venus de l'Alliance atlantique sont gênés par des disponibilités financières assez maigres. La Hongrie, par exemple, veut profiter de cette situation pour mettre en concurrence industriels européens et américains, afin d'obtenir des conditions avantageuses pour le remplacement de ses Mig-21 russes : « La question n'est pas de savoir quel est le meilleur avion, mais quel est le meilleur contrat », explique ainsi un expert hongrois[1]. Pour les industriels américains, la prospection des nouveaux marchés européens a commencé dès la chute du rideau de fer. Naturellement, l'administration Clinton les a puissamment aidés dans ce sens, en ouvrant largement les

---

1. In Stéphane Kovacs, « L'Otan, une affaire en or », *Le Figaro*, 9 juillet 1997.

cordons de la bourse publique. De 1995 à 1997, les pays participant au programme « Partenariat pour la paix » ont reçu 309 millions de dollars pour participer à des exercices avec l'Otan, « échanger des idées, méthodes et concepts » avec les militaires américains, ou venir s'entraîner aux Etats-Unis. La moitié de ces fonds sont allés aux trois pays admis dans l'Otan en juillet 1997 (Pologne, Hongrie, République tchèque) et à ceux qui ont des chances d'y entrer prochainement (Slovénie, Slovaquie, Roumanie)[1]. Les industriels américains de l'armement ne pourront pas vendre aux pays d'Europe de l'Est des armements terrestres ou des armes navales. Dans ce dernier cas, l'absence d'accès à la mer constitue une condition rédhibitoire. Et pour ce qui concerne les armes terrestres, les anciens membres du pacte de Varsovie disposent de capacité de production qu'ils cherchent à occuper, en étant eux-mêmes des acteurs actifs sur les marchés d'armement internationaux. C'est dans le domaine de l'aviation de combat — réservée aux industriels soviétiques dans le schéma de la guerre froide — que les Américains estiment devoir faire une percée après l'élargissement de l'Otan.

Faut-il vraiment s'étonner, dans ces conditions, que le président du Comité américain pour l'expansion de l'Otan (US Comittee to Expand Nato) n'ait été autre que Bruce Jackson, dans le civil directeur de la planification stratégique de la firme Lockheed-Martin, l'un des conglomérats les plus puissants de l'appareil militaro-industriel américain, fabricant, entre autres, du chasseur F-16 ? En avril 1997, le président de Lockheed-Martin, Norman Augustine, connut soudain un besoin urgent d'effectuer un voyage d'affaires en Europe de l'Est, passant par les capitales des cinq Etats prétendant entrer dans l'Otan en juillet suivant. En Roumanie, qui venait d'acheter à sa firme pour plus de 80 millions de dollars de matériels radar, il a affirmé qu'il était un chaud partisan de l'entrée de ce pays dans l'Otan[2]...

1. *Arms Sales Monitor*, n° 35, 6 août 1997.
2 JEFF GERTH et TIM WEINER, « Nato expansion opens huge market for arms dealers », *New York Times*, 29 juin 1997.

15

Intelligence économique

QU'EST-CE QUE L'INTELLIGENCE ÉCONOMIQUE ?

Au tout début des années 70, dans le fameux laboratoire de recherches Skunk Works de Lockheed, concepteur d'avions mythiques spécialisés dans l'espionnage, comme le SR-71 Blackbird ou le U2, un jeune mathématicien et ingénieur radariste, alors âgé de trente-six ans, Denys Overholser, feuillette une publication scientifique soviétique vieille de huit ans, dont la traduction avait été envoyée de manière routinière à Lockheed par la Foreign Technology Division de l'US Air Force. Revisitant les théories anciennes de l'Ecossais James Clerk Maxwell et de l'Allemand Arnold Johannes Sommerfeld, l'auteur, Piotr Uminstev, directeur d'un institut de recherche moscovite, y développait une théorie originale sur la réflexion des ondes électromagnétiques. Il émettait des idées sur les formules nécessaires à la définition d'un programme informatique permettant de calculer les surfaces planes et angulaires nécessaires à la mise au point d'un avion invisible au radar. De manière stupéfiante, ce texte théorique n'était pas secret, et Uminstev admit lui-même, quand il vint aux Etats-Unis en 1990, que personne à Moscou n'y avait accordé le moindre intérêt[1]. A

1. BEN R. RICH et LEO JANOS, *Skunk Works : A Personal Memoir of My Years at Lockheed*, Little Brown, New York, 1996.

cette époque aux Etats-Unis, la collecte de l'information « ouverte », part primordiale de ce qu'on appelle aujourd'hui l'intelligence économique, commençait à entrer dans les mœurs. C'est donc à partir des travaux d'un scientifique russe que l'US Air Force lancera les études devant aboutir une quinzaine d'années plus tard, après la réalisation de nombreux prototypes, à la fabrication du nouveau bombardier tactique F-117 Stealth. Un pur produit de ce que l'on appelle dans les milieux du renseignement les « sources ouvertes ».

Un autre exemple, aussi étonnant, concerne la naissance de la photocopie, ou comme on la nommait à l'époque, de la xérographie. Son inventeur, Chester Carlson, qui avait passé ses nuits depuis 1939 à mettre au point ce procédé révolutionnaire, n'avait trouvé, en 1944, qu'un seul appui : celui d'une petite association qui avait accepté de financer une partie de ses travaux, le Battelle Memorial Institute. Des dizaines d'entreprises vers lesquelles il s'était tourné pour commercialiser son procédé n'y avaient pas donné suite. Parmi elles, on comptait Kodak, IBM, RCA, Remington Rand et General Electric. Kodak avait évoqué cette invention dans une lettre d'information, mais sans s'y intéresser. Et c'est en lisant en 1946 ce document, largement publié, que le patron d'une petite entreprise, Haloid Corporation, demanda à rencontrer Chester Carlson. Immédiatement, l'affaire se fit. Haloid est devenue Rank-Xerox, qui a gagné depuis des milliards de dollars avec le procédé et s'est servie de cette mine d'or pour s'engager dans le développement de nouveaux produits, singulièrement dans son fameux laboratoire Parc (Palo Alto Research Center), où est née une partie de l'informatique moderne. L'histoire étant un éternel recommencement, l'intelligence économique a joué un vilain tour à Rank-Xerox, trente ans plus tard, puisque c'est au Parc que le tout jeune Bill Gates, qui venait de créer sa firme Microsoft, a repéré le brillant ingénieur Charles Symonyi. Ce dernier venait de jeter les bases d'un *operating system* qui allait faire les beaux jours de Microsoft sous le nom de Windows. Egalement dans ses cartons, le projet Bravo X, qui n'était autre que la première version de Word, l'un des best-sellers de Microsoft[1].

L'intelligence économique, c'est le contraire de la myopie, une capacité à déceler dans un « bruit de fond » informationnel le tout petit élément qui va permettre à son détenteur de gagner un avantage, parfois décisif. Devenue désormais un outil stratégique au service des entreprises, elle se trouve au cœur des opérations que mènent, ou subissent, ces dernières. Aucune ne souhaite faire connaître les victoires qu'elle a acquises par ce biais, ou les défaites subies de la même manière. Très utilisée dans les industries de pointe et de haute technologie, et en premier lieu par les industries d'armement, il est évident qu'elles ne souhaitent aucune publicité sur l'origine de leurs secrets de fabrique. Qu'elles emploient des outils d'intelligence économique, singulièrement logiciels, ne fait toutefois aucun doute. Ces pratiques sont descendues assez profondément dans le tissu économique national, pour ne plus être l'apanage des plus grosses industries. Sous la houlette des chambres de commerce, qui ont édité un livre blanc sur la question[2], ou du CFCE (Centre français du commerce extérieur), ou surtout de l'Adit (Agence pour la diffusion de l'information technologique), les PME les utilisent désormais de plus en plus souvent, et ne n'en plaignent pas. Qu'il s'agisse de comprendre un marché, de déterminer les contours d'une opération commerciale ou d'analyser un échec, d'établir un état des brevets existants dans un domaine particulier, de faire le point des connaissances de la concurrence, de déterminer l'origine d'actions hostiles, de documenter une recherche simple ou complexe, technique ou diplomatico-politique, l'intelligence

1. MIKE WEINER, *The Intelligence Community : an outsider's view*, intervention au colloque « Open Sources Solutions », 28 novembre 1994.

2. *Intelligence économique, un engagement stratégique*, Chambre de commerce et d'industrie, Paris, mai 1997.

économique sera, pour ces opérations, l'outil adapté. L'information — et les outils qui permettent de la triturer et d'élaborer un produit fini concis, fiable et pertinent — est à la base de l'intelligence économique.

Encore un exemple, datant de la fin de 1997. Une entreprise française de taille moyenne se fait voler un ordinateur contenant des informations sensibles sur une recherche de pointe, aux vastes applications. Puis elle s'en fait voler un second quelques semaines plus tard, contenant des informations venant compléter celles qui étaient dans la première machine. La police, prévenue, piétine avec ses méthodes traditionnelles, et l'entreprise décide de faire appel à une équipe spécialiste de l'intelligence économique.

Un détective privé repère que, chaque fois, dans les heures qui précédaient le vol, un bref appel téléphonique avait été passé pour un pays étranger. Coïncidence? La localité de destination est à cinq kilomètres du siège social d'un gros concurrent de la firme française. Coïncidence encore, que permettent de discerner des outils d'intelligence économique? A partir d'informations brutes extraites de bases de données boursières et de la presse internationale, on découvre que ce même concurrent s'est lancé depuis quelques mois dans une politique volontariste de croissance externe. Il apparaît également qu'indirectement, cette entreprise est à l'origine de multiples offres d'achat, refusées par leur homologue française. Les spécialistes de l'intelligence économique avertissent l'entreprise victime des vols, en se fondant sur des analyses techniques précises, qu'un nouveau cambriolage pourrait intervenir. Ils ne sont pas crus, et le délit intervient quelques jours plus tard! Cette fois-là, ils furent entendus. Des « traîtres » travaillant au sein de la firme pour la concurrence furent démasqués. Puis embauchés par la concurrence. Et l'entreprise se débat au cœur d'une crise sévère, mettant en jeu sa survie! Une nouvelle stratégie s'impose, et elle passe, d'abord, par une politique volontariste de protection de ses informations sensibles, à laquelle elle ne se croyait pas astreinte.

Contrairement à ce que l'on croit trop souvent — et ce malentendu se trouve à la source de nombreuses incompréhensions — l'intelligence économique n'est pas de l'espionnage : elle n'a pas recours à des méthodes illégales, même si ceux dont elle visent à démasquer les intentions les utilisent. Recueillie par des moyens contraires aux lois, cette information serait dans ce cas qualifiée de « secrète », ou « noire ». Mais outre le fait que ce n'est utile que dans des cas très limités, les professionnels de l'intelligence économique se refusent à employer ces méthodes. L'appel aux sources « noires » ne peut faire l'objet que d'accords entre l'entreprise et les services secrets que les Etats financent et dont ces derniers assument — ou pas ! — les éventuels déboires. Bien plus utile aux opérationnels, l'information « blanche » est libre d'accès même si elle est, parfois, payante. L'outil essentiel du spécialiste de ces questions, c'est d'abord une bonne connaissance des milieux économiques, mais aussi la capacité de recueillir l'information sur des dizaines de bases de données, dans les universités et la presse mondiale, dans la documentation légale des entreprises, sur l'Internet. Puis l'analyser grâce à de puissants logiciels, souvent créés à l'origine pour les services secrets, et la rendre opératoire en la transformant en « information élaborée ». En 1998, près de trois cents entreprises, souvent constituées d'une seule personne, exercent en France cette profession, avec des succès divers. Les Suédois, pionniers en la matière, les Israéliens et les Américains sont nombreux à avoir choisi cette voie. Total, confronté à une campagne très agressive contre son implantation en Malaisie, a choisi les outils de l'intelligence économique pour analyser cette menace contre ses intérêts. De même, une firme très proche du ministère de la Défense, Intelco, a tiré les leçons de la mésaventure de Perrier, naguère accusée par les Etats-Unis d'avoir négligé la conformité de son produit vedette aux normes sanitaires, et qui faillit y laisser sa peau. Les plus grandes firmes françaises se sont engagées à fond dans cette voie, avec une priorité pour les industriels de l'armement, confrontés à un marché concurrentiel très agressif.

LE CAS FINLANDAIS

Il est intéressant, à cet égard, d'analyser les raisons pour lesquelles les Français de Dassault n'ont pas remporté le contrat de vente de Mirage 2000 à la Finlande, en 1992. L'armée finlandaise disposait d'un budget fixe, désirait acquérir un nombre d'appareils précis — soixante-sept — et avait décidé qu'il s'agirait de monoréacteurs. Dassault proposa son Mirage 2000-5, qui correspondait au profil réclamé par les Finlandais. Durant plusieurs mois, les trois industriels potentiellement concernés par ce contrat ont été présents à Helsinki. Dassault en tête, suivi par Thomson le vendeur du radar et la Snecma (réacteurs). Les contacts sont bons avec l'armée de l'air finlandaise, de même qu'avec le gouvernement, et les concurrents étaient connus : il s'agissait des représentants de la firme américaine General Dynamics[1]. Ceux-ci proposèrent l'éternel concurrent du Mirage 2000, le F-16.

Pas de problème : tout le monde est en terrain connu. Dassault pense tenir la corde. Et ne voit rien venir jusqu'au désastre final. Entre le lancement de l'appel d'offres et leur décision ultime, les Finlandais avaient transformé la donne, sans que les Français s'en rendent compte : Helsinki se dotera finalement, en mai 1992, d'avions F-18 Hornet. Un splendide appareil produit par McDonnell-Douglas, que Dassault n'avait jamais considéré comme un compétiteur sérieux, et pour cause : il est bimoteur quand les Finlandais exigeaient un monomoteur, spécialisé dans l'attaque au sol alors qu'ils réclamaient un avion de combat air-air, et nettement plus cher que le budget fixé. Les dirigeants de la firme américaine disposaient d'un contact direct avec le sommet de l'Etat finlandais, et surfaient sur la vente précédente d'avions civils. Ils ont proposé le F-18 à un prix cassé, sans commune mesure avec le tarif catalogue. McDonnell se rattrapera, par la suite, sur le prix des pièces détachées. Montant du contrat : 10 milliards de francs, et au moins le

---

1. Désormais intégrée dans l'ensemble Lockheed-Martin.

double pour entretenir et moderniser les avions durant les trente années à venir !

L'affaire, vécue comme une humiliation, fut suivie par la vente de ces mêmes appareils américains à la Suisse et à l'Espagne, deux clients traditionnels de Dassault. Quelques mois plus tard, à l'occasion des premiers travaux menés en France sur la nécessité de conduire une politique d'« intelligence économique », une analyse de ce cas a été menée. Ses résultats sont demeurés secrets, mais on sait que la première leçon tirée de cet échec par les analystes, c'est que l'ignorance du fonctionnement réel des circuits de décision de la défense finlandaise a été fatale au projet français, alors même que certains industriels de l'armement avaient déjà passé des contrats dans ce pays. Aérospatiale avait vendu des missiles Apilas à l'armée de terre finlandaise, et Thomson, des Crotale. Ces expériences ne furent ni étudiées ni adaptées à l'armée de l'air. Deuxième leçon : la méconnaissance des pratiques américaines fit que l'équipe des avionneurs français s'agita dans un brouillard complet et dans le pire cas de figure : combattre un adversaire qu'on ne connaît pas et dont on ne sait même pas qu'il est engagé à fond. Troisième problème : l'absence de soutien gouvernemental français. Telle est, en privé, l'analyse de certains des industriels engagés dans ce contrat. Elle est d'ailleurs systématique lorsque les industriels de l'armement échouent, et fut à nouveau resservie lorsque Dassault perdit un contrat espéré, de nouveau pour les Mirage 2000, et cette fois en Afrique du Sud, en novembre 1998. Mais côté gouvernemental, le son de cloche est autre, et « les soutiens nécessaires avaient été apportés » dans le cas finlandais, nous a-t-on affirmé de très bonne source. Le directeur-adjoint des affaires internationales de Dassault persiste et signe : c'est du côté politique qu'il faut chercher les vraies raisons de cet échec. L'instabilité des Etats baltes a poussé les Finlandais — qui avaient navigué entre les deux blocs jusqu'à la fin de la guerre froide — à chercher un parapluie stratégique en payant, grâce à des achats d'avions, le soutien américain : « L'aspect technique n'a dès lors plus joué aucun rôle (...).

Les Américains, forts de leur position militaire et politique au sein de l'Otan, ont alors donné des assurances claires aux Finlandais en matière de sécurité. Bien évidemment, en contrepartie, la Finlande se devait d'acheter du matériel américain[1]. » Cette analyse n'est que partiellement exacte. Car lorsqu'ils ont « débriefé » leurs interlocuteurs finlandais, c'est bien de technique que ceux-ci ont parlé, et de la supériorité, de leur point de vue, du matériel américain.

Une pratique expérimentée de l'intelligence économique aurait-elle permis d'aboutir à un autre résultat? S'il est indiscutable que les industriels américains ne supportent pas l'existence de la firme Dassault, emblématique de l'existence d'une industrie vivante de l'armement en France, il est également exact que, dans un tel contexte, aucune faiblesse n'est pardonnée. Dans un tel match, chaque faux pas est sanctionné.

LES OUTILS FRANÇAIS

En France, l'action publique en matière d'intelligence économique manque de coordination. Des initiatives d'un grand intérêt fonctionnent pourtant, dont l'Adit (Agence pour la diffusion de l'information technologique) est le fer de lance. Créée en 1993 à Strasbourg, sous la double tutelle des ministères de l'Education et de la Recherche, et des Affaires étrangères, dirigée par Philippe Caduc, elle est engagée dans la veille technologique et l'analyse des stratégies industrielles des acteurs mondiaux, et fonctionne en faisant à la fois appel aux technologies de recueil et d'analyse de l'information les plus avancées, et à un réseau de plusieurs milliers d'experts. Son fichier compte 1 500 entreprises clientes, et augmente chaque semaine. L'agence a fait paraître un remarquable ouvrage[2], réalisé en partie grâce

---

1. JEAN-FRANÇOIS BARTH, « Intelligence économique et marché export », *L'Armement*, n° 60, 1997.
2. Adit, *L'Annuaire des technologies clés*, ministère des Finances et

aux outils d'intelligence économique dont elle dispose. Cet annuaire recense 136 technologies clés, qui concernent les animaux transgéniques comme les systèmes de gestion de l'ultrapureté pour l'électronique, en passant par tous les domaines de pointe imaginables.

Le débat, aujourd'hui, concerne le rôle respectif de l'Etat et du secteur privé dans ce domaine. Aux Etats-Unis, il n'y a plus aucun doute : l'intelligence économique est devenue un axe stratégique de l'agressivité américaine sur les marchés du monde. L'administration Clinton se déploie sur tous les fronts, en concentrant ses efforts dans un contexte de compétition commerciale exacerbée. Ces méthodes, qui ne sont encore qu'ébauchées en France, sont déjà en vigueur outre-Atlantique, et la puissance publique s'est rangée aux côtés des entreprises. Les services secrets y jouent leur rôle, tandis que la diplomatie est engagée à fond. Madeleine Albright, le secrétaire d'Etat, a été très nette lors de sa confirmation devant le Sénat, le 8 janvier 1997 : « Nous devons construire un système économique global qui travaille pour les Etats-Unis (...). Souvent, nos entreprises se trouvent face à des concurrents étrangers recevant un soutien actif de leurs propres gouvernements. Une responsabilité cruciale du département d'Etat consiste à observer si les intérêts des firmes américaines sont traités correctement, et à veiller à ce que les barrières inéquitables à la compétition soient vaincues. »

En France, dans l'attente d'une réorganisation maintes fois esquissée, mais point encore entrée dans les mœurs, de l'environnement étatique de l'intelligence économique, le Comité pour la compétitivité et la sécurité économique (CCSE), auquel participaient nombre de grands dirigeants français, est tombé en déshérence après avoir rendu, au printemps 1996, un important rapport au ministre de l'Economie et des Finances, Jean Arthuis, qui préconisait un renforcement très vif de l'action de l'Etat. Le CCSE ne survivra pas à l'arrivée au gouvernement de Lionel Jospin et

de l'Industrie, secrétariat d'Etat à l'Industrie, Direction générale des stratégies industrielles, Paris, septembre 1996.

de son ministre de l'Economie Dominique Strauss-Kahn, qui ont préféré décider, à la fin de 1997, la mise sur pied d'un groupe d'étude sur l'information économique et les nouvelles technologies, présidé par Patrick Lefas, directeur des affaires européennes et internationales de la Fédération française des sociétés d'assurances. Selon le gouvernement, « l'environnement des entreprises, dans un contexte d'ouverture des marchés et d'évolution technologique rapide, est de plus en plus complexe (...). La maîtrise de l'information devient dès lors un enjeu stratégique[1] ».

Le groupe de réflexion est à dominante essentiellement économique, puisqu'il associe une demi-douzaine de directions du ministère de l'Economie (relations économiques extérieures, stratégie industrielle, douanes, énergie et matières premières, Trésor, action régionale et PME). Trois membres associés participent également aux réunions du groupe : le CFCE (Centre français du commerce extérieur), l'Anvar (Agence nationale de valorisation de la recherche) et l'Adit (Agence pour la diffusion de l'information technologique). Du point de vue du développement des outils de l'intelligence économique, la France n'est pas en retard. Ce qui n'empêche pas ces logiciels de faire aujourd'hui l'objet d'une concurrence internationale effrénée. Il s'en crée de nouveaux chaque jour. Un inventaire risquerait de paraître rapidement incomplet. Sur ce marché très compétitif, les Français sont plutôt bien placés, avec des outils comme Tétralogie, Noémic, Gingo, Dynatools, Messie, Pericles, etc. Mais faute d'un effort national en la matière, les très intéressantes initiatives françaises, en matière d'information élaborée, risquent de pâtir de la concurrence effrénée des Américains, mais aussi des Japonais.

Exemple : la plupart des organismes travaillant sur l'information élaborée opèrent sur des ordinateurs puissants, mais encore très légers au regard des volumes extraordinaires d'information qu'il faudrait pouvoir traiter. Or on voit mal

---

1. Cité par *Le Monde du renseignement*, n° 332, 2 avril 1998.

qui serait en mesure en France, à part la puissance publique, d'investir dans les ordinateurs de puissance, dits « massivement parallèles », qui vont s'avérer indispensables. La technologie permettant d'extraire de l'information des bases de données est baptisée du terme anglais de *data mining*. Il s'agit de l'un des secteurs de la recherche informatique qui a connu les plus spectaculaires développements au cours de ces dernières années. Les universités et les chercheurs américains y sont en pointe. Or les spécialistes français de la question se sont rendu compte d'une évolution qui ne trompe pas : alors que les publications scientifiques sur l'utilisation des ordinateurs « massivement parallèles » dans le *data mining* étaient très nombreuses aux Etats-Unis jusqu'à 1993, elles se sont brutalement taries pour se révéler inexistantes aujourd'hui. Que s'est-il passé ? C'est simple : les Américains ont jugé qu'il s'agissait de recherches stratégiques, et qu'il convenait de les rendre secrètes. Un autre indice ? Le laboratoire que IBM-France avait monté autour d'un chercheur français de grande renommée internationale, Charles Huot, qui avait conçu le logiciel T-watch, a été transféré sur le sol américain. Restructuration ? Rationalisation économique ? Pas sûr...

ADVOCACY CENTER

C'est en janvier 1993 que Ronald Brown, le secrétaire au Commerce nommé par le nouveau président Bill Clinton, décide de donner une impulsion forte aux exportations américaines. But avoué : 1 000 milliards de dollars d'exportations annuelles d'ici l'an 2000[1], chaque nouveau milliard de dollars de vente à l'étranger faisant gagner entre 15 000 et 20 000 emplois aux Etats-Unis. C'est l'époque où le nouveau président crée à ses côtés le Nec (National Economic

---

1. Ce chiffre a été réactualisé et, en 1997, le Department of Commerce affichait un objectif de 1 200 milliards de dollars en 2000.

Council), chargé de coordonner la politique économique intérieure et la politique d'exportation. Il fut dirigé dans un premier temps par Laura D'Andrea Tyson, puis par Gene Sperling, lors du second mandat. La question de l'implication de l'appareil clandestin de renseignement dans la compétition économique a fait, au cours des années 70 et 80, l'objet de vifs débats aux Etats-Unis. Ils sont largement révolus, l'implication d'une « communauté » de services secrets (*intelligence community*) recevant 26 milliards de dollars de crédits par an, ne faisant aucun doute. Naturellement, une telle attitude se doit d'être cohérente et politiquement appuyée : « Si la décision de collecter de l'information sur les entreprises étrangères, dans l'intention de transmettre les données recueillies aux firmes américaines, se doit d'être politique, cette politique doit également jouir du plein soutien des pouvoirs exécutif et législatif[1]. »

C'est le président américain lui-même qui fera sauter un verrou politique en acceptant — et en l'annonçant officiellement lors d'une cérémonie au siège de la CIA à Langley, en juillet 1995 — que les services secrets américains se mettaient au service des entreprises[2]. Pour que la légalité et les apparences soient sauves, le discours officiel consistera à prétendre que seules les entreprises faisant face à des compétiteurs utilisant la corruption pour remporter des contrats pourront bénéficier de ce type de soutien. Ce qui ne modifie pas le fond des chose, dès lors que les Américains considèrent, à peu de chose près, que tous leurs compétiteurs sont déloyaux par nature.

Pour les Américains, c'est bien d'une guerre, à tout le moins d'une guerre des mots, qu'il s'agit. Dès l'arrivée de Bill Clinton aux affaires, le centre qu'ils vont mettre en place pour suivre les cent plus gros contrats en cours de négociation, sur les principaux marchés, sera officiellement baptisé *advocacy network* (réseau de pression) et l'espace où

---

1. Tɪᴍᴏᴛʜʏ D. Fᴏʟᴇʏ, « The role of the CIA in economic and technological intelligence », *Fletcher Forum of World Affairs*, printemps 1994.
2. *Guerres dans le cyberespace, op. cit.*, p. 270 sq.

ces contrats seront suivis n'est autre que l'*advocacy center*, ou *war room*, terme désignant, dans le vocabulaire guerrier, la salle à partir de laquelle sont conduites les opérations militaires. La stratégie de la *war room* est précise : elle surveille attentivement les pays *émergents* qui lui paraissent les plus prometteurs au plan économique (Mexique, Argentine, Brésil, Pologne, Turquie, Afrique du Sud, Chine populaire, Taiwan, Vietnam, Malaisie, Philippines, Singapour, Thaïlande, et Brunei) en privilégiant sur ces marchés les technologies de l'avenir. Les projets de contrats en cours à la fin de 1997 concernaient d'abord l'Asie (58,8 %), puis le Moyen-Orient et l'Afrique du Nord (22,8 %)[1]. Au premier plan figurent les technologies de l'information (télécommunications, ordinateurs, logiciels), suivies par ce qui concerne les transports et l'armement, puis l'environnement. Ensuite viennent les services financiers, la santé et l'énergie. La suprématie des Français sur le vin n'est pas contestée...

Quand, appliquant la nouvelle stratégie offensive, l'Export Import Bank (EximBank) dotera les chasseurs de contrats de fonds exceptionnels, il s'agira d'un *war chest*, ou trésor de guerre. Pour Ron Brown, un ami personnel de Bill Clinton, l'*advocacy network* représente un état-major de crise permanent, qui associe les administrations les plus en pointe au plan politique, commercial, économique et financier, diplomatique et militaire[2]. Le réseau, qui consiste en réalité en une force de frappe commerciale étonnamment cohérente et puissante, a pour mission d'aider au maximum les entreprises qui entrent en compétition.

1. *The National Export Strategy*, *op. cit.*
2. Departments of Commerce, State, Agriculture, Interior, Labor, Treasury, Defense, Energy. EximBank, Opic (Overseas Private Investment Corporation), TDA (Trade and Development Agency), SBA (Small business administration), Usaid (US Agency for International Development), EPA (Environmental Protection Agency), CEA (Council of Economic Advisors), Usia (US Information Agency), USTR (US Trade Representative), OMB (Office of Management and Budget).

Toutes les étapes d'un contrat sont « couvertes » dans le détail. En amont, la planification et la stratégie à long terme sont étudiées. Ce qui implique que, par exemple dans les domaines de l'espace et de l'aéronautique, les conseils de la Nasa et la FAA (Federal Aviation Administration) seront systématiquement demandés, ce qui présente un avantage concurrentiel considérable quand on sait le poids que ces deux administrations possèdent, dans leurs domaines, au plan international. En aval, que le contrat soit gagné ou perdu, une évaluation sera menée par le réseau sur les raisons de la réussite ou de l'échec. Histoire de bien intégrer les recettes amenant une issue favorable, et de ne pas répéter les erreurs. Entre-temps, le contrat passera par une phase de collecte d'informations, afin de disposer de tous les éléments permettant de préciser l'environnement dans lequel il se déroule. C'est là que l'appui de la communauté du renseignement, c'est-à-dire de l'appareil d'espionnage et de son organe directeur, le NSC (National Security Council) situé à la Maison Blanche, pourra s'avérer décisif.

L'analyse détaillée du projet sera également entreprise, pour déterminer ses implications pour d'autres contrats en cours. Enfin, *last but not least,* c'est encore l'*advocacy network* qui instruira le mode d'intervention des organismes financiers, associant sous l'œil bienveillant du gouvernement les banques et les organismes financiers spécialisés dans la couverture du risque-client. Sous la houlette de la *war room,* c'est dans ce cadre que le président américain lui-même sera éventuellement appelé à la rescousse pour pousser un contrat en difficulté, ou faire fléchir un chef d'Etat récalcitrant.

Le roi d'Arabie Saoudite, Fahd Ibn Abdel Aziz al Saoud, fut ainsi directement sollicité par le président Clinton en 1994 pour entériner l'achat d'avions Boeing, contre le concurrent européen Airbus. Quelques semaines plus tôt, la dette militaire saoudienne à l'égard des Etats-Unis avait été renégociée : on n'a rien sans rien. La NSA avait été mise à profit, pour intercepter les conversations téléphoniques émises de son avion par le Premier ministre français, Edouard Balladur, qui s'était rendu en Arabie pour donner un coup de pouce à Airbus. Dans un document confidentiel de septembre 1995, le ministère français des Finances recensait un certain nombre d'affaires, outre les avions de transport en Arabie, qui avaient bénéficié d'une aide décisive du gouvernement américain face aux concurrents français, dans le cadre de l'*advocacy network*. Ce ne sont pas les plus gros contrats qui bénéficient de cette aide gouvernementale décisive, mais les plus significatifs. Ceux qui ouvrent des voies, soutiennent des technologies émergentes, permettent de forcer les résistances d'un gouvernement local.

Parmi ceux-ci, on note un contrat de 1,6 milliard de dollars remportés en Chine par McDonnell Douglas ou un autre de 800 000 dollars, toujours en Chine, pour la fourniture d'une centrale énergétique. Et encore un satellite en Malaisie, une centrale géothermique aux Philippines, un système de signalisation pour les transports en commun à Taiwan, et un autre contrat dans le même pays pour un plan de gestion des côtes. Le document cite encore un contrat de nettoyage de canaux en Indonésie, un de matériels de télécommunication au Brésil, etc. La liste est intéressante, car elle démontre que les Américains se mobilisent surtout pour les contrats qui peuvent leur permettre d'évincer des concurrents commerciaux bien placés, même si les sommes en jeu sont relativement modestes. A ce jeu, Ron Brown fut un adversaire implacable des grands industriels européens. Revendiquant l'agressivité commerciale de l'administration Clinton, il estimait qu'il fallait faire de l'économie américaine une machine de guerre économique, et la réorienter vigoureusement vers l'exportation.

Deux ans après sa nomination, il expliquait : « Nous avons effectivement radicalement changé. Nous avons essayé de créer un véritable partenariat gouvernement-affaires afin de faire face aux opportunités internationales. Jusque-là, les Etats-Unis s'étaient empêtrés dans un interminable débat idéologique à propos du rôle du gouvernement vis-à-vis du secteur privé[1]. » Ce que certains analystes

---

1. Entretien avec *Politique internationale*, nº 69, 1995.

français refusent de considérer comme une pratique critiquable de l'administration Clinton : « La politique de soutien à l'exportation américaine témoigne d'une intelligence du monde actuel, c'est-à-dire d'une capacité des élites de ce pays à écouter, comprendre, et anticiper les évolutions politiques, économiques, technologiques mondiales[1]. »

Peut-être faudrait-il tempérer la portée de ces propos. C'est le point de vue d'un homme fort intéressant, Robert Steele, passé de la CIA et du service de renseignements du US Marine Corps à la promotion des « sources ouvertes ». Il a créé une entreprise spécialisée dans le renseignement au service des milieux d'affaires, OSS (Open Sources Solution), qui ne fait appel qu'aux ressources de l'intelligence économique, c'est-à-dire à des informations recueillies de manière légale, éventuellement retraitées à partir de procédés informatiques d'information élaborée. Il prône, aux Etats-Unis et dans les pays qui souhaitent intervenir sur les marchés mondiaux, donc en France, la mise sur pied d'une « stratégie nationale d'information » qui ferait basculer une part des ressources consacrées aux services secrets vers l'intelligence économique. Quant à l'*advocacy center* et aux efforts américains dans le contexte actuel, il les juge très sévèrement : « Je peux vous dire qu'il ne s'agit là que d'une machine de propagande pour le commerce américain, plutôt que d'un centre d'observation stratégique du commerce mondial. Nos attachés d'ambassade ont été forcés de se transformer en boy-scouts et en commis voyageurs pour les entreprises américaines expatriées, c'est exact ; mais la capacité de renseignement du département du Commerce est à proprement parler inexistante (...). Oui l'*advocacy center* reçoit du renseignement classifié, mais malheureusement la communauté du renseignement américaine est lamentable en terme d'intelligence économique, et elle est incapable de contribuer efficacement à notre stratégie économique[2]. »

---

1. Claude Revel et Isabelle Pedron Liou, *La Diplomatie exportatrice des Etats-Unis*, Obsic, Paris, 1997, p. 8.
2. Entretien avec la *Revue française de géoéconomie*, n° 2, 1997.

Le 3 avril 1996, en conduisant un groupe d'industriels en Croatie à bord d'un avion de l'US Air Force, Ron Brown trouvait la mort lors du crash de l'appareil. A ses côtés se trouvait un haut responsable de la CIA, James M. Lewek, en mission spéciale pour le compte de l'IBTF (Interagency Balkan Task Force) placée directement sous l'autorité de John Deutch, le patron de la CIA. De 1990 à 1995, James Lewek avait été le patron de l'équipe qui rédigeait le compte rendu quotidien de renseignement pour le Président. Il accompagnait Ron Brown pour l'aider à évaluer le dossier de la reconstruction en Bosnie. L'ex-Yougoslavie, au cœur de l'Europe, n'est-elle pas porteuse d'espoirs commerciaux pour les pays industriels? Tous se sont positionnés pour participer à cette reconstruction. D'aucuns y ont bien réussi, d'autres moins.

DOMMAGES DE GUERRE (BOSNIE)

Pour nombre d'entreprises françaises, mais aussi pour le ministère de la Défense qui voit dans cette action une dimension importante de ses missions de l'après-guerre froide, il va de soi que l'implication de notre pays dans l'action militaire en Bosnie devait déboucher sur des retombées commerciales. D'aucuns prétendent même, de manière fort malvenue et singulièrement maladroite, que notre pays doit percevoir le « prix du sang » après que soixante et onze de ses soldats ont été tués depuis le début des opérations de maintien de la paix en 1992, auxquels s'ajoutent sept cents blessés. Il s'agirait donc, si l'on accepte cet argument indécent, d'une politique de « juste retour », consistant pour les entreprises à signer automatiquement des contrats et à passer à la caisse après les enterrements. Glissons... L'important, c'est que l'action militaire et diplomatique française se double, sur le terrain, d'une participation effective à la reconstruction. Dans quelle proportion, selon quelles modalités? C'est la question sur laquelle se penchent nombre d'acteurs depuis quelques années, qui estiment que la démarche française en la matière est à revoir. Dès 1992, à l'initiative du chef d'état-major des armées l'amiral Jacques Lanxade, les Français ont défini un concept d'« action civilo-militaire ». Le modèle en ce domaine, ce sont les Américains. Depuis toujours, ils accompagnent leurs opérations guerrières d'un volet de ce type, confié aux « forces spéciales[1] », qui vise à la fois à établir de bonne relations entre les forces armées et les populations locales pour les convaincre de l'opportunité de l'action en cours, et à préparer le terrain pour les hommes d'affaires, quand la paix sera revenue. En Bosnie, 350 officiers du corps des *Civil Affairs* sont arrivés dans les bagages de l'armée américaine, et il se trouve des Français pour estimer que leur pays aurait dû agir de même : « Nous n'avons pas exploité de façon systématique l'avantage économique du prépositionnement de nos forces, laissant aux étrangers les plus déterminés, aidés par les organisations *ad hoc*, l'occasion de gagner au plan économique la guerre que nous avions menée militairement[2]. » Complexés devant le volontarisme américain en la matière, et désireux également de donner du grain à moudre au Cos (Commandement des opérations spéciales) sur le terrain, le ministère français de la Défense s'est engagé dans la voie consistant à mettre l'appareil militaire au service de l'« entreprise France ». Avec des succès variés.

Le terrain de manœuvres était donc la Bosnie. Un pays à genoux, qu'il a fallu dans un premier temps aider à redémarrer succinctement après les années de guerre, et qu'il convient de reconstruire. Budget estimé de la remise en état des infrastructures détruites par la guerre : 5 milliards de dollars, qui seront versés par diverses instances internatio-

---

1. Traditionnellement chargées des opérations « coup de poing », notamment en arrière des lignes ennemies, les forces spéciales ont également en charge les « opérations psychologiques », c'est-à-dire les relations avec les populations des territoires concernés par une intervention militaire.

2. *Une agence française pour la reconstruction et le développement*, Institut des hautes études de la défense nationale, juin 1996, p. 3.

nales entre 1996 et 2000. Dès le mois d'avril 1993, dans le cadre de la mission du représentant de l'Onu chargé de la reconstruction, William Eagleton, les armées françaises envoient en Bosnie une vingtaine d'officiers de réserve « zingués », c'est-à-dire nantis d'un grade fictif — à savoir celui de lieutenant-colonel —, et appartenant à des entreprises du bâtiment et des travaux publics, de la distribution d'eau, du grand et du petit commerce, des télécommunications. L'objectif est nettement affiché par Claude Coppin, président de Spie-Batignolles et vice-président du syndicat des entrepreneurs français internationaux : « Pour être présent à l'heure de la paix, il faut être sur place lorsque la guerre bat son plein; c'est une évidence qui se vérifie dans tous les conflits modernes[1]. » Les choses ne se dérouleront pas comme prévu : le contact entre les réservistes et les officiers d'active ne sera pas parfait. L'initiative du ministère de la Défense sera combattue par d'autres ministères, notamment celui des Finances, pour des raisons bureaucratiques. Les réservistes envoyés sur place et payés par le ministère de la Défense devaient se libérer cent ou deux cents jours pour mener leur mission, ce qui interdisait cette fonction à nombre de professionnels. Comme le regrettait l'un d'entre eux en 1996 : « Il me semble très difficile d'attirer vers ces missions de vrais responsables de l'industrie ou du monde des affaires. Beaucoup de réservistes recrutés de cette façon par le Cos sont des "marginaux" de la vie économique (chômeurs, en attente/instance de changement de job, anciens [officiers] d'active voulant arrondir leur retraite, fonctionnaires détachés par leur administration). Ce qui ne veut pas dire qu'ils sont moins méritants[2]. » Les entreprises françaises ne se mobiliseront pas pour les marchés de la reconstruction de la Bosnie. Pas assez rentable, jugeront-elles de concert. Conclusion du colonel, chef du bureau des

---

1. In Fabien Spillmann, « Agir autrement », *Armées d'aujourd'hui*, n° 212, juillet 1996.

2. Philippe Lhermitte, « Cent jours en Bosnie dans le cadre des actions civilo-militaires », *Armée et Défense*, juillet-août 1996.

affaires civilo-militaires en poste à Sarajevo de mai à décembre 1997 : les actions civilo-militaires « méritent de toute urgence de bénéficier des structures militaires et inter-ministérielles nécessaires à leur cohérence, et capables de répondre aux exigences des réalités complexes des théâtres d'opérations actuels[1] ».

Les Américains ont tiré leur épingle économique du jeu bosniaque. Notamment en raison de l'action concertée de leurs administrations et de leurs entreprises, rôle auquel le gouvernement français a refusé de souscrire, laissant le ministère de la Défense, dont ce n'est pas la vocation pre-mière, jouer seul en première ligne : « Cette situation peut satisfaire les théoriciens du libéralisme économique qui sou-haitent un retrait de l'Etat face aux enjeux économiques. Elle est toutefois en contradiction, et il faut le souligner, avec ce qui est pratiqué par les grands concurrents de la France, à commencer par les Américains. Ils soutiennent de façon massive l'action de leurs entreprises derrière les enga-gements bilatéraux, en utilisant les agences de développe-ment pour bien diriger et contrôler l'effort. Il s'agit pour eux d'une gestion concertée de leur souveraineté et de leur stra-tégie d'influence[2]. » L'Onu, en ex-Yougoslavie, a passé de nombreux marchés pour l'entretien de ses troupes, pour un montant atteignant un milliard de dollars par an, « mais, en l'absence du moindre Français dans les services d'achat de la Forpronu à Zagreb, ce marché était pratiquement mono-polisé par les Anglo-Saxons, et même par les Japonais en ce qui concerne les véhicules[3] ».

Autre paradoxe analysé par le groupe de travail Procure, de la Fed (Fondation pour les études de défense) : bien qu'elle ait poursuivi le versement de son aide financière à la Bosnie après la signature des accords de paix, la France « a

1. BERNARD COCHIN, « Les actions civilo-militaires en Bosnie-Herzégovine », *Perspectives stratégiques*, février 1998.

2. *Une agence française....*, *op. cit.*, p. 9.

3. MARC DESFOURNEAUX, « Stratégies économiques en Bosnie-Herzégovine », *Cahiers de la FED*, n° 9, 1997, p. 24.

déserté le champ de bataille économique au moment où les hommes d'affaires de tous les autres pays commençaient à y déferler, soutenus par les autres gouvernements[1] ». Les Américains sont-ils d'affreux cyniques, ou bien seraient-ce les Français qui se désintéresseraient de marchés trop peu rémunérateurs, et trop difficiles à conquérir? « En guise de justification, on invoque volontiers un complot anglo-saxon qui priverait les Français d'un accès loyal aux informations nécessaires pour répondre [aux appels d'offres] dans les brefs délais habituellement requis (...) mais c'est là que la théorie du complot ne tient plus, car toutes ces informations, loin d'être cachées aux entreprises françaises, sont disponibles sur Internet où chacun peut en bénéficier[2]. »

Les données de la reconstruction sont massivement faussées par un élément qui saute aux yeux du visiteur parcourant la Bosnie : malgré les besoins criants, les crédits versés par des organisations internationales ou des aides bilatérales européennes pour rebâtir le pays sont encore insuffisants. Contrairement à ce qui se passe, par exemple, à Beyrouth, où de véritables puissances financières locales ont repris les choses en main. Dans la reconstruction bosniaque, les Italiens se sont révélés les meilleurs. Avec 7 % de l'aide internationale versée par leurs soins, ils avaient dès 1996 récupéré 20 % des marchés. A côté, les Français ne peuvent se targuer que de peu de succès : la remise en état des tramways de Sarajevo par les militaires français s'est terminée curieusement, chaque tram étant affublé d'un drapeau de l'Oda (Overseas Development Administration), organisation britannique bien connue. EDF, pour 25 millions de francs, a contribué à la remise en service de l'électricité de Sarajevo. La reconstruction de l'aéroport de la ville, rouvert par les Français, géré par leur armée de l'air, n'a pas bénéficié de subventions françaises significatives. Résultat : des entreprises hollandaises financées par leur gouvernement ont remporté le marché, et acheté des équipements

---

1. Marc Desfourneaux, art. cité, p. 34.
2. *Ibid.*, p. 37.

américains. Sous le regard éberlué des soldats français qui ont tant bien que mal fait tourner l'aéroport à leurs risques et périls durant toute la guerre, c'est le secrétaire d'Etat américain Warren Christopher qui est venu procéder à l'inauguration, le 15 août 1996! Aucun ministre français n'avait accepté de faire le déplacement, en pleines vacances...

Thomson avait fourni pour 10 millions de francs d'équipements, payés par le Trésor français, et Aéroports de Paris offert un camion aux pompiers. Lorsque Jacques Chirac a effectué, dans l'indifférence générale de la population qui avait acclamé dans la rue le président Bill Clinton quatre mois plus tôt, sa première visite officielle à Sarajevo, en avril 1998, il a conseillé aux habitants de la capitale de prendre exemple sur les Français et les Allemands qui ont su tirer un trait sur des siècles de guerres pour construire ensemble l'Europe. Mais il n'a guère célébré les petits contrats en cours de finalisation : l'impression de billets de banque par la firme Oberthur, et la construction de boulangeries industrielles. Quant au déminage, il permet surtout aux entreprises françaises de « consacrer l'essentiel de leurs efforts à s'affronter pour le partage de des quelques crédits octroyés par la France[1] ». On est très loin de la « diplomatie économique » prônée par Hubert Védrine, le ministre français des Affaires étrangères souhaitant voir grand, et associer dans un même effort, rendu nécessaire par l'ampleur de la menace américaine, l'appareil diplomatique et les entreprises exportatrices[2].

QUELLE POLITIQUE FRANÇAISE?

Dans le contexte de compétition internationale exacerbée, et pour tenir la route dans la mondialisation, il est clair que la France ne parviendra à se doter des outils de compétitivité économique nécessaires qu'en mettant sur pied une stratégie capable de faire face aux enjeux de la société de

1. MARC DESFOURNEAUX, art. cité, p. 30.
2. Discours au Medef International, 24 novembre 1998.

l'information. Or, les illustrations sont nombreuses d'une incapacité globale à fédérer les efforts, étatiques et privés, existant ou à susciter, dont la mise en cohérence permettrait de répondre aux enjeux de l'époque. Il serait vain d'attendre que cette politique soit engagée par l'Etat seul, d'autant moins armé pour le faire isolément que ses diverses administrations consacrent une part notable de leur énergie à combattre les initiatives que prennent les autres. Pour autant, des initiatives fleurissent au sein de l'administration, qui démontrent que la prise de conscience réclamée depuis des années, notamment par l'ancien patron de la DST et conseiller de Michel Rocard à Matignon pour les affaires de renseignement, le préfet Rémy Pautrat, a fini par se faire. C'est lorsqu'il était secrétaire général adjoint de la Défense nationale que Rémy Pautrat a lancé une vaste réflexion sur le thème de l'intelligence économique. C'est également sous ses auspices que se sont montées, le 15 décembre 1997, les premières assises régionales de l'intelligence économique, en Basse-Normandie. Elles ont été couronnées de succès, et ont rassemblé des dizaines d'entreprises locales.

Dans la nécessaire mise en œuvre d'une politique nationale de gestion de l'information économique, l'Etat se doit de mettre en valeur l'extraordinaire quantité de données pertinentes dont il dispose, notamment par le biais des ambassades et des services du ministère des Finances, via la DREE (Direction des relations économiques extérieures). Dans ces administrations, des analystes effectuent un important travail de collecte des informations disponibles dans les divers pays, et une mise en commun, au service des entreprises, s'avère indispensable. C'est là, sans aucun doute, que l'Etat peut jouer un rôle majeur; Hubert Védrine précise ainsi : « J'attends des ambassades qu'elles soient vigilantes, attentives à toutes les informations utiles à la défense ou à la promotion de nos intérêts économiques[1]. » Il n'est pas question que les administrations contribuent à la mise sur pied, systématiquement refusée par les gouvernements

1. *La Tribune*, 27 avril 1998.

d'Edouard Balladur, d'Alain Juppé, puis de Lionel Jospin, d'une sorte d'*advocacy center* national, que nombre d'acteurs, en France, appellent pourtant de leurs vœux. Faut-il regretter l'absence d'engagement formel de l'Etat? Une démarche active d'intelligence économique doit reposer sur des initiatives privées, mais également sur une claire conscience des enjeux de l'entrée de la France dans la société de l'information : « La pratique de l'intelligence économique est indissociable, au sein d'une entreprise ou d'une organisation comme à l'échelle d'une industrie ou d'une nation, d'une culture collective d'échange et de partage de l'information et du savoir[1]. »

Une sorte de révolution culturelle s'impose : dans notre pays, traditionnellement et historiquement marqué par un pouvoir central très fort, aussi bien dans son organisation politique que dans son organisation économique, la puissance d'un individu et/ou d'une organisation s'est, de tous temps, mesurée pour une bonne part à la quantité d'informations secrètes dont il dispose. Détenir ces données, et faire savoir qu'on est en leur possession, mais sans les révéler, constitue, en soi, une preuve de puissance. On les vendra aux seuls amis, contre de l'argent ou toute autre valeur, on bâtira sur ce système un réseau de relations et de pouvoir, et on fera le maximum pour que cela ne sorte pas d'un maillage d'initiés, d'un cercle le plus restreint possible.

Dans la société de l'information, c'est de l'inverse qu'il s'agit : le pouvoir réel dans un monde globalisé, c'est celui des médiateurs qui savent recueillir l'information — leurs grands-pères savaient aussi le faire —, mais qui savent surtout la redistribuer, exactement comme un joueur-pivot sur un terrain de football sait recueillir le ballon pour le transmettre à son équipier, qui marquera le but. Pour que cette redistribution soit efficace, il faut qu'elle soit rapide, intelligente — la bonne information pour la bonne personne —,

---

1. PHILIPPE CLERC, « Intelligence économique, enjeux et perspectives », in *Rapport mondial sur l'information 1997/1998*, Unesco, Paris, 1997, p. 325.

qu'elle concerne de l'information élaborée. Qu'elle soit gratuite ou payante n'est pas le problème. L'important, c'est qu'elle circule après avoir été recueillie. Comme le précisait Rémy Pautrat, lors des assises de Caen : « Sachons oublier nos certitudes et transformer nos comportements quotidiens. Il faudra bien des renoncements si nous voulons échanger et partager l'information, l'expérience et le savoir, si nous voulons ensemble construire une vraie culture de développement : créer plus de richesses, plus d'emploi. Je pense à un vrai ciment de solidarité. » D'où l'intérêt de l'Internet dans une telle perspective, et l'un des handicaps sérieux de notre pays : son incapacité persistante à comprendre l'intérêt des réseaux d'échange de savoir. Sans doute, la situation évolue-t-elle, mais on est encore très loin du compte : pour le plus grand bénéfice de la collectivité, il est plus que temps que le mouvement s'accélère.

Enfin, si cet élément ne vaut pas preuve, il mérite qu'on s'y arrête : les Japonais, qui n'ont jamais été en retard en matière de collecte et de redistribution de l'information, notamment grâce aux fameux réseaux d'entreprises, les *sogo-soshas*, ont lancé un gigantesque programme de recherche tournant autour de la problématique du *data mining*. Financé somptueusement par le ministère de la Recherche, le Miti, un très important programme d'études a été lancé en 1997, baptisé *Discovery Science*, qui associe universités et entreprises et a vocation à explorer durant trois ans l'intégralité de ce champ. Les sujets traités par les équipes de recherche tournent autour de la « découverte du savoir dans les bases de données », la « découverte du savoir dans les environnements en réseaux », la « découverte du savoir dans des données multimédia non structurées » et ainsi de suite. Les Japonais ont décidé de mettre des moyens considérables sur ces thèmes, afin de prendre une avance stratégique dans ce domaine. Nombreux sont ceux qui pensent que l'investissement massif d'argent public et de fonds de recherche dans ces technologies va revêtir une importance cruciale pour un certain nombre de pays dans les années qui viennent. Il serait profondément regrettable que cette attitude offensive et prospective, clé, dans l'avenir immédiat, des grands marchés de l'information élaborée, ne soit pas analysée et perçue dans notre pays comme elle doit l'être : un enjeu décisif. Les moyens financiers nécessaires sont sans commune mesure avec ceux qu'il a fallu mobiliser, voilà quatre décennies, pour fabriquer la bombe atomique nationale. Pour le prix d'une ou deux machines de guerre héritées de la guerre froide et qui ne serviront, selon toute vraisemblance, jamais dans un avenir prévisible, la France se doterait d'une capacité sérieuse dans la société de l'information. Traiter l'information pour s'en servir dans l'économie concurrentielle globalisée, canaliser et fédérer les énergies, tel est l'un des enjeux majeurs de cette fin de siècle.

En France, c'est à l'Adit que s'est concocté durant plusieurs années un formidable moteur de recherches sur l'Internet, dont le nom n'avait pas encore été définitivement adopté à la fin de 1998. Déjà, un « antéserveur », c'est-à-dire un sorte de « supersite », avait été mis au point par l'Adit au milieu des années 1990, mais cette fois-ci, c'est d'une innovation majeure qu'il s'agit : depuis les débuts des moteurs de recherche disponibles sur le réseau, et qui permettaient de fouiller l'ensemble des informations disponibles, l'explosion du World Wide Web a rendu ces puissants logiciels imparfaits. Pour une raison simple : avec des méthodes diverses, les différents moteurs de recherche disponibles sur le réseau fouillent dans l'intégralité des sites, ou les indexent avec des équipes d'internautes spécialisés, comme Yahoo. Mais ces recherches ne peuvent concerner, pour aucun des moteurs, l'intégralité du web. HotBot, le moteur du magazine *Wired*, indexait, en novembre 1997, 77 millions de pages web. AltaVista, Excite et InfoSeek respectivement 11 millions, 32 millions et 17 millions. Soit 160 millions de pages indexées, sur un total de 200 millions disponibles à cette date. En mars suivant, selon les conclusions de l'étude des chercheurs de la firme Digital, ce nombre était déjà passé à 275 millions[1]. Le problème, c'est que

1. Krishna Barat et Andrei Broder, *A Technique For Measuring*

chaque moteur ne visite que les documents qu'il a recensés, et que 2 % de l'ensemble disponible sur le web est visité par l'ensemble des moteurs. La conclusion, c'est qu'il faut trouver un moyen de fouiller plus sérieusement le réseau. Celui qui y arrivera le premier a des chances de toucher le jackpot. C'est ce que cherchent à lancer des firmes comme Digital, ou Nec avec le projet Inquirus, ou les Français de l'Adit. La spécificité du supermoteur de ces derniers résidera dans le fait qu'il sera en mesure de descendre profondément à l'intérieur des sites qu'il aura répertoriés, et validés pour la qualité de leurs informations. En termes techniques, on mesure la pertinence d'un moteur de recherche à la « profondeur » des fichiers qu'il peut atteindre sur un site donné. Les meilleurs moteurs américains « descendent » rarement plus de deux niveaux d'arborescence. Le nouveau moteur français, qui se situera au plus haut niveau mondial du domaine, devrait quant à lui descendre jusqu'à douze niveaux d'arborescence. Un record toutes catégories...

Spécialisé dans l'intelligence économique, le moteur français a une autre particularité. Il ne sera possible d'y accéder qu'à partir de machines immatriculées... en France ! Car des études poussées, mais demeurées discrètes, menées par des universitaires français au cours des années 1997 et 1998, ont démontré que les principaux moteurs américains ont de fort curieuses pratiques : si on les interroge de France — ce que l'on sait fort bien repérer avec le numéro de la machine et celui du fournisseur d'accès —, le moteur ne propose pas les mêmes réponses que si on l'interroge d'une machine américaine, ou d'une machine japonaise. Pourquoi ? Sans doute parce qu'une autorité américaine, qui n'a pas été identifiée à ce jour, a décidé qu'il en serait ainsi... On n'est pas pour rien le maître du réseau ! Tout indique que l'universalité du réseau, sa vocation de transparence et l'aimable

the Relative Size and Overlap of Public Web Search Engines, communication à la conférence « WW7 », mars 1998.

utopie qui motivait ses animateurs ne survivront plus longtemps. Le web est devenu un enjeu stratégique crucial, et ce pourrait bien être — paradoxalement — sur des bases nationales que certaines de ses évolutions voient le jour.

16

Conclusion

Quand ils s'en prennent au génie national français, il est vrai que les Américains deviennent vite agaçants. Si elle avait abouti, leur volonté de proscrire les ventes de fromages fabriqués à partir de lait cru aurait violemment heurté les intérêts de milliers de producteurs français. Sur des exportations annuelles de 475 000 tonnes — soit le tiers de la production française — à peine 3 % sont exportés vers les Etats-Unis. Mais cette consommation relativement faible de produits venus de notre étrange pays aux trois cents spécialités fromagères, dont une trentaine gratifiées de l'appellation d'origine contrôlée (AOC), n'a pas empêché les Américains de vouloir régenter le marché mondial, pour des raisons prétendument « sanitaires ». Non qu'ils conçoivent des craintes sérieuses ou fondées sur la qualité des fabrications européennes. Ils n'ignorent rien de la sévérité des normes de fabrication, des contrôles de qualité intransigeants, des règles sanitaires implacables que les administrations européennes et nationales imposent. Le problème, c'est que les normes américaines de standardisation ne sont pas respectées, et que, dans ces conditions, les grands fromagers des Etats-Unis ne peuvent prétendre intervenir comme bon leur semble sur l'ensemble du marché mondial. Leurs produits standardisés, adaptés aux tranches pour hamburgers et autres portions pour pique-niques calibrés ne doivent pas voir se dresser contre eux ces produits exotiques aux goûts

317

et aux formes bizarres. Mais ce combat-là a été perdu, et les papilles des amateurs de « fromages qui puent » ont de beaux jours devant elles.

Quoi qu'en pensent les Américains, la France ne se trouve pas davantage que ses excellents fromages dans une situation catastrophique. Malgré le cancer du chômage et la fracture sociale, le corporatisme désuet et les facteurs de rigidité, malgré la fiscalité inadaptée et la gangrène de la corruption rongeant la classe politique, malgré l'entrée tardive dans la société de l'information et la perte logique d'influence internationale[1], les Français possèdent des atouts, dont la force de leur identité nationale n'est pas la moindre. Sans doute celle-ci conduit-elle la part la plus rétrograde de sa population à entendre le chant de la sinistre sirène, Jean-Marie Le Pen. Mais on aurait tort de s'obnubiler sur son discours pervers, et de penser qu'il suffira à bloquer les évolutions du pays. Avec la naissance tant attendue de l'Europe et le retour, encore timide, de la croissance économique, il est permis d'espérer que bien des problèmes trouvent enfin leur solution. L'image de la France à l'étranger est souvent le reflet de l'opinion que les Français ont d'eux-mêmes. Chicaneurs, jamais contents, dressés sur leurs ergots quand la modestie serait de mise, ils n'en progressent pas moins, en s'adaptant tant bien que mal aux contraintes d'une mondialisation qui demeure une de leurs meilleurs chances. Jacques Chirac, qui s'est révélé bien piètre politique depuis qu'il a pris les rênes du pays, est pourtant l'un de ceux qui soulignent chaque fois qu'il le peut les atouts dont jouit la France. Aux diplomates chargés de nous représenter à l'étranger, il rappelait : « En l'espace d'une génération, la France n'est pas seulement devenue le quatrième exportateur mondial de produits manufacturés, le deuxième pour les produits agricoles, le deuxième pour les services : aujourd'hui, chaque Français exporte deux fois plus que chaque Américain, et 50 % de plus que chaque

---

1. Voir sur ce point : Pascal Boniface, *La France est-elle encore une grande puissance ?*, Presses de Sciences Po, Paris, 1998.

Japonais. Mieux encore : depuis vingt-cinq ans, et malgré la montée régulière des pays émergents, la France a maintenu sa part du marché mondial, alors que celle des Etats-Unis, de l'Allemagne ou de la Grande-Bretagne diminuait sensiblement. On ne le sait pas assez et il nous appartient aussi de le dire[1]. » Il aurait pu ajouter que la compétitivité française s'améliore régulièrement, que son solde commercial paraît durablement excédentaire, que son chômage présente quelques signes d'amélioration, et qu'un Français sur quatre, contre un Américain sur dix, ne travaille que pour l'exportation.

MACHINES INTELLIGENTES

On serait malavisé de considérer que la puissance informationnelle, qui repose désormais tout entière sur les nouvelles technologies de la communication utilisées dans le cyberespace, là où la puissance américaine est actuellement hégémonique, constitue l'alpha et l'oméga de notre univers contemporain. Les ordinateurs, si puissants soient-ils, demeurent des machines, et seulement des machines. La technologie n'est certes pas une fin en soi : « Quand l'écran est devenu surface de contact entre deux espèces, celle des hommes et celles des ordinateurs, il est également devenu un piège potentiel pour les individus (...). Les écrans d'ordinateurs peuvent devenir des "miroirs narcotiques", piégeant les utilisateurs en leur renvoyant une image amplifiée de leur narcissisme[2]. » Les militaires américains, désireux de trouver une nouvelle frontière à leur horizon stratégique, ont développé le concept de RMA (*Revolution in Military Affairs*), qui recouvre justement tous les emplois des machines communicantes, et de leurs contre-machines, sur le champ de bataille et dans l'art de la guerre : « Le pivot de

---

1. Conférence des Ambassadeurs, 29 août 1997.
2. MANUEL DE LANDA, *War in the Age of Intelligent Machines*, Zone Books, New York, 1991, p. 230.

la bataille consiste désormais à éclaircir le champ de bataille (au sens large) pour les forces amies, et à l'opacifier pour les forces adverses [1]. » L'intégration des microprocesseurs dans les armes, la fusion des données venant de la quantité infinie de machines qui écoutent, photographient, mesurent l'intensité de la chaleur et de la lumière, transmettent, analysent les mouvements, de jour, de nuit, par mauvais temps et à des dizaines de kilomètres de l'endroit où se trouvent les troupes, permettront aux décideurs militaires « amis », bien à l'abri derrière leurs écrans, de déclencher des frappes précises, explosives ou électroniques, sans même qu'ils aient besoin de s'engager physiquement.

Tel est à tout le moins le rêve de la RMA, qui durera jusqu'au jour où ce concept aura fait la démonstration qu'il peut se traduire concrètement, ou pas. Après tout, le problème n'est peut-être pas là, mais dans le fait que la société la plus formidablement innovatrice du monde, à savoir la société américaine, tire sa puissance d'une capacité proprement saisissante à attirer le cœur de la compétence, le « jus » des autres nations. Sur ce thème de l'engouffrement des armées américaines dans le cyberespace, une extraordinaire profusion d'articles est parue depuis quelques années aux Etats-Unis. Il ne s'agit pas seulement d'une manière de convaincre les bailleurs de fonds du Pentagone de la nécessité de déverser des dollars dans un nouveau tonneau des Danaïdes budgétaire, mais plutôt des effets de la prise de conscience par la société militaire qu'elle ne pouvait plus se tenir à l'écart d'un mouvement encore plus vaste, l'émergence de la société de l'information. Pas un institut militaire, pas un état-major ne manque de produire des milliers de pages sur ces thèmes, exactement comme les centres de recherche civils planchent eux aussi sur les aspects stratégiques et sociaux de cette révolution, tandis que les techniciens courent après une innovation qui n'en finit pas d'exploser. De ce point de vue, les militaires français sont

---

1. Laurent Murawiec, « Guerre informationnelle et nouveaux médias », *Atelier de la FED*, Paris, 1997, p. 13.

comme toujours d'une très excessive prudence « Les études militaires, les études stratégiques, les études de défense en général, sont, en France, enfermées dans un ghetto. Les instituts et organismes sont cachés et protégés par de hauts murs », regrette une excellente étude produite par des civils pour le ministère français de la Défense, et naturellement tenue secrète par ce dernier[1].

Dans ce domaine des technologies de l'information, le civil tire le militaire, qui a perdu son rôle de pionnier et de locomotive. Les simulateurs de combat et les jeux vidéo très avancés que les adolescents font tourner sur leurs PC font appel à des technologies (simulation, compression, rendu d'images, vitesse de transfert, rapidité des processeurs, etc.) qui étaient, il y a moins de cinq ans, l'apanage des systèmes d'armes les plus modernes. Mais aujourd'hui, les militaires sont à la remorque. C'est à partir de technologies civiles qu'ils bâtissent leurs nouvelles architectures de systèmes. Ils achètent sur les étagères des fabricants des microprocesseurs qui auront été mis au point sans le moindre financement public. Ainsi, les protocoles de transfert d'information que les ingénieurs intègrent dans les systèmes tactiques sont pratiquement identiques à ceux qu'a développés l'Internet. Et quand ils entendent plancher sur les nouveaux OS (*operating systems*), au cœur des ordinateurs modernes, les militaires français se prennent à penser que la sécurité de leurs systèmes d'information pourrait bien résider en partie dans l'emploi de produits comme Linux, concurrent du Windows de Microsoft, développé collectivement par une communauté planétaire de 40 000 internautes, et qui présente la triple particularité d'être excellent au plan technique, gratuit, et « transparent », c'est-à-dire peu suspect d'être piégé par des « backdoors », permettant à un visiteur malintentionné d'entrer dans un ordinateur distant sans y être autorisé.

Lorsque les militaires veulent conserver pour eux des technologies répandues dans le commerce ou le domaine

1. Laurent Murawiec, *L'Innovation facteur de puissance*, Geopol Services, Genève, 1997, p. 89.

public, comme les cryptosystèmes les plus performants, ils échouent, ou n'y parviennent provisoirement qu'à grand-peine. Quant aux « moulinettes » informationnelles, ces applications qui permettent de fusionner les données informatives et de les présenter sous une forme utilisable par les analystes et les opérateurs, elles progressent aussi vite dans les deux univers pour une simple raison : il n'y a plus de différences entre eux. C'est tout juste si, dans ce secteur, on pourra remarquer que les bailleurs de fonds publics conservent quelque temps secrètes les innovations les plus spectaculaires, avant de les mettre sur le marché. Aux Etats-Unis, les meilleurs informaticiens viennent d'Asie, et la Chine est systématiquement vidée de ses chercheurs les plus performants. La Russie fait des pieds et des mains pour conserver un minimum de scientifiques dans ses labos, et les Européens, notamment les Français, partent en masse pour la Silicon Valley. Et l'on recommence à entendre dans notre pays les jérémiades contre la fameuse « fuite des cerveaux », qui l'avait déjà saisi d'effroi dans les années 60, avant que la fièvre retombe.

CAPITAL RISQUE

Il est vrai que lorsque quarante mille Français résidant autour de la Silicon Valley sont recensés par le consulat de France à San Francisco, il est permis de se poser quelques questions. L'un des vrais soucis qui doivent tracasser notre pays réside dans son éventuelle incapacité à valoriser ses innovations technologiques, et à ne point aggraver le retard qui s'est fait jour dans nombre de domaines. Qui se trouvent concerner moins les technologies elles-mêmes que l'environnement proposé aux innovateurs et créateurs de richesses, notamment au plan concurrentiel et fiscal. Pour retenir les petits génies qui partent s'installer aux Etats-Unis, ce ne sont pas seulement des salaires à la hauteur de ceux qu'ils trouvent outre-Atlantique qui suffiront. Il faudra aussi que leurs conditions d'exercice en France soient transformées. Cette situation a été tardivement prise en considération, au point qu'il a fallu attendre la fin de 1997 pour qu'un groupe de travail du SGDN – qui travaille, comme il se doit en France, dans le plus grand secret – se penche sur le thème du « fossé technologique » entre les Etats-Unis et la France. En réalité, et toutes proportions gardées en raison de la différence de niveau économique entre les deux pays, il ne s'agit pas pour notre pays de se lancer dans des compétitions tous azimuts. Mais bien de voir quels sont les handicaps qui empêcheraient la France de poursuivre sa route dans les hautes technologies, sans conserver aucune chance de rattraper un jour son retard.

Chez nous, le développement de la société de l'information, dont les emblèmes demeurent la micro-informatique, les cédéroms et l'Internet, a longtemps buté sur un environnement réglementaire mal adapté, refusant notamment de se pencher sur les caractéristiques des entreprises se lançant dans ces domaines. Sans même parler des effets pervers des fausses routes, dévoreuses de milliards de francs d'argent public, suivies par la France. Elles vont du Minitel à la TVHD, des monstrueux satellites TDF au sabotage délibéré de l'Internet au début des années 90. La France n'en est heureusement plus là, mais nombre de problèmes doivent encore être surmontés. Ils résident souvent dans le faible appui dont bénéficient les jeunes entrepreneurs désireux de développer des technologies émergentes ou de nouveaux produits commerciaux, prenant pour ce faire des risques réels, synonymes de résultats mirifiques ou de chutes spectaculaires. Tous les acteurs engagés dans les NTIC (Nouvelles technologies de l'information et de la communication) demandaient de ce fait à l'Etat d'intervenir, et deux ministres se sont engagés à fond depuis 1997 dans cette affaire, qui intéresse au plus haut point le Premier ministre : Claude Allègre, ministre de la Recherche, et Dominique Strauss-Kahn, ministre de l'Economie. On sait les efforts du premier pour introduire les NTIC dans l'univers scolaire et universitaire. Les Assises de l'innovation qui se sont tenues le 12 mai 1998 à Paris ont constitué l'occasion pour lui d'annoncer que les chercheurs allaient pouvoir créer des entreprises dans des conditions plus favorables, mais aussi de souligner que les principaux obstacles à l'innovation en France sont culturels : « Sur les quelque quatre mille entreprises créées aux Etats-Unis à côté du campus du MIT (Massachusetts Institute of Technology), un tiers l'a été par des étudiants qui avaient soutenu leur thèse depuis moins de cinq ans [1]. » Une assertion lucide, sans doute, mais qui n'explique pas pourquoi, ni comment, le biologiste Luc Montagnier, codécouvreur du virus du sida, a choisi de s'expatrier au Etats-Unis pour poursuivre ses recherches.

Lors de ces mêmes assises, Dominique Strauss-Kahn a détaillé son plan, organisé sur trois axes (nouvelles technologies, nouvelles entreprises, marché des capitaux), préparé par une série de rapports confiés à des personnalités du secteur. Les mesures préconisées par le ministre rompent avec la tradition française voulant que l'injection de fonds publics serve d'amorce à toute politique ambitieuse. Cette fois-ci, il n'y aura pas grand-chose, mise à part une « cagnotte » de cent millions de francs, destinée à accompagner le lancement de « fonds d'amorçage » qui aideront les jeunes entreprises innovantes. L'Etat prend l'engagement d'orienter vers les besoins des entreprises les travaux des organismes de recherche, et le ministre s'engage sur un terrain où il était attendu : le développement du capital-risque : un cortège de déductions et de mesures fiscales d'accompagnement, une refonte du régime des options de souscription d'action (les *stock-options*), une réforme du crédit d'impôt. Toutes ces mesures viennent en complément d'autres, prises précédemment, pour aider les capitaux-risqueurs, qui acceptent d'investir dans des technologies nouvelles. On citera ainsi les « contrats DSK », qui visent à réorienter vers ce secteur économique les fonds des assurances vie, même si l'exercice semble assez peu prisé en France. Mais le problème ne pourra être réglé que lorsque le capital-risque aura su trouver, comme aux Etats-Unis, les gestionnaires et les managers qui lui font défaut.

1. Entretien avec *La Tribune*, 12 mai 1998.

RÉSISTANCES FRANÇAISES

Le problème ne résiderait-il pas, en réalité, dans le fait que les Français n'aiment guère le risque ? La mondialisation les terrifie plus souvent qu'elle ne les attire, et le débat fait rage dans le pays sur ses effets. Pas une semaine ne s'écoule, depuis des mois, sans que des livres sortent sur les méfaits de la mondialisation, ou sur ses bienfaits. On se déchire durant des semaines, par éditoriaux interposés, sur les effets de deux initiatives remettant en cause le cadre économique global dans lequel évolue la France, le NTM (New Transatlantic Market) et l'Ami (Accord multilatéral sur l'investissement). Sous le premier de ces sigles barbares, se dissimule une initiative du commissaire européen Leon Brittan, qui entendait que les relations commerciales entre les Etats-Unis et l'Europe soient régies à partir de 2010 par des règles nouvelles, sous la forme d'un traité de libre-échange qui aurait notamment supprimé toute taxation douanière. C'est le 27 avril 1998, sur l'impulsion ardente de la France excédée par l'initiative bruxelloise, que le projet de NTM fut enterré. Le lendemain, c'est encore la France qui obtenait le report pour un semestre des discussions sur l'Ami, avant que Lionel Jospin ne le terrasse définitivement quelques mois plus tard. Cette idée américaine, largement soutenue par l'OCDE, mais combattue dans un même élan par Lionel Jospin et Jacques Chirac, aurait consisté à libéraliser sans restriction les investissements qu'un pays donné peut effectuer dans un pays tiers. En clair : offrir la garantie aux entreprises investissant à l'étranger qu'elles ne seront pas pénalisées par rapport aux investisseurs du cru. Législation conforme à l'accélération des échanges internationaux, aux transferts massifs de capitaux, bref, à la globalisation. Mais Paris se montre très opposé, d'abord sur une base antiaméricaine, mais aussi en fonction de ses intérêts économiques propres. Pour la France, l'Ami aurait dû préserver l'« exception culturelle » conquise au couteau à Marrakech, en 1993, lors des discussions sur la naissance de l'OMC, et censée protéger l'industrie culturelle européenne – en particulier le droit aux subventions – face aux prétentions dévorantes d'Hollywood. Une considération qui est tout sauf une fausse inquiétude, tant le déséquilibre s'accroît dans ce domaine entre les deux rives de l'Atlantique : en 1995, les Etats-Unis vendaient pour près de 7 milliards de dollars de programmes audiovisuels en Europe, quand cette dernière ne réalisait que 530 millions de dollars de ventes outre-Atlantique. Seconde exigence française : la mort des lois Helms-Burton et D'Amato. Paris entend également préserver le processus d'intégration européenne, de même que les législations régissant les relations sociales reconnues par l'OIT (Organisation internationale du travail) et la protection de l'environnement. Résumant le point de vue de nombreux opposants français à cette initiative, le porte-parole de l'association Droits devant voit dans l'Ami un exemple de « la barbarie libérale et d'un monde fondé sur la tyrannie du marché ». Une opposition qui s'est trouvée largement popularisée sur l'Internet, où des centaines de sites et de groupes de discussion se sont créés pour discuter de ce thème. Le 14 octobre 1998, Lionel Jospin déclarait que Paris « ne reprendrait pas les négociations [sur l'Ami] dans le cadre de l'OCDE ». Ce qui revenait à enterrer le projet.

La très nette opposition française à la définition de nouvelles règles de fonctionnement international qui ne seraient définies que par ce qu'Hubert Védrine appelle l'« hyper-puissance » américaine trouve certes sa légitimation dans le volontarisme déchaîné des Etats-Unis. Mais également dans une sorte de cafard collectif et permanent, dont la source ne serait pas à chercher ailleurs que dans une difficulté chronique à embrasser les évolutions du monde : « Durant des décennies, les Français ont balancé entre la célébration de leur particularisme, et la proclamation de sa fin. La France d'aujourd'hui se montre plus que jamais déchirée entre le désir d'être un pays moderne et normal, et le réflexe de se cramponner à sa conviction que la France n'est pas comme les autres nations[1]. » Pourtant, il est clair que le projet

---

1. DOMINIQUE MOÏSI, « The trouble with French », *Foreign Affairs*, mai-juin 1998.

caché de l'Ami consistait bien à officialiser la perte progressive des prérogatives des Etats, pour les transférer vers les entreprises et les investisseurs, en les laissant régir le monde à leur convenance. En donnant naissance à ce qu'Ignacio Ramonet, directeur du *Monde diplomatique*, nomme les « régimes globalitaires » : « Reposant sur les dogmes de la pensée unique, ils n'admettent aucune autre politique économique, négligent les droits sociaux du citoyen au nom de la raison compétitive, et abandonnent aux marchés financiers la direction totale des activités de la société dominée[1]. »

La mondialisation inquiète. Quelques auteurs nous rappellent pourtant que, loin de s'y dissoudre, la France y trouve son compte. Eric Izraelevicz est de ceux-là, qui vante les chances que le nouvel ordre économique mondial offre à la France[2]. Mais la place de notre pays dans la société mondialisée ne sera-t-elle pas réglée le jour où l'on aura su répondre de manière convaincante à la question : qu'est-ce qu'être Français aujourd'hui ? Cette interrogation domine le débat sur la mondialisation. Et une fois que l'on a prétendu qu'être Français, c'est ne pas être Américain, est-on certain d'approcher la réalité du problème ? Non. Mais encore ? Etre Français, dans l'Europe naissante, ce n'est pas parler la langue française, ou habiter dans l'Hexagone, ou être né sur son sol, ou aimer l'air qu'on y respire, ou disposer de parents français, ou apprécier la boulette d'Avesnes (quoique...), ou y passer ses vacances, y travailler, ou y vivre une belle histoire d'amour. Ou serait-ce tout cela à la fois, ce que Philippe Boggio appelle « souvent tout et n'importe quoi[3] » ? Peut-être serait-il plus simple de considérer qu'être Français, c'est partager le désir de vivre ensemble, sur le sol

---

1. Ignacio Ramonet, *Géopolitique du chaos*, Galilée, Paris, 1997, p. 59.
2. Eric Izraelevicz, *Ce monde qui nous attend : les peurs françaises et l'économie*, Grasset, Paris, 1997.
3. Philippe Boggio, « C'est quoi, être Français ? », *Marianne*, 24 novembre 1997.

français ou en liaison très étroite avec lui. Mais on comprend dans ces conditions que les rationnels Américains plongent dans des abîmes de perplexité quand ils cherchent à y voir clair.

Et la Chine, dans tout ça ?

C'est la place de la France qui se joue autour de ces questions. Que serons-nous au prochain siècle, devenus partie intégrante d'une Europe enfin construite, tout en espérant rester nous-mêmes ? Peut-être la réponse est-elle à chercher, très loin là-bas vers l'Est, aux marches d'un Empire plus vieux encore que notre pays. La question qui se pose dans le contexte actuel, c'est le rôle de la France dans ce monde futur. Entre l'Europe naissante, spectaculairement portée à sa confirmation politique dans le cliquetis de la nouvelle monnaie, et l'Amérique arrogante, dopée au complexe de supériorité survitaminé, il y a naturellement la place pour un troisième larron. Celui-ci, aux yeux de nombre de commentateurs, est clairement désigné : il s'agit de la Chine. Elle est sans doute encore enferrée, et pour de longues années encore, dans un archaïsme médiéval qui la condamne à franchir de nombreuses étapes avant de devenir le troisième géant dont on prévoit l'émergence avec une crainte mêlée de curiosité.

Les dirigeants pékinois sont les plus fervents théoriciens de la « multipolarité ». Ils entendent par ce mot un monde dont ils ne seraient pas exclus, où ils auraient leur mot à dire. Telle est au moins leur thèse officielle. Car en réalité, tout indique qu'ils ne souhaitent qu'une chose : devenir les seuls interlocuteurs des Etats-Unis. Leur volonté hégémonique sur l'Asie ne fait pas l'ombre d'un doute, et ils ont su habilement tirer les marrons du feu lors de la catastrophique crise économique et financière qui secoue le continent asiatique depuis l'été de 1997. Dotés de l'arme nucléaire depuis trois décennies, présents dans les technologies spatiales, attirant chaque année des milliards de dollars d'investissement et parfaitement conscients des nouveaux enjeux de la société de l'information, même si elle est encore loin de Pékin, les Chinois entendent devenir la prochaine grande puissance. Ce n'est pas par les armes, dans l'état actuel des choses, qu'ils peuvent prétendre y parvenir. Mais leur science incomparable des pratiques politiques occidentales en dit long sur leur habileté : elle peut aller jusqu'à la participation financière à la campagne d'un candidat à la présidence américaine, ou à l'embauche dans leur groupe de lobbyistes d'hommes politiques aussi éminents que les anciens secrétaires d'Etat Henry Kissinger ou Alexander Haig. Ces derniers jouant ostensiblement avec le feu chinois, pour le plus grand profit immédiat des entreprises commerçant avec l'empire du Milieu, mais au risque de laisser l'Amérique s'y brûler un jour les ailes. Quant aux Français, s'ils sont peu présents sur ce nouveau terrain d'affrontement, ils savent pertinemment que les Chinois ne leur demandent qu'une chose : que les Français contribuent à ce que l'Europe et l'Amérique ne fassent pas leur rapprochement sur leur dos, et ne se contentent pas de chercher, l'une et l'autre, à les vassaliser économiquement pour mieux se garantir contre leur expansionnisme virtuel.

Le XXIe siècle, tout près de nous, verra-t-il la suprématie américaine se conforter ou bien, au contraire, vaciller avant de décroître, sous les souriants coups de boutoir de Chinois sûrs d'eux-mêmes ? N'oublions jamais que les choses peuvent aller très vite et que l'actuel dynamisme américain, dopé par un colossal déficit budgétaire et une véritable opération de pompage des richesses de la planète, n'était rien il y a moins d'une décennie.

Annexe

Interception de communications émanant d'un ambassadeur américain, révélant une intervention diplomatique du plus haut niveau pour tenter de dénouer la crise du Karabakh

Date des interceptions : lundi 30 mars — 11 heures et 19 heures (françaises).

Interceptions sur avion militaire gros porteur américain de type C141, mission « FAC 16 231 » en route vers Bakou, ambassadeur américain répondant au nom de Mareska à bord de l'appareil accompagné de 17 personnes.

Avion au sol à Prague (11 heures) :

• L'ambassadeur est véritablement hors de lui. Il a fait demander le colonel MAC CARTHY, responsable du PC « EUCOM » à Bruxelles, et parvient à joindre l'aide de camp de ce dernier; il s'adresse en personne à lui. Ton extrêmement virulent.

• Mareska rappelle qu'il effectue *une mission officielle à l'initiative personnelle du président BUSH.*

Il insiste sur le fait qu'il s'agit bien d'une mission présidentielle, que le président BUSH s'y est personnellement impliqué et qu'il a donné plusieurs conversations téléphoniques à MARESKA à ce sujet.

Cette mission est la suivante (MARESKA donne les précisions du fait que le PC américain à Bruxelles est certainement dans l'ignorance de la mission qui a dû être organisée de manière très impromptue) : la mission a pour objet une tentative de règlement pacifique (« peacefull settlement ») du problème du KARABAKH.

La mission est donc initiée par BUSH, et James BAKER a mis un appareil américain à la disposition du ministre des Affaires étrangères tchécoslovaque, qui va accompagner la délégation américaine « sur zone ».

Nota : C'est probablement ce ministre des A.E. tchécoslovaque qui est attendu à Prague pendant la communication.

Or MARESKA proteste avec véhémence sur un problème « pratique ». En effet, c'est un appareil militaire inadapté à ce genre de mission qui a été mis à la disposition de la délégation américaine. L'appareil est très bruyant ; il ne convient pas du tout pour les conversations qui doivent avoir lieu à bord. MARESKA emploie même le terme de « honte » (« disgrace ») pour qualifier cet appareil ; il ajoute que la mission va durer une semaine, que des entretiens auront lieu à bord ; finalement, il précise que pour une mission de ce niveau, cet appareil donne une piètre idée des Etats-Unis, qu'il est donc urgent de mettre rapidement à la disposition de la délégation américaine un appareil de type C20 (équivalent de notre Falcon 50).

MARESKA précise certaines modalités de la mission (probablement pour les retransmettre au Département d'Etat à Washington).

Dans l'avion en vol (19 heures françaises) :

• La délégation américaine doit arriver le mardi 31 mars à Erevan à 23 heures.

• Le 31, la délégation américaine demande que le Département d'Etat fasse le nécessaire pour aménager une réunion qui pourrait se dérouler de 13 à 21 heures avec « the chairman of the parlementary comity on Nagorni Karabakh » (traduction littérale : le doyen du comité parlementaire). Il est probable que ce titre désigne le plus haut responsable actuel de la région.

• Les participants ne souhaitent pas être ensuite hébergés à Erevan, mais préfèrent Bakou (probablement pour des raisons d'insécurité de la zone actuellement).

Tous ces détails livrés alors que cet appareil est en vol révèlent le caractère impromptu de cette mission (encore au stade de la préparation).

MARESKA insiste plusieurs fois au cours des conversations pour bien signifier au PC à Bruxelles (qui semble relayer ensuite au Département d'Etat) qu'il s'agit d'une « presidential mission » à l'initiative personnelle de BUSH.

Commentaire :

Cette mission diplomatique américaine semble avoir été décidée de façon impromptue au niveau présidentiel américain dans la journée du lundi 30 mars, afin de dénouer la crise de KARABAKH (mission de huit jours). La présence américaine dans cette crise démontre encore leur capacité diplomatique, mais révèle aussi peut-être leurs préoccupations pour cette zone proche de la Turquie et de l'Iran.

Le document ci-dessus est un événement. Pour la première fois, une note d'interception par les services secrets français peut être publiée. Elle est d'autant plus révélatrice qu'elle ne concerne ni des « terroristes » ni des délinquants internationaux, mais une mission diplomatique américaine. Cette note a été communiquée au printemps de 1993 à une poignée de responsables français — dont le président de la République François Mitterrand, le Premier ministre Edouard Balladur et le ministre des Affaires étrangères Alain Juppé — sous la forme d'un « blanc » dactylographié, c'est-à-dire deux pages non signées. Les interceptions étaient datées du 30 mars 1993, soit le lendemain de la désignation du nouveau Premier ministre par le président de la République, à la suite de la défaite de la gauche aux élections législatives. Edouard Balladur avait nommé son gouvernement le jour même, et cette note fut l'un des premiers documents secrets présentés par les services aux nouveaux dirigeants français. Ce texte, comme c'est l'usage, ne mentionne pas le service « diffuseur » — il s'agit en fait d'un service habilité à effectuer ce type d'interception — ni les moyens techniques, qui ont permis de « lire » des fréquences de communication protégées. Il s'agit d'un exemple de l'utilisation des sources « secrètes » ou « noires », dont les caractéristiques ne sont, par définition, pas précisées aux destinataires de la note : ceux-ci n'ont pas, selon la formule consacrée, « à en connaître ». Selon les règles en vigueur dans les services secrets français concernant des documents aussi sensibles, son degré de classification n'est pas indiqué.

Nous avons lu cette note et l'avons recopiée mot pour mot, en y laissant les erreurs (orthographe de « Mareska » au lieu de « Maresca », notamment), et en conservant sa présentation typographique. Le document lui-même est construit à partir de plusieurs interceptions des communications d'un appareil de transport à long rayon d'action C141 Globemaster, de l'US Air Force, en mission en Europe centrale. Cet avion avait à son bord une délégation de négociateurs américains, conduits par l'ambassadeur John Maresca, engagés dans le processus qui devait aboutir, le 3 mai 1993, à la publication d'un plan de règlement du conflit du Haut-Karabakh. Mis au point par des diplomates américains, russes et turcs, cet accord avait conclu au nécessaire retrait des forces arméniennes de la région de Kelbadjar, afin de relancer dans de bonnes conditions le processus de négociations de la CSCE.

Officiellement, la diplomatie française n'était pas impliquée dans ce processus de paix. La note d'interception démontre toutefois que Paris s'y intéressait au plus haut point, et avait pris les moyens de se tenir informé de son déroulement. Il s'agit d'un procédé des plus classique en matière de diplomatie secrète, toutes les grandes puissances utilisant leurs capacités d'interception à cette fin. A cet égard, le fait qu'une puissance engagée dans une démarche diplomatique soit alliée au pays qui intercepte ses communications ne compte guère. Les « grandes oreilles » constituent un moyen privilégié de prendre connaissance d'éléments qu'un partenaire, a fortiori s'il s'agit d'un pays « ami », entend tenir secrets. La preuve...

Index

ABOU, Sélim : 45n

ABRAMATIC, Jean-François : 169

Acri (*African Crisis Response Initiative*) : 118

AKHTAR, amiral : 282

ALBRIGHT, Madeleine : 42, 58, 71, 85-86, 121, 297

ALLÈGRE, Claude : 323

ALLENDE, Salvador : 106

AMALRIC, Jacques : 37n

Amaryllis, opération : 100

AMARU, Marcel : 25

AMIN DADA, Idi : 105, 110

Amnesty International : 105, 135

Ani (Accord national irakien) : 59-60

ANNAN, Kofi : 43, 70-71, 101, 106

ARIAS, Oscar : 270

ARON, Raymond : 19, 154n

ARTHUIS, Jean : 297

Asean (*Assembly of East Asia Nations*) : 139-140

ATTALI, Jacques : 148n

ATWOOD, J. Brian : 124

AUGUSTINE, Norman : 287

B

Babylone, opération : 55

BAKER, James : 149

BAKHTIAR, Chapour : 85

BALL, Max W. : 88n

BALLADUR, Edouard : 36, 103, 122, 302, 312

BALLE, Francis : 48

BAQUIAST, Jean-Paul : 169

BARAT, Krishna : 314n

BARNIER, Michel : 34

BARRE, Raymond : 172

BARTH, Jean-François : 296n

BARZANI, Massoud : 60

Basic (*British American Security Information Council*) : 270

BAUEMLIN, Yves : 205

BAUMEL, Jacques : 200n

BAYARD, Jean-François : 102

BEAUSSANT, Antoine : 169

BEGOVIAN, Richard : 107

BELLEMIN-COMTE, Eric : 205n

BÉRÉGOVOY, Pierre : 276

BERNERS-LEE, Timothy : 211

BHUTTO, Ali : 283

BHUTTO, Benazhir : 281-282, 284

BHUTTO, Nusrat : 284

BLAIR, Tony : 271

BLAAUW : 33n

BLOCHE, Patrick : 169

Blue Beam, opération : 100

BND (*Bundesnachrichten-dienst*) : 194

BOGGIO, Philippe : 327n

BONAZZA, Patrick : 82n

BONGO, Omar : 127

BONIFACE, Pascal : 20n, 318n

BOOSE, Lynda E. : 165n

BOUDREAU, Donald : 91n

BOUGAREL, Xavier : 24n, 27n

BOULE, Jean-Raymond : 110-111

BOURGUIBA, Habib : 44

BOUTROS-GHALI, Boutros : 41 à 44, 46

BOWDEN, Mark : 165n

BRADY, James : 12

BRADY, Sara : 12

BRAECKMAN, Colette : 104n

BRAIBANT, Guy : 169

BRANA, Pierre : 101n

BRENET, Nadège : 81n

BRICMONT, Jean : 161n

BRITTAN, Leon : 325

BRODER, Andrei : 314n

BROWN, Ronald : 299, 303, 305

BRZEZINSKI, Zbigniew : 84, 157

BUJON DE L'ESTANG, François : 32

BUNEL, Pierre-Henri : 33

BURNS, John F. : 285

BURNS, Nicholas : 36

BURTON, Danny L. : 93

BUSH, George : 37n, 59, 61, 149, 216

BUTLER, Richard : 71

C

CADUC, Philippe : 296

CALLAHAN, David : 101n

CALVI, Fabrizio : 199n

CAMDESSUS, Michel : 277

CAMPBELL, Tom : 118

CARLSON, Chester : 290

CARR, Caleb : 66n

CARTER, Jimmy : 84, 157, 246, 267

CASOLARO, Danny : 198

CASTELLS, Manuel : 170n

CASTRO, Fidel : 90, 92-93

CAZENEUVE, Bernard : 101n

CÉSAIRE, Raymond : 109

CHARETTE, Hervé de : 26, 35, 38, 53-54, 76, 109, 121

CHEVÈNEMENT, Jean-Pierre : 151

CHIFFOT, Jean-Louis : 23n

CHIRAC, Jacques : 11, 20, 24, 26, 33, 35 à 37, 40 à 44, 51 à 54, 70, 107, 117, 148, 155, 162, 258, 263-264, 276, 283, 310, 318, 325

CHRÉTIEN, Jean : 94

CHRISTOPHER, Warren : 38-39, 53-54, 121, 310

CIA (*Central Intelligence Agency*) : 59 à 61, 107, 150, 159, 199, 201, 209, 221, 237, 300, 304-305

CIEEMG (Comité interministériel pour l'étude des exportations de matériels de guerre) : 278

CLERC, Philippe : 312n

CLINTON, Bill : 26, 33, 37, 40-41, 59, 61, 66, 68, 70-71, 73-74, 76-77, 85, 92, 101, 107, 112, 121, 124-125, 132, 162, 181, 210, 237, 255, 264, 299 à 302, 310

CLUZEL, Jean-Paul : 48

CNCIS (Commission nationale de contrôle des interceptions de sécurité) : 196

COCHIN, Bernard : 308n

COGAN, Charles : 159

COHEN, Roger : 159

COHEN, William : 32, 38

COOK, Robin : 272

COPPIN, Claude : 307

CORDESMAN, Anthony H. : 90n

COSTIGLIOLA, Franck : 37n, 163-164n

COT, Jean-Pierre : 113n

COUDURIER, Hubert : 264n

COÛTEAUX, Pierre-Marie : 151n

CRESSON, Edith : 256

CROSSETTE, Barbara : 72n

CSAE (Comité stratégique pour l'audiovisuel extérieur) : 48

CSE (*Canadian Communications Security Establishment*) : 190

CTBT (*Comprehensive Test Ban Treaty*) : 36

D

D'AMATO, Alphonse : 77-78, 83

D'ANDREA TYSON, Laura : 300

DADA, Idi Amin : 105, 110

DALLAIRE, Roméo : 103

DASSAULT, Marcel : 259, 265

DASSAULT, Serge : 258

DAVID, Dominique : 19n

DE LANDA, Manuel : 319n

DEBOUZY, Olivier : 178n

DEBY, Idriss : 129-130

DELEUZE, Gilles : 161

Deliberate Force, opération : 23-24, 27

DELMAS, Philippe : 212n

Desert Fox, opération : 73

Desert Shield, opération : 215, 233

Desert Storm, opération : 215, 233

DESFOURNEAUX, Marc : 308n

DESMAREST, Thierry : 81

DESVIGNES, Jean-Louis : 178, 179n

DEUTCH, John : 60n, 305

DEVOS, René : 116

DEWATTRE, Jacques : 196

DGSE (Direction générale de la sécurité extérieure) : 31, 87, 129, 193-194, 196, 202, 208

DIA (*Defense Intelligence Agency*) : 199, 216

DICKEY, Christopher : 147n

DIORI, Hamani : 44

DOLE, Bob : 41

DOS SANTOS, José Eduardo : 127

DOUDAEV, Djokhar : 82

DOUIN, Jean-Philippe : 35, 37, DRAGO, Steven R. : 164n

DRM (Direction du renseignement militaire) : 58, 196, 222, 225

DRUCKENMILLER, Stanley : 141

DSD (*Defence Signals Directorate*) : 190

DST (Direction de la surveillance du territoire) : 31, 153, 201, 203, 205, 208, 311

DUR, Philip : 216-217

DURIEUX, Bruno : 259n

DURTESTE, Philippe : 38

E

EAGLETON, William : 307

ECOMOG (*ECOWAS monitoring group*) : 119

EDELSTENNE, Charles : 265

EISNER, Michael : 155

EKEEUS, Rolf : 58

El Dorado Canyon, opération : 57n

ELLIOT, Michael : 148n

ELTSINE, Boris : 39, 47, 243

ETA (*Euzkadi ta Askatasuna*) : 93

EUDES, Yves : 155n

F

FAHD IBN ABDEL AZIZ AL SAOUD : 302

FALKENRATH, Richard A. : 242n

FAVIER, Pierre : 57n

FIALKA, John J. : 208n

FILLON, François : 168

FOCCART, Jacques : 97, 113, 115

FOLEY, Timothy : 300n

FORGEARD, Noël : 261

FORPRONU (Force de protection des Nations unies) : 27

FORRESTER, Viviane : 20

FPR (Front patriotique rwandais) : 100, 102

FRANCK, Thomas : 160

FRICKER, Richard L. : 198n

FRIEDAN, Betty : 143

FRIEDMAN, Thomas : 145, 146n

FUERTH, Leon : 59

G

GAILLARD, Philippe : 97n

GATES, Bill : 173, 211, 230n, 290

GAULLE, Charles de : 34, 52-53, 98, 149, 151-152, 163, 263

GCHQ (*Government Communication Headquarters*) : 190

GCSB (*Government Communications Security Bureau*) : 190

GÉRARD, Bernard : 205

GERTH, Jeff : 287n

GFIM (Groupe de forces interarmées multinationales) : 36

GIRALDO, Gérard : 116

GISCARD D'ESTAING, Valéry : 153, 173

GLASER, Antoine : 113n

GODFRAIN, Jacques : 121

GORCE, Paul-Marie de la : 152n, 153

GORDIMER, Nadine : 92

GORDON, Michael R. : 71n,

GORE, Al : 59

GOURMELON, Hervé : 30 à 32

GPS/NAVSTAR (*Global Positonning System/Navigation Satellite Tracking and Ranging*) : 224, 233 à 238
GROUARD, Serge : 227n
GUATTARI, Félix : 161
GUBERT, Romain : 82n
GUELFI, André : 126
GUILLAUME, Henri : 169

H

HABYARIMANA, Juvénal : 99
HADDAD, Katia : 44n
HAGER, Nicky : 190n, 200
HAIG, Alexander : 329
HALL, Keith : 219n
HARIRI, Rafic : 45, 54
HEINRICH, Jean : 30
HELMS, Jesse : 93
HELUIN, Bruno : 25
HÉRISSON, Pierre : 168n
HOAGLAND, Jim : 60n
HOFFMANN, Stanley : 154
HOLBROOKE, Richard : 26n, 27-28
HOLUM, John D. : 246
HUGEUX, Vincent : 121
Human Rights Watch : 135
HUMBLOT, Jacky : 25
HUOT, Charles : 299
HUSSEIN, Qoussaï : 74
HUSSEIN, Saddam : 55-56, 58 à 61, 63, 66-67, 71-72, 74, 89-90, 105, 219, 267

I

IFOR (*Implementation Force*) : 30
IGNATIUS, David : 208n

IMBERT, Claude : 98n
IMHAUS, Patrick : 48
IRIGARAY, Luce : 161
IZETBEGOVIC, Alija : 29
IZRAELEVICZ, Eric : 327n

J

JACKSON, Bruce : 287
JACQUIER, Jean-François : 204n
JANOS, Leo : 289n
JEAN-PAUL II : 94
JEREMIAH, David : 220
JOBS, Steve : 173
JOSPIN, Lionel : 34, 39, 83, 109, 115 à 117, 126, 168-169, 177, 297, 312, 325-326
JOSSELIN, Charles : 116
JOXE, Pierre : 217
JOYANDET, Alain : 168n
JUBLIN, Jacques : 171n
JULIEN, Claude : 152
JUNKER, Jean-Claude : 255
JUPPÉ, Alain : 53, 58, 83, 103, 168, 258, 312

K

KABILA, Laurent-Désiré : 107, 109 à 111
KADHAFI, Muammar al : 89 à 92
KAGAMÉ, Paul : 99, 100, 108-109
KAHTAMI, Mohammad : 84
KAMEL, Hussein : 67
KARADZIC, Radovan : 30 à 32, 105

KASPARIAN, Choghig : 44n
KASPI, André : 156
KATAH, Sabbas : 282
KENNEDY, John F. : 149
KERSAUZON DE PENNENDREFF, Yves de : 196
KISSINGER, Henry : 329
KLOTZ, Bernard : 176
KOHL, Helmut : 257
KONAN BÉDIÉ, Henri : 126
KOVACS, Stéphane : 286n
KRISTEVA, Julia : 161
KUISEL, Richard : 152n-153n

L

LACAN, Jacques : 161
LACOSTE, Yves : 223
LACOUTURE, Jean : 149n
LADEN, Oussama ben : 75, 150
LAGARDÈRE, Jean-Luc : 260
LAÏDI, Zaki : 112n
LAKE, Anthony : 107
LAMAMRA, Ramdane : 88
LAMASSOURE, Alain : 117
LAMBROSCHINI, Sophie : 82n
LANGE, David : 200
LANXADE, Jacques : 25, 103, 306
LAST, David : 28n
LATOUR, Bruno : 161, 162n
LE FLOCH-PRIGENT, Loïk : 126
LE PEN, Jean-Marie : 318
LEDEEN, Michael : 67n
LEFAS, Patrick : 169, 298
LÉOTARD, François : 103, 280
LEVITTE, Jean-David : 107
LEWEK, James M. : 305
LEWINSKY, Monica : 74-75
LEYMARIE, Philippe : 103n
LHERMITTE, Philippe : 307n

LISSOUBA, Pascal : 128
LOPEZ, José Ignacio : 193
LORENTZ, Francis : 169, 177
LUCE, Henry : 144n
LUNDIN, Adolph : 110
LYNN, Matthew : 250n

M

M'BOKOLO, Elikia : 114n
MADSEN, Wayne : 82n, 189n
MAGAZINER, Ira : 181
MAHATIR, Mohamad : (« Dr M ») 139-140
MAJOR, John : 194
MANDELA, Nelson : 91 à 92, 108
MANSUY, Philippe : 30
MARKUSEN, Ann : 268n
MARTI, Serge : 277
MARTIN-LALANDE, Patrice : 168
MARTIN-ROLAND, Michel : 57n
MAUNG, Saw : 132
MAXWELL, James Clerk : 289
MC VEIGH, Thimothy : 76
MCCAIN, John : 72
MCCAW, Craig : 230n
MCKINNEY, Cynthia : 273
MCNAMARA, Francis Terry : 114n
MELVERN, Linda : 104n
MEYER, Michel : 48
MILLON, Charles : 35, 37-38
MILOSEVIC, Slobodan : 28
MINC, Alain : 173
MINUAR (Mission des Nations unies pour l'assistance au Rwanda) : 103
MINURCA (Mission d'interposition des Nations unies en République Centrafricaine) : 118

MISAB (Mission de sur-veillance des accords de Bangui) : 117

MITTERRAND, François : 35, 56-57, 99, 103, 113-114, 127, 136, 148-149, 153, 216, 276

MITTERRAND, Jean-Chris-tophe : 114

MOBUTU, Sese Seko : 98, 105, 107, 109 à 112

MOÏSI, Dominique : 326n

MONTAGNIER, Luc : 324

MONTALBAN, Manuel Vasquez : 48

MOOSE, George E. : 122, 123n

MURAWIEC, Laurent : 320n, 321n

MUSEVENI, Yoweri : 102, 108

N

NACIC (*National Counterintelligence Center*) : 210n

NEC (*National Economic Council*) : 299

NEMTSOV, Boris : 138

NETANYAHOU, Benyamin : 52

Nima (*National Imagery and Maping Agency*) : 222

NLD (*National League for Democracy*) : 134

NORA, Simon : 173

Noroît, opération : 100

NRO (*National Reconnaissance Office*) : 191, 218-219, 224

NSA (*National Security Agency*) : 189, 193, 196, 199, 302

NSDII (*National Spatial Data Information Infrastructure*) : 224

NTARYAMIRA, Cyprien : 99

NYE, Joseph S. : 14

O

O'LEARY, Hazel R. : 248

OCDE (Organisation de développement et de coopération économique) : 278-279

OLONISAKIN, Funmi : 120n

ORSINI, Francis : 243

Otan (Organisation du traité de l'Atlantique nord) : 24, 29, 31 à 41, 151, 285 à 287

OURDAN, Rémy : 104n

OVERHOLSER, Denys : 289

OWEN, William A. : 14

OYONO, Ferdinand : 43

P

PACHET, Pierre : 79n

PARKMAN, Francis : 146

PASQUA, Charles : 208

PATASSÉ, Ange-Félix : 116 à 118

PAUTRAT, Rémy : 311, 313

PDK (Parti démocratique du Kurdistan) : 60

PÉAN, Pierre : 97n

PEDRON LIOU, Isabelle : 304n

Pélican, opération : 109

PELLETREAU, Robert : 86

PELLS, Richard : 156n

PENNANT-REA, Rupert : 94

PENNE, Guy : 114

PERCIER, Philippe : 81n

PÉRÈS, Shimon : 54

PERRIN, Francis : 83n

PFISTER, Thierry : 199n
Piano Forte, opération : 31
PIKE, John : 191
PINOCHET, Augusto : 105-106
POL POT : 105
POMONTI, Jacques : 48
POMPIDOU, Georges : 152
POTANINE, Vladimir : 139
POUZIN, Louis : 172n
PRODI, Romano : 255
PRUNIER, Gérard : 104n

Q

QUATREPOINT, Jean-Michel : 171n
QUESNOT, Christian : 103
QUILÈS, Paul : 100, 101n

R

RABIN, Itzhak : 52
RAFSANJANI, Hashemi : 92
Raisins de la colère, opération : 52
RAMANE, Omar Abdel : 150
RAMONET, Ignacio : 327
RAUFFER, Xavier : 87n
RAVENEL, Bertrand : 87n
REAGAN, Ronald : 12, 148, 153, 234
Recamp (Renforcement des capacités africaines de maintien de la paix) : 119
REVEL, Claude : 304n
REVEL, Jean-François : 44, 155
RICE, Susan E. : 123
RICH, Ben R. : 289n
RICHARD, Alain : 32, 116
ROCARD, Michel : 311
ROHATYN, Félix : 162, 184

ROHDE, David : 27n
ROHRABACHER, Dana : 273
ROUSSELY, François : 197
ROUSSIN, Michel : 122
RUPNIK, Jacques : 24n
RUSHDIE, Salman : 79

S

SABBAGH, Daniel : 80n
SAFERWORLD : 270
SAINT-EXUPÉRY, Patrick de : 104n
SALAMÉ, Ghassam : 54
Salt I (*Strategic Arms Limitation Talks I*) : 240
SAMARA, Noah : 231-232
SANDHAL, Eric : 25
SANE, Pierre : 105
SANTER, Jacques : 257
SASSOU N'GUESSO, Denis : 127-128
SCHWEIZER, Peter : 159n, 208n
SCIOLINO, Elaine : 71n
SCSSI (Service Central de Sécurité des Systèmes d'Information) : 176
SENGHOR, Léopold Sedar : 44
SERFATI, Claude : 268n
SERRES, Michel : 161
SÉRUSCLAT, Franck : 168
SERVAN-SCHREIBER, Jean-Jacques : 152, 213
SHARIF, Nawaz : 284
SHATTUCK, John : 107
SHEEHY, Patrick : 94
SILBERZAHN, Claude : 129n
SILLARD, Yves : 236
SIMPSON, Daniel H. : 108
SIRVEN, Alfred : 126

Slorc (State Law and Order Restauration Council) : 131-132, 135
SMITH, A. J. C. : 206
SMITH, Jeffrey : 30n
SMITH, Stephen : 109n, 113n
SOKAL, Alan D. : 161, 162
SOLANA, Javier : 38
SOMMERFELD, Arnold Johannes : 289
SONNENFELDT, Helmut : 90
SOROS, George : 131 à 141
SPERLING, Gene : 300
SPILLMANN, Fabien : 307n
Start II (*Strategic Arms Reduction Talks II*) : 240
STEELE, Robert : 304
STRAUSS-KAHN, Dominique : 177, 298, 323-324
SUMMERS, Lawrence H. : 123
SUU KYI, Aung San : 134, 139
SYMONYI, Charles : 290
SYROTA, Jean : 245

T

TAFFAR, Abdelkadder : 88
TAHERI, Amir : 60n
TALABANI, Jahal : 60
TANNEBAUM, Ehud : 188
TARALLO, André : 126
TARDY, Thierry : 25n
TENET, George : 220
THATCHER, Margaret : 146, 264
Thunder Storm, opération : 73
TIERSKY, Ronald : 69
Train and Equip, opération : 33
Transparency International : 277
TRÉGOUËT, René : 168

TSANG, Donald : 138
TUDJMAN, Franjo : 29
TÜRK, Alex : 168n
TURNER, Ted : 47
Turquoise, opération : 103

U

UEO (Union de l'Europe occidentale) : 36, 200
UMINSTEV, Piotr : 289
Unscom (*United Nations Special Commission*) : 58, 71
UPK (Union patriotique du Kurdistan) : 60
Usaid (*US Agency for International Development*) : 124
USUNIER, Jean-Claude : 276n

V

VAÏSSE, Maurice : 149n
VALLADAO, Alfredo : 144n
VAN DOCK-VAN WEELE, Anneke : 95n
VAN MIERT, Karel : 252, 255
VASQUEZ RODRIGUEZ, José Manuel : 223n
VÉDRINE, Hubert : 39, 40n, 48, 57, 69-70, 73, 83, 86, 105, 114, 272, 310-311, 326
VERNA, Gérard : 276n
VIARD, Jean : 20n
VICK, Charles : 191
VINOCUR, John : 145n
VIOLET, Bernard : 187n
VIRILIO, Paul : 161

W

WALTERS, Vernon : 148
WARNER, Judith : 147n
WAYMEL, Marc : 30
WEINBERGER, Caspar : 159n
WEINER, Mike : 291n

WEINER, Tim : 287n
WEISSMAN, Fabrice : 120n
World Development Movement :
   270

Y

YOLIN, Jean-Yves : 169

Z

ZARDARI, Asif : 283 à 285
ZAYED BEN SULTAN AL-NAHYAN :
   263
ZÉROUAL, Liamine : 88
ZIA UL-HAQ, Mohammed : 282
ZINZOU, Emile : 44

Table

Introduction 7

1. LE NOUVEL ORDRE AMÉRICAIN 11

Une loi mondiale, et l'autre pas 11
Pas de règles pour les flux immatériels 13
Qu'est-ce que la mondialisation? 15

2. GRANDE GUEULE ET PETIT BÂTON 23

Bosnie, le baptême du feu 23
Malentendus et « trahisons » 29
Garde-toi de ton flanc sud! 34
Onu et Kofi Annan 41
Francophonie 43

3. CHIRAC D'ARABIE 51

Les raisons de la colère 51
Irak : les relations particulières 55
Affaires irakiennes 57
Guerres secrètes ratées 59
Enjeux pétroliers 62
Elf et Total dans les starting-blocks 65
Un beau succès français 67

4. PÉTROLE, ISLAM ET GRANDS PRINCIPES . 75

L'Amérique contre Total 77
Fondamentalisme algérien 85
En deçà du bien et du mal 89
Bons baisers de Tripoli 91
Cuba et l'arme économique 93

5. LA FIN DE L'AFRIQUE FRANÇAISE 97

Américains indésirables 99
Tribunal pénal international 104
Le départ de Mobutu 106
Opportunisme anglo-saxon 109
Retrait inéluctable de la France 112
Mutineries centrafricaines 116
Le nouveau discours de Paris 118

6. AMBITIONS BLANCHES ET AFRIQUE
NOIRE 121

Projets commerciaux. 121
Au bonheur des pétroliers 126

7. GEORGE SOROS DÉFIE TOTAL 131

Un financier contre le Slorc 131
« Hedge funds » maîtres de la planète financière. 136
Soros contre « Dr M ». 139

8. MÂLES ACCENTS ANTIFRANÇAIS 143

Le siècle américain 143
Français diabolisés 145
Cynisme amoral 148
L'antiaméricanisme est-il un humanisme? 151
Asseoir la suprématie 157
Piques, pointes et nuances 160
En avoir, ou pas 163

9. L'INTERNET, NOUVEAU MOTEUR DU
MONDE 167

L'Internet, moteur du monde 167
Fausses et vraies bonnes idées : plan Calcul et réseau
Cyclades 171
Crypter, ou ne pas crypter? 175
Nommage 179

10. ESPIONNAGE ET CONCURRENCE
ÉCONOMIQUES 183

Un conflit de notre temps 183
Espionnage entre amis 187
Le réseau Ukusa et le système Echelon 189
L'affaire Inslaw/Promis 197
Assurances tous risques 201
Nouvelles stratégies offensives 206
Une puissance publique largement impliquée 210

11. ERRANCES SPATIALES 215

Imagerie spatiale 215
Modèles numériques de terrain 221
Spot risque gros 225
Des fréquences trop occupées 228
La radiodiffusion change de siècle 231
GPS, ou l'arme absolue! 233
Vulnérabilités croisées 236

12. PLUTONIUM : L'ÉTRANGE
COMPÉTITION FRANCO-AMÉRICAINE 239

La France s'engage dans le programme Aida 242
L'Amérique change de cap 246

13. BOEING CONTRE AIRBUS, OU LA LUTTE
DES GÉANTS 249

Quand le civil « retombe » sur le militaire 249
La riposte européenne 252
La faiblesse structurelle d'Airbus 255
Restructurations en bonne voie 259

14. ARMES, MENSONGES ET CORRUPTION .. 263

Dassault en compétition 263
Moralisation du commerce international? 269
Corruption, mode d'emploi 274
Pakistan 280
Terre de conquête pour marchands d'armes 285

15. INTELLIGENCE ÉCONOMIQUE 289

Qu'est-ce que l'intelligence économique? 289
Le cas finlandais 294
Les outils français 296
Advocacy center 299
Dommages de guerre (Bosnie) 305
Quelle politique française? 310

16. CONCLUSION 317

Machines intelligentes 319
Capital risque 322
Résistances françaises 325
Et la Chine, dans tout ça? 328

Annexe 331

Index 337

Achevé d'imprimer en février 1999
sur presse Cameron
dans les ateliers de
Bussière Camedan Imprimeries
à Saint-Amand-Montrond (Cher)
pour le compte des Éditions Stock
27, rue Cassette, 75006 Paris

Imprimé en France

Dépôt légal : février 1999.
N° d'Édition : 4496. N° d'Impression : 990850/4.

54-07-5075-02/4

ISBN 2-234-05075-8